SOBRE O AUTORITARISMO BRASILEIRO

LILIA MORITZ SCHWARCZ

Sobre o autoritarismo brasileiro

12ª reimpressão

Copyright © 2019 by Lilia Moritz Schwarcz

Grafia atualizada segundo o Acordo Ortográfico da Língua Portuguesa de 1990, que entrou em vigor no Brasil em 2009.

Capa
Victor Burton

Imagem de capa
Sonia Gomes, Memória, 2004, costura, amarrações, tecidos, rendas e fragmentos diversos, 140 × 270 cm. Cortesia da Mendes Wood DM São Paulo, Bruxelas, Nova York/ Copyright da Artista/ Reprodução de Eduardo Ortega.

Pesquisa e checagem
Érico Melo

Preparação
Márcia Copola

Índice remissivo
Luciano Marchiori

Revisão
Angela das Neves
Huendel Viana

Dados Internacionais de Catalogação na Publicação (CIP)
(Câmara Brasileira do Livro, SP, Brasil)

Schwarcz, Lilia Moritz
    Sobre o autoritarismo brasileiro / Lilia Moritz Schwarcz. —
1ª ed. — São Paulo : Companhia das Letras, 2019.

    Bibliografia
    ISBN 978-85-359-3219-5

    1. Autoritarismo – Brasil – História 2. Brasil – Política e governo – História I. Título.

19-25038   CDD-981

Índice para catálogo sistemático:
1. Autoritarismo : Brasil : História   981
Maria Paula C. Riyuzo – Bibliotecária – CRB-8/7639

Todos os direitos desta edição reservados à
EDITORA SCHWARCZ S.A.
Rua Bandeira Paulista, 702, cj. 32
04532-002 — São Paulo — SP
Telefone: (11) 3707-3500
www.companhiadasletras.com.br
www.blogdacompanhia.com.br
facebook.com/companhiadasletras
instagram.com/companhiadasletras
twitter.com/cialetras

SOBRE A IMAGEM DA CAPA

A obra que aparece na capa deste livro, chamada *Memória*, é de autoria da mineira Sonia Gomes. Retalhos de tecidos encontrados ao acaso, ou ofertados à artista, são reconfigurados, relidos, traduzidos e transformados em escultura. Essas são "esculturas da memória", porque feitas do arranjo de vários objetos retirados do cotidiano, tensionados, e que remetem, em seu conjunto, à prática tradicional da costura feminina. O trabalho também evoca a ideia de puxar fios e tecidos da memória, os quais, assim reunidos, resultam numa forma nova, pois se apresentam no nosso tempo atual e interpelam a nossa própria contemporaneidade.

Nós, os brasileiros, somos como Robinsons: estamos sempre à espera do navio que nos venha buscar da ilha a que um naufrágio nos atirou.

Lima Barreto, "Transatlantismo", *Careta*

Um povo que não conhece sua história está condenado a repeti-la.

George Santayana, *The Life of Reason* (1905)

Sumário

Introdução — História não é bula de remédio.......... 11

1. Escravidão e racismo 27
2. Mandonismo 41
3. Patrimonialismo 64
4. Corrupção 88
5. Desigualdade social 126
6. Violência 152
7. Raça e gênero 174
8. Intolerância 207

Quando o fim é também o começo: Nossos fantasmas do presente 223

Agradecimentos 239
Bibliografia utilizada 241
Índice remissivo 255

Introdução
História não é bula de remédio[*]

O Brasil tem uma história muito particular, ao menos quando comparada à de seus vizinhos latino-americanos. Para cá veio quase a metade dos africanos e africanas escravizados e obrigados a deixar suas terras de origem na base da força e da violência; depois da independência, e cercados por repúblicas, formamos uma monarquia bastante popular por mais de sessenta anos, e com ela conseguimos manter intatas as fronteiras do país, cujo tamanho agigantado mais se assemelha ao de um continente. Para comple-

[*] *Sobre o autoritarismo brasileiro* é, em parte, realizado em diálogo com algumas conclusões e dados que aparecem em *Brasil: uma biografia* (2014), que escrevi em coautoria com Heloisa Starling. Faço também um uso seletivo de colunas que publiquei no jornal *Nexo* desde 2014. Como pretendo dar uma visão geral, e não exaustiva, sobre uma série de temas que explicam a vigência de práticas autoritárias em nosso país, alguns dos quais não fazem, mais exatamente, parte das minhas especialidades profissionais e acadêmicas, só pude escrever este livro em razão da excelente produção expressa em obras, relatórios e artigos, de acadêmicos, ativistas e jornalistas, acerca dos vários temas que o compõem. Como o formato deste livro não prevê a inserção de notas no decorrer do texto, procurei concentrar na bibliografia apresentada no fim do volume os títulos das obras aqui citadas e utilizadas.

tar, como fomos uma colônia portuguesa, falamos uma língua diversa da dos nossos vizinhos.

Somos um país, também, muito original e jovem em matéria de vida institucional regular. Boa parte dos estabelecimentos nacionais foram criados no contexto da vinda da família real, em 1808, quando se fundaram as primeiras escolas de cirurgia e anatomia, em Salvador e no Rio de Janeiro. Nas colônias espanholas, por sua vez, a criação das universidades é bem mais antiga, datando, algumas delas, dos séculos XVI, XVII e XVIII: Universidade de São Domingos (1538), Lima (1551), Cidade do México (1551), Bogotá (1580), Quito (1586), Santiago (1621) e Guatemala (1676). No XVIII: Havana (1721), Caracas (1721) e Assunção (1733).

Foi só com a chegada da corte portuguesa e com a duplicação da população em algumas cidades brasileiras que se deixou de contar exclusivamente com profissionais formados em Coimbra. Essas primeiras escolas foram a Academia Real Militar, em 1810, o curso de Agricultura, em 1814, e a Real Academia de Pintura e Escultura, fundada em 1820, com programas que asseguravam um diploma profissional, verdadeiro bilhete de entrada para postos privilegiados e para um mercado de trabalho bastante restrito e de garantido prestígio social. Foram igualmente fundados nesse momento o Real Jardim Botânico, a Escola Real de Ciências, Artes e Ofícios, o Museu Real, a Real Biblioteca, a Imprensa Régia e o Banco do Brasil, o qual, diziam as testemunhas, "já nasceu falido".

A Coroa portuguesa tratou de transplantar, ainda, a pesada burocracia da metrópole europeia, num organograma hierárquico antes centralizado no Paço, em Lisboa, e que abrangia o governo-geral do Brasil, o governo das capitanias e o das câmaras municipais. A estrutura judicial já contava, por aqui, com o Tribunal da Relação, vinculado à Casa da Suplicação, sediada na capital lusa, mas essa corte superior também veio na "bagagem" do príncipe regente, assim como outros antigos tribunais portugueses: o

Desembargo do Paço, instância superior no organograma, e a Mesa da Consciência e Ordens, que mantinha o vínculo com o arcebispado do Brasil.

A independência política em 1822 não trouxe muitas novidades em termos institucionais, mas consolidou um objetivo claro, qual seja: estruturar e justificar uma nova nação, aliás, e como vimos, muito peculiar no contexto americano; uma monarquia cercada de repúblicas por todos os lados.

A tarefa não era pequena. Era preciso redigir uma nova Constituição, cuidar da saúde da população doente e que crescera muito, formar engenheiros para assegurar as fronteiras e planejar as novas cidades, judicializar processos até então decididos a partir dos costumes e dos poderes regionais, e, não menos importante, inventar uma nova história para o Brasil, uma vez que a nossa era, ainda, basicamente portuguesa. Não é de estranhar, portanto, que dentre os primeiros estabelecimentos fundados nessa ocasião estivesse o Instituto Histórico e Geográfico Brasileiro, o IHGB, aberto em 1838. Sediado no Rio de Janeiro, o centro logo deixaria claras suas principais metas: construir uma história que elevasse o passado e que fosse patriótica nas suas proposições, trabalhos e argumentos.

Para referendar a coerência da filosofia que inaugurou o IHGB, basta prestar atenção no primeiro concurso público por lá organizado. Em 1844, abriam-se as portas para os candidatos que se dispusessem a discorrer sobre uma questão espinhosa, desta forma elaborada: "Como se deve escrever a história do Brasil". A ementa era direta, não deixava margem para dúvidas. Tratava-se de inventar uma nova história *do* e *para* o Brasil.

Foi dado, então, um pontapé inicial, e fundamental, para a disciplina que chamaríamos, anos mais tarde, e com grande naturalidade, de "História do Brasil", como se as narrativas nela contidas houvessem nascido prontas ou sido resultado de um ato exclusivo de vontade ou do assim chamado destino. Sabemos, porém, que na imensa maioria das vezes ocorre justamente o oposto: momentos inaugurais procuram destacar uma dada narrativa temporal em detrimento de outras, criar uma verdadeira batalha retórica — inventando rituais de memória e qualificando seus próprios modelos de autênticos (e os demais de falsos) —, elevar alguns eventos e obliterar outros, endossar certas interpretações e desautorizar o resto. Episódios como esse são, portanto, bons para iluminar os artifícios políticos da cena e seus bastidores. Ou seja, ajudam a entender como, quando e por que, em determinados momentos, a história vira objeto de disputa política.

No caso, a intenção do concurso era criar apenas *uma* história, e que fosse (por suposto) europeia em seu argumento, imperial na justificativa e centralizada em torno dos eventos que ocorreram no Rio de Janeiro. Desbancando Salvador, o Rio se tornara capital do Brasil desde 1763, e agora precisava exercer sua centralidade política e histórica. Além do mais, o estabelecimento necessitava confirmar sua origem palaciana, bem como justificar a composição do quadro de sócios, basicamente pertencentes às elites agrárias locais.

Dessa maneira, nada mais adequado que a construção de uma história oficial que concretizasse o que, àquela altura, parecia artificial e, além do mais, recente; um Estado independente nas Américas mas cujo projeto conservador levou à formação de um Império (regido por um monarca português) e não de uma República. Ademais, era preciso enaltecer um processo de emancipação que ia gerando muita desconfiança e conferir-lhe legitimidade. Afinal, diferentemente de seus vizinhos latino-americanos, o chefe de Estado no Brasil era um monarca, descendente direto de três casas reais europeias das mais tradicionais: os Bragança, os Bourbon e os Habsburgo.

Mas a singularidade da competição também ficou associada a seu resultado e à divulgação do nome do vencedor. O primeiro lugar, nessa disputa histórica, foi para um estrangeiro — o conhecido naturalista bávaro Karl von Martius (1794-1868), cientista de ilibada importância que, no entanto, era novato no que dizia respeito à história em geral e àquela do Brasil em particular —, o qual advogou a tese de que o país se definia por sua mistura, sem igual, de gentes e povos. Escrevia ele: "Devia ser um ponto capital para o historiador reflexivo mostrar como no desenvolvimento sucessivo do Brasil se acham estabelecidas as condições para o aperfeiçoamento das três raças humanas, que nesse país são colocadas uma ao lado da outra, de uma maneira desconhecida na história antiga, e que devem servir-se mutuamente de meio e fim". Utilizando a metáfora de um caudaloso rio, correspondente à herança portuguesa que acabaria por "limpar" e "absorver os pequenos confluentes das raças índia e etiópica", representava o país a partir da singularidade e dimensão da mestiçagem de povos por aqui existentes.

 A essa altura, porém, e depois de tantos séculos de vigência de um sistema violento como o escravocrata — que pressupunha a propriedade de uma pessoa por outra e criava uma forte hierarquia entre brancos que detinham o mando e negros que deveriam obedecer mas não raro se revoltavam —, era no mínimo complicado simplesmente exaltar a harmonia. Além do mais, indígenas continuavam sendo dizimados no litoral e no interior do país, suas terras seguiam sendo invadidas e suas culturas, desrespeitadas.

 Nem por isso o Império abriu mão de selecionar um projeto que fazia as pazes com o passado e com o presente do Brasil, e que, em lugar de introduzir dados históricos, que mostrariam a crueldade do cotidiano vigente no país, apresentou uma nação cuja "felicidade" era medida pela capacidade de vincular diversas nações e culturas, acomodando-as de forma unívoca. Um texto, enfim, que apelava para a "natureza" edênica e tropical do Brasil, essa sim acima de qualquer suspeita ou contestação.

 Martius, que em 1832 havia publicado um ensaio chamado "O estado do direito entre os autóctones no Brasil", condenando os indígenas ao desaparecimento, agora optava por definir o país por meio da redentora metáfora fluvial. Três longos rios resumiriam a nação: um grande e caudaloso, formado pelas populações brancas; outro um pouco menor, nutrido pelos indígenas; e ainda outro, mais diminuto, alimentado pelos negros. Na ânsia de escrever seu projeto, o naturalista parece não ter tido tempo (ou interesse), porém, de se informar, de maneira equânime, sobre a história dos três povos que originavam a jovem nação autônoma. O item que tratava do "rio branco" era o mais completo, alvissareiro e volumoso. Os demais pareciam quase figurativos, demonstrando visível falta de conhecimento. "Falta" esta que na verdade era "excesso", pois dava conta do que interessava para valer: contar *uma* história pátria — a europeia — e mostrar como ela se imporia, "naturalmente" e sem conflitos, às demais.

Ali estavam, pois, os três povos formadores do Brasil; todos juntos, mas (também) diferentes e separados. Mistura não era (e nunca foi) sinônimo de igualdade. Aliás, por meio dela confirmava-se uma hierarquia "inquestionável" e que, nesse exemplo, e conforme revelava o artigo, apoiava-se num passado imemorial e perdido no tempo. Essa era, ainda, uma ótima maneira de "inventar" uma história não só particular (uma monarquia tropical e mestiçada) como também muito otimista: a água que corria representava o futuro desse país constituído por um grande rio caudaloso no qual desaguavam os demais pequenos afluentes.

É possível dizer que começava a ganhar força então a ladainha das três raças formadoras da nação, que continuaria encontrando ampla ressonância no Brasil, pelo tempo afora. Vários autores repetiriam, com pequenas variações, o mesmo argumento. Sílvio Romero em *Introdução à história da literatura brasileira* (1882), Oliveira Viana em *Raça e assimilação* (1932), Artur Ramos em *Os horizontes místicos do negro da Bahia* (1932). De forma, dessa vez, irônica e crítica, mas mostrando a regularidade da narrativa, o modernista

Mário de Andrade em *Macunaíma* (1928) retoma a fórmula na conhecida passagem alegórica em que o herói e seus dois irmãos resolvem se banhar na água encantada que se acumulara na pegada do "pezão do Sumé", e saem dela cada qual com uma cor: um branco, um negro e outro da "cor do bronze novo".

Foi sobretudo Gilberto Freyre quem tratou, ele sim, de consolidar e difundir esse tipo de interpretação, não só em seu clássico *Casa-grande & senzala* (1933) como, anos depois, em livros sobre o lusotropicalismo, caso de *O mundo que o português criou* (1940). Assim, se foi o antropólogo Artur Ramos (1903-49) quem cunhou o termo "democracia racial" e o endereçou ao Brasil, coube a Freyre o papel de grande divulgador da expressão, até mesmo para além de nossas fronteiras.

A tese de Freyre teve tal ressonância internacional que acabou batendo nas portas da Unesco. No final dos anos 1940, a instituição ainda andava sob o impacto da abertura dos campos de concentração nazistas, que levaram à descoberta das práticas de genocídio e da violência estatal, bem como alertaram sobre as consequências do racismo durante a Segunda Guerra Mundial. Também tinha ciência da situação do apartheid na África do Sul e da política de ódios que se formava no contexto da Guerra Fria. Animada, então, pelas teses do antropólogo de Recife, e tendo a certeza de que o Brasil representava um exemplo de harmonia racial para o mundo, a organização financiou, na década de 1950, uma grande pesquisa com a intenção de comprovar a inexistência de discriminação racial e étnica no país. Porém, o resultado foi, no mínimo, paradoxal. Enquanto as investigações realizadas pelos norte-americanos Donald Pierson (1900-95) e Charles Wagley (1913-91), na Região Nordeste, buscavam corroborar os pressupostos de Freyre, já o grupo de São Paulo, liderado por Florestan Fernandes (1920-95), concluía exatamente o oposto. Para o sociólogo paulista, o maior legado do sistema escravocrata, aqui vigente por mais de três séculos, não seria uma mestiçagem a unificar a nação, mas antes a consolidação de uma profunda e entranhada desigualdade social.

Nas palavras de Florestan Fernandes, o brasileiro teria "uma espécie de preconceito reativo: o preconceito contra o preconceito", uma vez que preferia negar a reconhecer e atuar. Foi também Fernandes quem chamou a já velhusca história das três raças de "mito da democracia racial", revalidando, ao mesmo tempo, a força de tal narrativa e as falácias de sua formulação. O golpe de misericórdia foi dado pelo ativismo negro, que, a partir do fim da década de 1970, mostrou a perversão desse tipo de discurso oficial, o qual tinha a potencialidade de driblar a força dos movimentos sociais que lutavam por real igualdade e inclusão. Mas, apesar dos esforços, mais de um século depois a imagem da mistura das águas continuava a ter impacto no Brasil e soava como realidade!

Como se vê, a história que Von Martius contou, em inícios do século XIX, tinha jeito e forma de mito; um mito nacional. Tomava problemas fundamentais do país, como a vigência do sistema escravocrata por todo o território, e os rearranjava de maneira harmoniosa e positiva. Por isso mesmo, o texto não continha datas, locais precisos ou contextos estabelecidos; ele precisava fazer sentido para além do momento de sua elaboração, sendo que a ausência de uma geografia explícita e, sobretudo, de uma temporalidade definida lhe conferia a imortalidade e a confiança de que o passado fora grandioso, e ensejava um futuro ainda mais promissor. Era o mito dos "tempos de outrora", que sustentava as certezas do presente e garantia a vigência de uma mesma ordem e hierarquia, como se fossem eternas porque dadas pela natureza.

Ademais, uma certa indeterminação retórica permitiu que o texto do concurso ganhasse uma recepção prolongada, levando a história a virar mito e o oposto também, ou seja, o mito social a se transformar em história. Com uma especificidade: mitos não se comportam necessariamente como "mentiras". Como mostra o etnólogo Claude Lévi-Strauss, por tratarem de contradições profundas das sociedades a que dizem respeito, eles permanecem vigentes para além dos argumentos racionais ou dos dados e documentos que buscam negá-lo. Afinal, muitas vezes é mais cômodo conviver com uma falsa verdade do que modificar a realidade.

Durante o século XIX, o IHGB cumpriria seu papel, dando prosseguimento ao projeto de Martius. Altamente financiado pelo Império, o centro tratou de divulgar uma história grandiloquente e patriótica, mesmo que, por vezes, tivesse que sacrificar a pesquisa mais descomprometida para eleger textos que funcionavam como propaganda de Estado. A metáfora das três raças definiria, por um largo tempo, a essência e a plataforma do que significava fazer uma história *do* e *sobre* o Brasil. Ou melhor, um certo Brasil, uma determinada utopia, com a qual convivemos até os dias de hoje como se fosse realidade.

Naturalizar a desigualdade, evadir-se do passado, é característico de governos autoritários que, não raro, lançam mão de narrativas edulcoradas como forma de promoção do Estado e de manutenção do poder. Mas é também fórmula aplicada, com relativo sucesso, entre nós, brasileiros. Além da metáfora falaciosa das três raças, estamos acostumados a desfazer da imensa desigualdade existente no país e a transformar, sem muita dificuldade, um cotidiano condicionado por grandes poderes centralizados nas figuras dos senhores de terra em provas derradeiras de um passado aristocrático.

História e memória são formas de entendimento do passado que nem sempre se confundem ou mesmo se complementam. A história não só carrega consigo algumas lacunas e incompreensões frente ao passado, como se comporta, muitas vezes, qual campo de embates, de desavenças e disputas. Por isso ela é, por definição, inconclusa. Já a memória traz invariavelmente para o centro da análise uma dimensão subjetiva ao traduzir o passado na primeira pessoa e a ele devotar uma determinada lembrança: daquele que a produz. Assim, ela recupera o "presente do passado" e faz com que o passado vire também presente.

Veremos que não há como dominar totalmente o passado, mas o que pretendemos fazer aqui neste livro é "lembrar". Essa é a melhor maneira de repensar o presente e não "esquecer" de projetar o futuro.

Toda nação constrói para si alguns mitos básicos, que têm, em seu conjunto, a capacidade de produzir nos cidadãos o sentimento de pertencer a uma comunidade única, a qual permaneceria para sempre inalterada — "deitad[a] eternamente em berço esplêndido", conforme verseja o nosso Hino Nacional. Histórias de claro impacto e importância em seu contexto ganham outra dimensão quando escapam do momento que as viu nascer e passam a fazer parte da lógica do senso comum ou se transformam em retórica nacional.

O certo é que, quando viram mitologia, esses discursos perdem sua capacidade crítica para serem lidos apenas de uma maneira e a partir de um só pressuposto; aquele que exalta a criação de um passado glorioso e de uma história única, somente enaltecedora. Além da burla da mestiçagem racial, cujo exemplo exploramos até aqui, tal espécie de utopia de Estado costuma imaginar uma idílica sociedade patriarcal, com sua hierarquia tão enraizada quanto virtuosa. É uma forma de narrativa que não se baseia obrigatoriamente em fatos, uma vez que seleciona, em primeiro lugar, uma mensagem final e só depois arruma um bom argumento para justificá-la.

A bem da verdade, não era apenas Von Martius que realizava esse tipo de narrativa. Tratava-se de um modelo consagrado de fazer história em inícios do XIX, quando a preocupação maior se dirigia ao engrandecimento positivo do passado, e não tanto ao cotejo e verificação de documentos. Aliás, essa era a função do historiador: coligir bons exemplos no passado e assim dignificar o presente. Esse é também o conceito de "romance real", proposto por Paul Veyne para explicar o trabalho do historiador como uma espécie de orquestrador de eventos, no sentido de que é ele quem os organiza, seleciona e lhes confere sentido.

De uma forma ou de outra, a narrativa histórica produz sempre batalhas pelo monopólio da verdade. No entanto, ela se torna particularmente fértil em períodos de mudança de governo ou regime, como é o caso do texto do naturalista alemão, mas também de momentos de crise econômica. Nessas últimas circunstâncias, quando em geral ocorre o empobrecimento de uma parcela significativa da nação, a desigualdade aumenta e a polarização política divide a população — premida por sentimentos de medo, insegurança e ressentimento —, não são poucas as vezes em que se vai em busca de explicações longínquas para problemas que se encontram bem perto. É nesses períodos, ainda, que as pessoas se tornam mais vulneráveis e propensas a acreditar que seus direitos foram vilipendiados, seus empregos, roubados e, por fim, sua própria história lhes foi subtraída.

Tais momentos costumam desaguar em disputas pela melhor versão do passado, que vira um tipo de jogo de cartas marcadas, condicionado pelas questões do presente. Nessa hora, a história se transforma numa sorte de justificativa, enredo e canto de torcida organizada.

A construção de uma história oficial não é, portanto, um recurso inócuo ou sem importância; tem um papel estratégico nas políticas de Estado, engrandecendo certos eventos e suavizando problemas que a nação vivenciou no passado mas prefere esquecer, e cujas raízes ainda encontram repercussão no tempo presente. O procedimento acaba, igualmente, por autorizar apenas uma interpretação, quando se destacam determinadas atuações e formas de sociabilidade, obliterando-se outras. O objetivo é, como bem mostrou o exemplo de Von Martius, fazer o armistício com o passado: criar um passado mítico, perdido no tempo, repleto de harmonia, mas também construído na base da naturalização de estruturas de mando e obediência.

Esse tipo de modelo, que tem muito de imaginário e projetivo, não raro funciona como argamassa para as várias "teorias do senso comum". E, por aqui, a história do dia a dia costuma sustentar-se a partir de quatro pressupostos tão básicos como falaciosos. O primeiro deles leva a supor que este seja, unicamente, um país harmônico e sem conflitos. O segundo, que o brasileiro seria avesso a qualquer forma de hierarquia, respondendo às adversidades sempre com uma grande informalidade e igualdade. O terceiro, que somos uma democracia plena, na qual inexistiriam ódios raciais, de religião e de gênero. O quarto, que nossa natureza seria tão especial, que nos asseguraria viver num paraíso. Por sinal, até segunda ordem, Deus (também) é brasileiro.

Longe de constituir narrativas aferíveis, esses são modelos que dizem respeito a agendas tão profundas como ambíguas, e que, por isso mesmo, funcionam na base da falta de contestação e do silêncio. E, quando persiste o silêncio, é porque existe, com certeza, excesso de barulho. Barulho e incômodo social.

O problema é que essa espécie de história, muito pautada em mitos nacionais, de tão enraizada costuma resistir à danada da realidade. Como é possível definir o Brasil como um território pacífico se tivemos por séculos em nosso solo escravizados e escravizadas, admitindo-se, durante mais de trezentos anos, um sistema que supõe a posse de uma pessoa por outra? Lembremos que o Brasil foi o último país a abolir tal forma de trabalho forçado nas Américas — depois de Estados Unidos, Porto Rico e Cuba —, tendo recebido 5,85 milhões de africanos num total de 12,52 milhões de pessoas embarcadas e que foram retiradas compulsoriamente de seu continente para essa imensa diáspora atlântica; a maior da modernidade. Se considerarmos apenas os desembarcados e sobreviventes, o total, segundo o site Slave Voyages, foi de 10,7 milhões, dos quais 4,8 milhões chegaram ao Brasil. Por isso mesmo, em lugar do idílio, escravizados conheceram por aqui toda forma de violência, e de parte a parte: enquanto os senhores mantinham o controle na base da força e da sevícia, os cativos e cativas respondiam à violência com todo tipo de rebelião.

Outra pergunta: como é possível representar o país a partir da ideia de uma suposta coesão, partilhada por todos os cidadãos, quando ainda somos campeões no quesito desigualdade social, racial e de gênero, o que é comprovado por pesquisas que mostram a existência de práticas cotidianas de discriminação contra mulheres, indígenas, negros e negras, bem como contra pessoas LGBTTQ: Lésbicas, Gays, Bissexuais, Travestis, Transexuais e Queers?

Também vale a pena indagar por que, vira e mexe, sobretudo nos momentos de crise política, caímos no sonho da "concórdia" do Regime Militar, como se esse período tivesse sido encantado e carregasse consigo a solução mágica para nossos problemas mais estruturais.

E por que será que destacamos sempre a falta de hierarquia de nossas relações sociais quando nosso passado e nosso presente a desmentem? Não é possível passar impunemente pelo fato de termos sido uma colônia de exploração e de nosso território ter sido majoritariamente dividido em grandes propriedades monocultoras, que concentravam no senhor de terra o poder de mando e de violência, bem como o monopólio econômico e político. Por sinal, a despeito de o Brasil ser, cada vez mais, um país urbano, aqui persiste teimosamente uma mentalidade e lógica dos latifúndios, cujos senhores viraram os coronéis da Primeira República, parte dos quais ainda se encastelam em seus estados, como caciques políticos e eleitorais.

Diante desses grandes poderes personalizados e localizados, acabamos por criar práticas patrimonialistas, que implicam o uso do Estado para a resolução de questões privadas. Por outro lado, se durante os últimos trinta anos forjamos instituições mais consolidadas, ainda hoje elas dão sinais de fraqueza quando balançam em função dos contextos políticos. Isso sem contar a prática da corrupção, que, como veremos, e a despeito das várias formas e nomes que recebeu, já era recorrente na época colonial e imperial e virou erva daninha na República, consumindo divisas e direitos dos brasileiros.

Dizem que perguntar é uma forma de resistir. Pois penso que uma história crítica é aquela que sabe "desnaturalizar" o que parece dado pela biologia e que se apresenta, por consequência, como imutável. Não existe nada em nosso sangue ou no DNA dos brasileiros que indique serem todos esses elementos imunes à nossa ação humana e cidadã.

Também não é boa ideia fazer o oposto: relegar ao passado e ao "outro", que viveu antes de nós, tudo que nos incomoda no presente. Racista é "alguém outro" (não eu mesmo), o patrimonialismo é uma herança da nossa história pregressa, a desigualdade foi consequência da escravidão, e ponto-final. O certo é que é impossível jogar num tempo distante e inatingível todas as nossas mazelas atuais. Desde o período colonial, passando pelo Império e chegando à República, temos praticado uma cidadania incompleta e falha, marcada por políticas de mandonismo, muito patrimonialismo, várias formas de racismo, sexismo, discriminação e violência.

A despeito de vivenciarmos, desde 1988, e com a promulgação da Constituição Cidadã, o mais extenso período de vigência de um estado de direito e de uma democracia no Brasil republicano, não logramos diminuir nossa desigualdade, combater o racismo institucional e estrutural contra negros e indígenas, erradicar as práticas de violência de gênero. Nosso presente anda, mesmo, cheio de passado, e a história não serve como prêmio de consolação. No entanto, é importante enfrentar o tempo presente, até porque não é de hoje que voltamos ao passado acompanhados das perguntas que forjamos na nossa atualidade.

Portanto, a quem não entende por que vivemos, nos dias de hoje, um período tão intolerante e violento; a quem recebe com surpresa tantas manifestações autoritárias ou a divulgação, sem peias, de discursos que desfazem abertamente de um catálogo de direitos civis que parecia consolidado; a quem assiste da arquibancada ao crescimento de uma política de ódios e que transforma adversários em inimigos, convido para uma viagem rumo à nossa própria história, nosso passado e nosso presente.

Atualmente, uma onda conservadora atinge países como Hungria, Polônia, Estados Unidos, Rússia, Itália, Israel, mudando o cenário internacional e trazendo consigo novas batalhas pela "verdadeira" história. A estratégia não é inédita. Na antiga URSS, o jornal do Partido Comunista, o *Pravda*, termo cuja tradução é "verdade", não titubeou: defendeu o autoritarismo como a única narrativa possível. Até mesmo países de reconhecida tradição liberal costumam patinar quando precisam "lembrar" de um passado que preferem "esquecer". Esse é o caso do regime de Vichy, na França (1940-44), onde as elites locais colaboraram com o nazismo, ou da Espanha, que não consegue acertar suas contas com o período violento da Guerra Civil (1936-39), o qual dividiu e ainda divide sua população.

Eliminar "lugares de memória", na bela definição de Pierre Nora, é, assim, prática comum e generalizada. Todavia, esse tipo de atitude é ainda mais recorrente no interior de sociedades em que a história participa diretamente da luta política, vira uma forma de nacionalismo, e passa a buscar amenizar ou simplesmente anular acontecimentos traumáticos do passado, os quais é preferível tentar esquecer.

No Brasil também andamos "surfando" numa maré conservadora. Afinal, uma certa demonização das questões de gênero, o ataque às minorias sociais, a descrença nas instituições e partidos, a conformação de dualidades como "nós" (os justos) e "eles" (os corruptos), a investida contra intelectuais e imprensa, a justificativa da ordem e da violência, seja ela produto do regime que for, o ataque à Constituição e, finalmente, o apego a uma história mítica, fazem parte de uma narrativa de mais longo curso, a qual, no entanto, tem grande impacto no nosso contexto nacional e contemporâneo.

O objetivo deste pequeno livro é reconhecer algumas das raízes do autoritarismo no Brasil, que têm aflorado no tempo presente mas que, não obstante, encontram-se emaranhadas nesta nossa história de pouco mais de cinco séculos. Os mitos que mencionei até aqui funcionam como exemplo; porta de entrada para entender a formação de ideias e práticas autoritárias no Brasil. Auxiliam também a pensar como a história e certas mitologias nacionais são acionadas, muitas vezes, qual armas para uma batalha. Nesses casos, infelizmente, elas acabam por se transformar em mera propaganda ou muleta para receitas prontas e fáceis de realizar.

O mito da democracia racial, de forte impacto no país, é bom pretexto, portanto, para entender como se formam e consolidam práticas e ideias autoritárias no Brasil. Mas existem outras janelas importantes. O patriarcalismo, o mandonismo, a violência, a desigualdade, o patrimonialismo, a intolerância social, são elementos teimosamente presentes em nossa história pregressa e que encontram grande ressonância na atualidade. E esse é o propósito deste texto: criar pontes, não totalmente articuladas e muito menos evolutivas, entre o passado e o presente.

História não é bula de remédio nem produz efeitos rápidos de curta ou longa duração. Ajuda, porém, a tirar o véu do espanto e a produzir uma discussão mais crítica sobre nosso passado, nosso presente e sonho de futuro.

1. Escravidão e racismo

No Brasil, o sistema escravocrata transformou-se num modelo tão enraizado que acabou se convertendo numa linguagem, com graves consequências. Grassou por aqui, do século XVI ao XIX, uma escandalosa injustiça amparada pela artimanha da legalidade. Como não havia nada em nossa legislação que vetasse ou regulasse tal sistema, ele se espraiou por todo o país, entrando firme nos "costumes da terra". Imperou no nosso território uma grande bastardia jurídica, a total falta de direitos de alguns ante a imensa concentração de poderes nas mãos de outros.

Não se escapava da escravidão. Aliás, no caso brasileiro, de tão disseminada ela deixou de ser privilégio de senhores de engenho. Padres, militares, funcionários públicos, artesãos, taverneiros, comerciantes, pequenos lavradores, grandes proprietários, a população mais pobre e até libertos possuíam cativos. E, sendo assim, a escravidão foi bem mais que um sistema econômico: ela moldou condutas, definiu desigualdades sociais, fez de raça e cor marcadores de diferença fundamentais, ordenou etiquetas de mando e obediência, e criou uma sociedade condicionada pelo paternalismo e por uma hierarquia muito estrita.

Além disso, e diferentemente do que se procurou difundir, não se confirma a noção de que no país teria existido uma escravidão "mais branda". Um sistema que prescreve a propriedade de uma pessoa por outra, não tem nenhuma chance de ser benevolente. Ele pressupõe o uso intenso e extenso da mão de obra cativa, a vigilância constante, a falta de liberdade e o arbítrio. Para que se tenha uma ideia, trabalhava-se tanto por aqui e as sevícias eram tão severas, que a expectativa de vida dos escravizados homens no campo, 25 anos, ficava abaixo da dos Estados Unidos, 35.

No caso das mulheres, o destino não era muito diferente. Submetidas à força à alcova do senhor escravista, elas experimentavam, no corpo, a violência do sistema. Davam de mamar aos pequenos senhores e senhoras, sendo muitas vezes obrigadas a abandonar seus próprios filhos na "roda dos expostos" ou "dos enjeitados" — um mecanismo empregado para abrir mão ("expor" ou "enjeitar" na linguagem da época) de recém-nascidos que ficavam aos cuidados de instituições de caridade; sujeitavam-se a regimes árduos de trabalho, acumulando funções domésticas. Data também desse período a perversa representação da "mulata" como uma mulher mais "propensa" à sexualidade e à lascívia. Esses são estereótipos, construções históricas e sociais, que nada devem aos dados da realidade. Carregam, porém, a faculdade de construir realidades e criar grande prejuízo. Isso sem contar que já se delineava nesses primórdios brasileiros uma "cultura do estupro", como veremos mais à frente, ainda hoje enraizada no país. Com a desproporção sexual entre africanos embarcados, a entrada muito maior de colonos homens, bem como a manutenção de hierarquias de mando, a prática implicou o estabelecimento de relações igualmente hierárquicas, e raramente consentidas. Fazia parte, portanto, das "atividades diárias" das escravizadas sujeitar-

-se aos desmandos dos senhores, o que acabou gerando uma representação oposta — como se fossem elas a se "oferecer".
Entretanto, toda moeda carrega consigo seu outro lado. Por aqui — e contrariando a ladainha que descreve um sistema menos severo — escravizados e escravizadas reagiram mais, mataram seus senhores e feitores, se aquilombaram, suicidaram-se, abortaram, fugiram, promoveram insurreições de todo tipo e revoltas dos mais diferentes formatos. Também negociaram seu lugar e condição, lutando para conseguir horas de lazer, recriar seus costumes em terras estranhas, cultuar seus deuses e realizar suas práticas, cuidar de suas lavouras, e trataram de preservar suas famílias e filhos.

Por seu turno, senhores de escravos inventaram verdadeiras arqueologias de castigos, que iam da chibatada em praça pública até a palmatória, bem como informaram-se sobre as experiências e leis abolicionistas aplicadas em outras colônias escravocratas, muito especialmente na América espanhola. Por isso, adiaram, o quanto foi possível, o fim do regime, adotando um modelo gradual e lento de abolição.

Um sistema como esse só poderia originar uma sociedade violenta e consolidar uma desigualdade estrutural no país. Escravizados e escravizadas enfrentavam jornadas de trabalho de até dezoito horas, recebiam apenas uma muda de roupa por ano, acostumavam-se com comida e água pouca e nenhuma posse. Se a alfabetização não era formalmente proibida, foram, porém, raros os casos de proprietários que concederam a seus cativos o direito de frequentar escolas, criando-se assim uma sociabilidade partida pelo costume e pela realidade. Nas sociedades ocidentais, sem estudo formal não há possibilidade de mudança social, com as classes se comportando como estamentos congelados e destituídos da capacidade de romper ciclos de pobreza herdados do passado.

O sistema acabou tarde e de maneira conservadora. Apenas

depois de uma série de leis graduais, como a Lei do Ventre Livre, de 1871 (que libertava os filhos mas não as mães, e ainda garantia ao senhor o direito de optar entre ficar com os libertos até 21 anos de idade e entregá-los ao governo), a Lei dos Sexagenários, de 1885 (que manumitia escravizados precocemente envelhecidos e muitas vezes impossibilitados de trabalhar, representando despesa em vez de lucro para o proprietário), e finalmente a Lei Áurea, de 13 de maio de 1888. Curta, ela representou uma solução de compromisso. A lei não ressarciu os senhores, que esperavam receber indenização do Estado por suas "perdas". No entanto, também não previu nenhuma forma de integração das populações recém-libertas, inaugurando um período chamado de pós-emancipação, que teve data precisa para começar mas não para terminar.

Foi exatamente nesse contexto que teorias deterministas, também denominadas "darwinistas raciais", pretenderam classificar a humanidade em raças, atribuindo-lhes distintas capacidades físicas, intelectuais e morais. Segundo tais modelos científicos, os homens brancos e ocidentais ocupariam o topo da pirâmide social, enquanto os demais seriam considerados inferiores e com potencialidades menores. Pior sorte teriam as populações mestiças, tidas como "degeneradas" porque provenientes da mistura de raças essencialmente diversas. Esse "saber sobre as raças" visava justificar, com o aval das teorias da época, o domínio "natural" dos senhores brancos sobre as demais populações. Visava, ainda, substituir a desigualdade criada pela escravidão por outra, agora justificada pela biologia.

Assim, enquanto o Século das Luzes, o XVIII, e o liberalismo político tinham divulgado a concepção de que os homens eram iguais perante as leis, teorias do determinismo social e racial pretenderam concluir o oposto: que a igualdade e o livre-arbítrio não passavam de uma quimera, uma balela da Ilustração. Talvez por isso, na época da imediata pós-emancipação um sábio dito popular circulou pelas ruas do Rio de Janeiro: "A liberdade é negra, mas a igualdade é branca". A citação se referia à liberdade recém-conquistada pelos negros, com a abolição da escravidão, mas indicava, igualmente, a persistência dos severos padrões de desigualdade no país, problema que ainda aflige os brasileiros.

Ademais, as decorrências desses pressupostos tinham, entre outros, o poder de perpetuar estruturas de dominação do passado, colocando em seu lugar novas formas de racialização, as quais buscavam justificar biologicamente diferenças que eram históricas e sociais. Conforme desabafou em seu diário o escritor negro Lima Barreto, ainda nos inícios do século XX: "A capacidade mental dos negros é discutida *a priori* e a dos brancos, *a posteriori*".

A emergência do racismo é, portanto, uma espécie de "troféu da modernidade". Se a presença de negros em espaços de prestígio social já era basicamente vedada, ou muito dificultada pela escravidão, permaneceu bastante incomum no começo de nossa história republicana. Por isso, o sistema escravocrata só aparentemente restou fincado no passado. Tal configuração social, que levou à exclusão de boa parte da população das principais instituições brasileiras, produziu ainda um apagamento dos poucos intelectuais negros que haviam logrado se distinguir na época colonial e especialmente durante o Império. Também ocultou a formação de uma série de sociedades, associações e jornais comunitários negros, idealizados na Primeira República, que procuravam, na base da coletividade, lutar pela necessária inclusão social. Conforme define o sociólogo Mário Augusto Medeiros da Silva, essa seria uma "dupla morte" das pessoas negras; mata-se o indivíduo mas também sua memória.

Com a entrada do século XX, e diferentemente do que a propaganda republicana divulgou, a exclusão social voltou a crescer no Brasil; os negros sendo sistematicamente apartados das políticas e das benesses do Estado. Essa longa história também explica como, paradoxalmente, o racismo é filho da liberdade, pairando, ainda hoje, um grande interdito no que se refere à expansão de direitos para tais populações, que são as mais vitimizadas no país com relação aos direitos à saúde, educação, trabalho, moradia, transporte e segurança.

E, se hoje em dia as teorias raciais saíram de voga, se o conceito biológico de raça é entendido como falacioso e totalmente equivocado em suas decorrências morais, ainda utilizamos a noção de "raça social"; aquela que é criada pela cultura e pela sociedade no nosso cotidiano. Tendemos também a perpetuar um *plus* perverso de discriminação, que faz com que negros e negras morram mais cedo e tenham menor acesso aos direitos de todos os cidadãos brasileiros.

Essas são histórias "persistentes", que não terminam com a mera troca de regimes; elas ficam encravadas nas práticas, costumes e crenças sociais, produzindo novas formas de racismo e de estratificação. Por exemplo, até os dias de hoje os números da desigualdade têm cara e cor no Brasil. Dentre aqueles que afirmam ter medo da PM, a maioria é composta de jovens, pretos autodeclarados e moradores da Região Nordeste. Em 2009, o país registrou mais de 191 milhões de habitantes, um aumento de 23% se comparado à população em 1995. E, dentre as novidades do Censo, uma chama particular atenção: o aumento proporcional da população negra (preta e parda). Em 1995, 44,9% dos brasileiros declaravam-se negros; em 2009 esse percentual subiu para 51,1%, enquanto a população de brancos caiu de 54,5% para 48,2%.

Tal elevação não decorre, porém, do aumento da taxa de fecundidade da população negra, mas, antes, de mudanças comportamentais e na forma como essas pessoas têm se autodeclarado. Desde o final dos anos 1970, e principalmente durante os anos da redemocratização, quando ocorreu a emergência de uma agenda de direitos civis — pautada no direito à diferença dentro da igualdade e da universalidade, e vice-versa —, brasileiros têm mudado seus critérios de autodefinição e, progressivamente, se declarado negros ou pardos.

Não obstante, enquanto esse padrão permite prever uma maior flexibilidade nos modelos vigentes de classificação, já outros resultados sinalizam uma consistente e tenaz exclusão racial. Segundo o relatório do Ipea, a despeito do aumento geral da expectativa de vida entre os brasileiros, os indicadores que cobrem o período que vai de 1993 a 2007 mostram como a população branca continua vivendo mais do que a negra. Nesse período, o grupo de homens brancos em torno de sessenta anos de idade passou de 8,2% para 11,1%, ao passo que o de negros na mesma faixa etária aumentou de 6,5% para 8%.

Mais preocupantes são os índices de mortalidade de homens de uma forma geral e, em particular, de jovens homens negros: as maiores vítimas da violência urbana e do acesso precário a recursos médicos. Se, no ano de 2010, a taxa de homicídios foi da ordem de 28,3 a cada 100 mil jovens brancos, a de jovens negros chegou a 71,7 a cada 100 mil, sendo que em alguns estados a taxa ultrapassa cem por 100 mil jovens negros. Por sinal, segundo a Anistia Internacional, um jovem negro no Brasil tem, em média, 2,5 vezes mais chances de morrer do que um jovem branco. Na Região Nordeste — onde as taxas de homicídio são as mais altas do país — essa diferença é ainda maior: jovens negros correm cinco vezes mais risco de vida.

Se elegermos apenas o ano de 2012, quando um pouco mais de 56 mil pessoas foram assassinadas no Brasil, desse total 30 mil eram jovens entre quinze e 29 anos, e desses, 77% eram negros. Em resumo, os números traduzem condições muito desiguais de acesso e manutenção de direitos, dados de violência elevados e com alvo claro. Revelam mais: padrões de mortandade, que evocam questões históricas de longa, média e curta duração.

Para que se tenha uma melhor proporção, basta verificar que esses dados são compatíveis com as taxas de homicídios perpetrados durante várias guerras civis contemporâneas. No conflito da Síria, que abate o país desde 2011, foram 60 mil mortes por ano; na Guerra do Iêmen, que se iniciou em 2015, contabilizam-se cerca de 25 mil homicídios anuais; no Afeganistão, onde os conflitos começaram em 1978, a média é de 50 mil por ano. Tais taxas correspondem à ordem de grandeza da "guerra" brasileira, o que nos autoriza a falar num "genocídio" de jovens negros.

E de nada adianta cobrir o sol com a peneira e acreditar que, para acabar com os números de fato assustadores da violência letal no Brasil — que apenas em 2017, segundo dados do Fórum Brasileiro de Segurança Pública, chegaram a cerca de 64 mil —, seria suficiente propor medidas que estabeleçam a punição de adolescentes infratores, em grande maioria negros e moradores das periferias, com a redução da maioridade penal. Não existem provas de que o aumento de taxas de encarceramento diminua as taxas de criminalidade. Ao contrário, já somos a terceira maior população carcerária do mundo e continuamos recordistas em homicídios. Na contramão, países como Holanda e Suécia, que investiram em formas alternativas e na reabilitação, têm apresentado resultados bem melhores.

O mais paradoxal é que a experiência brasileira que mais se aproxima desse modelo europeu pode ser encontrada na Justiça Juvenil; no sistema destinado aos "adolescentes infratores". Adolescentes entre doze e dezoito anos, autores de menos de 10% dos crimes graves no país, recebem um tratamento penal especial, justamente por ainda não serem adultos. E é o aprimoramento de tais investimentos que tem a capacidade de diminuir as taxas de crimes cometidos por adolescentes infratores, em geral negros e pobres, os quais acabam entrando num círculo vicioso que leva à reincidência e a novos encarceramentos.

O tema é polêmico, e essa não é uma história que se avalia ou resolve apenas na base da conta de somar. Claro está, também, que não existem bons racismos: todos são igualmente carregados de traumas e sofrimentos. Atualmente, com 55% de sua população composta de pardos e negros, o Brasil pode ser considerado o segundo maior país de população originária da África, só perdendo o pódio para a Nigéria. E, se de um lado essa mescla gerou uma sociedade definida por ritmos, artes, aromas, culinárias, esportes misturados, de outro produziu uma nação que naturaliza a desigualdade racial, na figura das empregadas domésticas, dos trabalhadores manuais, da ausência de negros nos ambientes corporativos e empresariais, nos teatros, nas salas de concerto, nos clubes e nas áreas sociais. O país, também, pratica outra forma de exclusão racial cotidiana, delegando à polícia o papel de performar a discriminação, nos famosos "atos de intimidação": as batidas policiais que escolhem sempre mais negros do que brancos e os humilham a partir da apresentação pública do poder e da hierarquia.

Com tal contencioso nas costas, criamos uma nação profundamente desigual e racista, cujos altos índices de violência não pararam nos tempos da escravidão. Eles têm sido reescritos na ordem do tempo contemporâneo, que mostra como o racismo ainda se agarra a uma ideologia cujo propósito é garantir a manutenção de privilégios, aprofundando a distância social.

Sendo assim, e se o racismo, faz tempo, deixou de ser aceito como uma teoria científica, ele continua plenamente atuante, enquanto ideologia social, na poderosa "teoria do senso comum", aquela que age perversamente no silêncio e na conivência do dia a dia. A escravidão nos legou uma sociedade autoritária, a qual tratamos de reproduzir em termos modernos. Uma sociedade acostumada com hierarquias de mando, que usa de uma determinada história mítica do passado para justificar o presente, e que lida muito mal com a ideia da igualdade na divisão de deveres mas dos direitos também.

Não há ideologia do "coitadismo" no Brasil, ainda mais quando o tema remete à exclusão racial. Ao contrário, as conquistas que o ativismo negro alcançou, desde pelo menos a década de 1920, vêm demonstrando como aqui não existe laivo de "democracia racial" enquanto persistir tamanha desigualdade social, econômica e racial. Por outro lado, e como bem mostra o sociólogo Petrônio Domingues, não foram poucas as iniciativas de sujeitos negros no sentido de adquirir e lutar por mais igualdade e inclusão. A Frente Negra Brasileira, por exemplo, foi muito atuante na época de Getúlio Vargas, enquanto, durante a Segunda República, foram marcantes a União dos Homens de Cor, o Teatro Experimental do Negro e a Associação Cultural do Negro. No contexto da Abertura, que se inaugura em 1978, o Movimento Negro Unificado assumiu uma espécie de liderança na luta antirracista em nosso país. Já no século XXI, foi a vez de um engajado feminismo negro questionar os demais feminismos, produzir suas próprias teorias, expondo as especificidades e a realidade dessas mulheres.

Sabemos que movimentos sociais ganham mais força e capilaridade em contextos de redemocratização, e o caso brasileiro apenas ressalta tal tendência. Inclusive, com o marco da Carta Magna de 1988, que consolida a Nova República, multiplicaram-se as formas de ativismo negro. Resultados importantes foram o reconhecimento dos saberes e da erudição dessas populações, explicitamente referidos no artigo 215 da Constituição Cidadã, e a definição das manifestações culturais afro-brasileiras como um "patrimônio cultural" no artigo 216. Além do mais, o artigo 68 das Disposições Transitórias aprovou as terras de "remanescentes das comunidades dos quilombos", o que validou o direito de grupos que permaneceram em pequenas roças e propriedades agrícolas vivendo do plantio coletivo desde o término da escravidão. Por último, o artigo 5º (inciso XLII) finalmente incluiu no corpo da lei a existência da discriminação no Brasil, tornando a prática de racismo um crime inafiançável e imprescritível, sujeito à prisão. A partir desse marco institucional, a questão racial adentrou o âmbito do Estado. Um exemplo foi a criação, bem no ano do centenário da abolição, da Fundação Cultural Palmares, então vinculada ao Ministério da Cultura e hoje, dentro do contexto mais conservador do governo brasileiro, realocada como integrante da recém-criada Secretaria Especial da Cultura do Ministério da Cidadania. Outras conquistas ganharam forma e lugar, se não evolutivamente, ao menos de maneira progressiva. Em 2002, ocorreu um debate público sobre as ações afirmativas, quando foram implementadas, pela primeira vez, políticas compensatórias. Em 2003 foi criada a Secretaria Especial de Políticas de Promoção da Igualdade Racial (SEPPIR). Em 2010 foi aprovado o Estatuto da Igualdade Racial: um conjunto de regras e princípios jurídicos que visam coibir a discriminação, estabelecendo políticas para diminuir a desigualdade. Em 2012, o Supremo Tribunal Federal julgou constitucionais as cotas raciais na Universidade de Brasília, enquanto no mesmo ano era sancionada a lei n. 12711, que determinou a aplicação dessa medida em no mínimo 50% das vagas das instituições federais.

Na sequência de tais iniciativas, as cotas raciais entraram na realidade dos brasileiros e do ensino superior. Trata-se de políticas compensatórias e transitórias que procuram desigualar para depois igualar. Buscam reparar injustiças históricas de grande impacto na educação e na inclusão das populações que foram alijadas de uma formação escolar formal, durante longo tempo. Almejam, igualmente, incluir mais diversidade nas instituições brasileiras e produzir formas de convívio e de conhecimento mais dinâmicas porque plurais. Nesse sentido, vale a pena sempre destacar, e mais uma vez, como mais diversidade só gera mais riqueza de informações e experiências. Conforme afirma o nosso grande africanista Alberto da Costa e Silva, em *A Manilha e o Libambo*: "o tráfico povoou o Brasil e pôs a África em nossas veias".

Dois outros importantes avanços tiveram implicações e repercussão, fundamentais, na formação e na "imaginação" dos brasileiros. Em 1997 ocorreu, finalmente, o reconhecimento oficial de Zumbi dos Palmares como herói nacional, inaugurando uma nova descendência de protagonistas brasileiros negros. A data da morte de Zumbi virou feriado nacional, quebrando a branquitude que une os demais homenageados no Brasil: o Dia da Consciência Negra é comemorado em 20 de novembro. No ano de 2003 foi alterada a Lei de Diretrizes e Bases da Educação Nacional, introduzindo no currículo oficial o ensino obrigatório de "História e Cultura Afro-Brasileira e Africana", um passo essencial para criar, afinal, outras narrativas históricas e culturais, distintas daquelas tradicionalmente contadas e que guardam um viés colonial. Essas são, portanto, duas medidas de imenso impacto e relevância, pois visam restituir a tais populações o lugar que ocuparam e ocupam de forma efetiva, e abonar a construção de projetos de valorização de sua identidade. São políticas que promovem, também, o orgulho e a compreensão de uma história mais plural, uma vez que não escrita, exclusivamente, pelos brancos de origem europeia e pertencentes a uma classe social.

O que essa lista de avanços sociais comprova é que cidadãos negros, na base da luta e da conquista de espaços, vão se transformando em sujeitos de direito, quadruplicando sua presença no ensino superior e alterando significativamente a produção da nossa história, expressa em livros acadêmicos e materiais didáticos que começam a dar lugar à diversidade da formação do Brasil. Aliás, o ativismo negro tem cumprido um papel fundamental na pressão para que também no ensino superior as ementas dos cursos sejam alteradas, reconhecendo-se a relevância desses atores sociais na história e na cultura brasileira.

No entanto, quando se trata da questão racial, estamos muito longe do "viveram felizes para sempre". Continuamos combinando inclusão cultural com exclusão social — mistura com separação — e carregando grandes doses de silêncios e não ditos. Por isso mesmo, não basta culpar o passado e fazer as pazes com o presente.

Desde o período da redemocratização introduzimos uma agenda que reconhece e valoriza a diversidade étnico-racial existente no Brasil, e aprovamos um conjunto de medidas que visa diminuir a desigualdade racial no país. Todavia, na contramão desse movimento ascendente na busca de direitos, vivemos, hoje, momentos em que a crise política, social, cultural e econômica, anunciada pelas agitações que tomaram as ruas no ano de 2013, parece ser capaz de reverter conquistas consolidadas, a partir de agendas reacionárias e não compromissadas com a equidade. Ao contrário, mais engajadas com o retorno de modelos autoritários do exercício da política.

A luta contra o racismo e a promoção da igualdade racial não são temas que afetam apenas e tão exclusivamente as populações negras. Perdemos todos quando discursos populistas põem em questão a beleza e a força da diversidade que faz parte da nossa própria história. Quem sai diminuída é também nossa democracia, bem como o pacto construído durante a Nova República. Aliás, enquanto persistir o racismo, não poderemos falar em democracia consolidada.

O período do pós-abolição no Brasil não construiu uma nação mais igualitária no que se refere aos diferentes povos que a formaram. A despeito de certos avanços sociais, instituições e postos de liderança continuam a ser dominados por brancos, na mesma medida em que os negros acabam sistematicamente discriminados. Simetricamente, nossas prisões e manicômios são ainda tomados por uma majoritária cor negra em seus mais diferentes tons.

Faz parte dos discursos conservadores ignorar e desautorizar demandas das minorias que lutam por mais direitos; direitos inalienáveis à sua condição de cidadãos. Dentre as estratégias políticas de governos populistas, como os que temos visto na nossa contemporaneidade, está o escárnio diante dos dados que mostram como vivemos em condições que dividiram e ainda dividem os brasileiros. A escravidão, na escala em que a conhecemos aqui, foi e continua sendo uma especificidade incontornável da história brasileira. Herdamos um contencioso pesado e estamos tendendo a perpetuá-lo no momento presente; as pesquisas mostram a discriminação estrutural vigente no país, a qual abarca, como veremos mais à frente, as áreas da educação, da saúde, chegando aos registros de moradia, transporte, nascimento e morte. Por outro lado, as várias tentativas de menosprezar o problema, de desfazer dos relatos e pesquisas — chamando-os de "mimimi", numa alusão pejorativa à comunicação informal de uma pessoa que só reclama —, não dão conta de explicar a inexistência do racismo no Brasil, apenas confirmam a sua efetiva prática cotidiana, que se esconde no movimento de denegação.

Projetos autoritários têm a capacidade de recriar o passado e obscurecer o papel das populações que viveram e criaram outras histórias; não apenas aquela europeia e colonial. Muitas temporalidades conviveram simultaneamente. Toni Morrison, no romance *Amada*, conta a história da Casa 124, que era habitada por duas mulheres e seus fantasmas do passado: a memória da violência, dos estupros, dos filhos perdidos e das tantas mortes dos dias de escravidão. Paradoxalmente, os fantasmas que insistiam em retornar eram os que mais se pareciam com os elementos da vida cotidiana. Na verdade, vivos e mortos compartilhavam o mesmo plano de existência. Nós, brasileiros, andamos atualmente perseguidos pelo nosso passado e ainda nos dedicando à tarefa de expulsar fantasmas que, teimosos, continuam a assombrar.

2. Mandonismo

Nos idos de 1630, época em que terminou de redigir o livro *História do Brazil*, Frei Vicente do Salvador, um franciscano que se tornou o nosso primeiro historiador, concluiu: "Nenhum homem nesta terra é idêntico, nem zela, ou trata do bem comum, senão cada um do bem particular". Frei Vicente tinha lá suas razões. Passados cinco séculos, a nossa República ainda permanece inconclusa; cada um pensando, em primeiro lugar, nos seus interesses privados e só depois, bem depois, naqueles públicos e que dizem respeito à nossa *res* ("assunto") *publica*.

O princípio dessa longa história pode ser localizado já no século XVI, quando a metrópole portuguesa, na impossibilidade de povoar tão vasto território, optou por governar seu domínio americano delegando poderes a uma série de colonos, que se transformaram em senhores de extensos domínios. Esse foi o espírito e a base da colonização do Brasil; poucos homens concentrando grandes latifúndios, em geral monocultores.

"Latifúndio" é um termo de origem latina que condensa as noções de *latus*, "amplo, espaçoso e extensivo", e *fundus*, cujo sentido é o de "fazenda". "Plantation" foi o termo aplicado originalmente para nomear os domínios ingleses no ultramar e que depois a historiografia generalizou para as demais colônias, mas cujo significado era basicamente o mesmo: propriedade rural de grande extensão, muitas vezes formada por terras mal cultivadas ou exploradas, com a utilização de técnicas rudimentares e pautadas no suposto do uso depreciativo da terra e com baixa produtividade.

Tanto na época do predomínio da cana-de-açúcar na Região Nordeste do país (durante os séculos XVI, XVII e XVIII) como no contexto da cultura do café, cujo predomínio na bolsa de exportações data de meados do Oitocentos, o padrão da "agroindústria" foi se modificando, e os proprietários, além de herdar, compravam terras. Já o poder de mando do senhor sobre suas terras e aqueles que nela habitavam seguiu mais ou menos o mesmo. É fato que foi se consolidando em algumas poucas províncias, e de forma paralela, no decorrer desses séculos, uma economia interna baseada em pequenas e médias propriedades. No entanto, e ainda assim, a ascendência dos grandes mandões locais manteve-se pouco alterada. Aliás, de tão presente e naturalizado, o sistema foi transplantado para áreas de menor produção, embora em escala reduzida.

O modelo colonial brasileiro combinava, portanto, e majoritariamente, mão de obra escrava com a grande propriedade monocultora, o personalismo dos mandos privados e a (quase) ausência da esfera pública e do Estado. É no contexto setecentista que "se inventa" uma nova aristocracia nas Américas, porque transplantada para os trópicos. Simbolizados, nesses primeiros momentos, pelos grandes engenhos localizados no litoral de Pernambuco e da Bahia, os novos chefes locais procuraram se transformar em ícones de sua posição econômica, social e política.

Esse grupo conformava uma espécie de "aristocracia meritória" recente, e não "hereditária" como a europeia, uma vez que seu predomínio advinha da concentração da riqueza e do poder. No caso da colônia portuguesa, os títulos concedidos não eram passados de pai para filho; correspondiam a uma recompensa individual por serviços prestados ou obtidos em troca de pagamento. Representavam, portanto, uma sorte de "favor". Favor do Estado para fins pessoais.

Assim, o que vigia por aqui era uma "pretensão de nobreza", que combinava os privilégios adquiridos por essa minoria europeia, a qual dominava uma terra de maioria escravizada, e lhes dava lastro. Num território condicionado pela utilização compulsória do braço escravo, o mero fato de ter uma cor diversa do negro já virava uma possível via de nobilitação. Conforme o naturalista Alexander von Humboldt definiu, nas colônias americanas "*todo blanco es caballero*".

De fato, se tomarmos como exemplo o conjunto das famílias dos proprietários coloniais do Nordeste açucareiro, fica claro que poucos eram fidalgos portugueses, e menos ainda católicos. Muitos deles eram cristãos-novos, comerciantes, imigrantes de posse que dedicavam seu tempo e capital à produção e ao comércio da cana. Só com o desenvolvimento do sistema, e com a perpetuação do casamento entre pares, é que esses senhores foram se convertendo numa classe mais homogênea. A partir de então, e como bem mostra Evaldo Cabral de Mello, dedicaram-se a refazer e construir genealogias míticas, buscando estabelecer no passado longínquo suas supostas e inventadas raízes nobres. Também se esmeraram em construir uma história edificante, unindo à figura do senhor aquela do "pai" — bondoso e severo — e assim projetando uma sociedade patriarcal, na qual as mulheres cumpririam um papel basicamente secundário e a hierarquia teria lugar especial, jamais questionado. Aí estava o modelo dessa sociedade patriarcal brasileira; a família (do senhor) funcionando como esteio e anteparo, real e simbólico, para toda a organização social.

De qualquer maneira, se proprietários de terra não eram nobres de origem, trataram de se criar como tal e usaram a história, uma certa história, como forma de alardear sua posição destacada. Usaram, igualmente, de um determinado teatro do poder que permitia, ao mesmo tempo, justificar e sublinhar seu lugar iminente naquela estrutura social. Não são poucos os relatos que trazem senhores desfilando à frente de sua vasta escravaria, montados em cavalos baios, com traje completo, chapéus largos e botas lustradas, mesmo nos dias quentes do Nordeste brasileiro. E, como "repetir" significa "conferir certeza", repassavam diariamente o ritual público.

Se essa era, sem dúvida, uma nobreza peculiar, havia nela um aspecto que espelhava a europeia. O que definia a nobreza no Brasil era o que ela *não* fazia: dedicar-se ao trabalho braçal, cuidar de um estabelecimento, atuar como artesão, arar a terra, carregar pesos, vender produtos e demais atividades manuais ficavam sob responsabilidade dos gentios ou dos cativos. Data da época, inclusive, um persistente preconceito, no país, contra o trabalho manual, considerado símbolo de atividade "inferior", quando não "aviltante". Assim sendo, os novos nobres da terra deveriam permanecer apartados desse tipo de serviço, vivendo do lucro advindo do cultivo de suas terras, do rendimento de aluguéis ou de cargos públicos, das rendas do Estado ou da Igreja, logrados a partir de muita negociação e apadrinhamento.

Não obstante, ao mesmo tempo que existiam várias formas de conquistar alguma nobilitação, o melhor, e se o capital permitisse, era ser proprietário de terras, e se fazer cercar de uma grande "escravaria", mas também de inúmeros agregados, parentes e criados. Foi assim que esse modelo idealizado inventou uma sociedade patriarcal pautada num padrão de família estendida e de sujeição para além dos laços de sangue. Tomando, mais uma vez, o caso açucareiro como modelo, pode-se afirmar que aí estava o núcleo central do que resultaria na formação básica das elites brasileiras, até pelo menos finais do XIX. A família biológica constituía o núcleo do latifúndio rural, e os senhores muitas vezes educavam os filhos homens de olho na perpetuação de seu poder. Não são abusivas as histórias domésticas que narram como, com um pouco de "sorte", um filho ia parar no comércio, outro no direito e outro ainda entraria para o sacerdócio, garantindo-se dessa maneira o controle sobre todos os braços da atividade. Já as filhas eram logo pensadas como moeda para trocas e alianças com outros poderosos locais. Casamento consistia, portanto, numa espécie de estratégia que garantia bons dividendos caso se encontrassem pretendentes igualmente poderosos.

Fazia parte do "cabedal de um senhor", ainda, cuidar de todos aqueles que o rodeavam e suprir-lhes. Era desse modo que proprietários ampliavam seus deveres, mas também acumulavam direitos. Enrijecia-se, pois, uma sociedade marcada pela autoridade do senhor, que a exercia cobrando caro pelos "favores" feitos e assim naturalizava o seu domínio. Capital, autoridade, posse de escravizados, dedicação à política, liderança diante de vasta parentela, controle das populações livres e pobres, postos na Igreja e na administração pública, constituíram-se em metas fundamentais desse lustro de nobreza que encobria muita desigualdade e concentração de poderes.

Sobretudo no campo, tudo virava negócio: títulos, proteção, postos, matrimônios. O domínio dos senhores se estendia, também, pela vizinhança, sobre os trabalhadores que moravam nas redondezas ou os pequenos roceiros que em geral dependiam dos favores dos grandes proprietários para efetuar o comércio, conseguir empréstimos e transportar seus produtos. Por isso, a adesão aos chefes locais, em busca de benesses, gerava rituais de submissão, nos quais a repetição dos gestos mais cotidianos mostrava-se crucial para solidificar hierarquias.

O povo costumava cumprimentá-los com reverência, chamando-os por apelidos, pelo primeiro nome ou até pelo diminutivo deste. Se tais práticas denotavam proximidade, ao mesmo tempo sublinhavam o respeito pelos mores paternalistas que se foram enrijecendo na área rural. Ou seja, o uso da "intimidade" apenas encobria hierarquias estáveis de poder. É esse, aliás, o argumento do historiador Sérgio Buarque de Holanda, que em seu livro *Raízes do Brasil* (1936) comentou o uso disseminado desses expedientes como forma de misturar relações públicas e privadas e guardar uma certa proximidade que disfarça a real e estrita distância social. Os proprietários podiam ser publicamente chamados de "sinhô", "nhonhô", "ioiô", "senhor Fulaninho", mas jamais abriam mão da distância social ou deixavam de escolher quem podia (ou não) entrar em seus círculos íntimos de relação. Por isso, eram considerados autoridades máximas no complexo do engenho, que incluía a casa-grande, a senzala, a igreja, e também as pequenas plantações vizinhas, cujos trabalhadores ficavam sob a guarda do proprietário e dele dependiam. Em 1711, o jesuíta Antonil assim definia a posição social dos poderosos senhores locais: "O senhor de engenho é título a que muitos aspiram, porque traz consigo o ser servido, obedecido e respeitado de muitos".

Tal tipo de postura de mando não se alteraria demais na época de outra aristocracia da terra, agora localizada na Região Sudeste, em pleno Império, e enriquecida com base na cultura do café que predominou no Brasil desde a segunda metade do século XIX. Revoltas e rebeliões sempre existiram, desde que o Brasil é Brazil, mas as imagens predominantes do país feitas pelas elites sempre enalteceram as estruturas de mando. Nas imagens deixadas pelos viajantes ou nas fotografias especialmente encomendadas a partir dos anos 1850, a representação dessa sociabilidade de elite — com a sala de jantar imponente e as mesas fartas, as festas, divertimentos e passeios — era uma constante. Lá estava o senhor de terra, sempre à frente dos demais trabalhadores, com chapéu na cabeça, olhar resoluto, cebolão no bolso, anel no dedo mindinho, botas nos pés, assim diferenciando-se dos escravizados, que em geral traziam os pés descalços e ficavam ao rés do chão.

Parte dessa realidade e performance do poder espelhava-se, ainda, na maneira de trajar de toda a família do senhor, e também na hospitalidade e no luxo da arquitetura das casas-grandes, as quais, desde o decorrer do século XVII, foram se tornando cada vez mais vistosas e ganharam formatos igualmente suntuosos nas mansões do Vale do Paraíba durante o Segundo Reinado. Os solares dos senhores podiam até variar em suas dimensões e proporções, porém transformaram-se em símbolos materiais de pujança e autoridade, tanto para os visitantes de fora como para os vizinhos, e para os trabalhadores que, vendo a construção de longe, reconheciam nela mais uma forma de apresentação do mando e da necessária subordinação.

Por sinal, a força e a influência de um senhor de terra podiam ser medidas a partir de sua renda, da quantidade de escravizados que possuía e não raro ostentava, de sua capacidade de fazer empréstimos às populações vizinhas, mas também por rituais que reforçavam o poder local. Esses são costumes, práticas e símbolos que foram transportados para vários lugares do Brasil, sobretudo aqueles que exploraram a plantation extensa e monocultora.

Tanto que com a entrada do café, primeiro no Vale do Paraíba e depois no Oeste Paulista, essas sociedades com pretensão senhorial se multiplicaram, passando a compartilhar sinais, costumes e modelos de comportamento semelhantes. Falando em modelos, durante todo o período colonial e imperial foi criada e difundida uma série de "manuais", que ofereciam aos senhores sugestões sobre como castigar cativos, reprimir aqueles insurretos ou ampliar a reprodução de escravos. Esses pequenos livros, que por vezes continham imagens, circularam entre as Américas e o Caribe, constituindo-se numa espécie de tecnologia do exercício da autoridade senhorial. Por exemplo, em 1803 o dr. David Collins, um médico inglês que viajou pelas colônias americanas, sugeriu um tipo de "bônus" para escravizadas que engravidassem. Indicava ele que, com o nascimento do primeiro filho, a mãe deveria ser dispensada dos trabalhos no campo. O segundo valia uma folga quinzenal. O terceiro creditava mais uma folga na semana. O quarto, dois dias de descanso. Pelo quinto a mãe recebia três dias, e assim por diante.

Muitos desses manuais dedicaram-se a fornecer "conselhos" sobre como evitar fugas de escravos. "Castigos com moderação" eram os mais recomendados como forma de prevenir "as revoltas". Alertava-se, de outra parte, que era de bom alvitre permitir que cativos criassem porcos ou galinhas, bem como cultivassem roças ao lado das senzalas. A ideia era que despendessem tempo na pequena lavoura, capinassem as matas e, principalmente, se "divertissem", esquecendo os projetos de fuga e rebelião. Outro tema recorrente em tais obras era como "usar e dosar as sevícias". Sem maiores pruridos, sugeria-se, abertamente, que as mulheres nunca fossem açoitadas em público, isso para não provocar a ira dos homens. Já os "machos", conforme constava em documentos de época, deveriam sofrer o castigo exemplar, quando se convocava toda a escravaria para assistir à punição do rebelde, cena que, em geral, contava com a presença do senhor e do feitor. Castigos eram considerados, pois, atos administrativos e de manutenção da ordem, mas igualmente como mais um momento de apresentação pública do poder do senhor, que nessas ocasiões confirmava seu arbítrio e mando.

A questão do controle dos custos com a alimentação era outro assunto que demandava grande atenção. Um desses documentos afirmava que cativos famintos roubavam para comer. Portanto, era melhor que o senhor reservasse, semanalmente, um quilo de farinha e novecentos gramas de carne salgada com o propósito de mantê-los "saciados e obedientes". Recomendava-se, também, que não se entregasse a eles a "ração" aos domingos, a fim de que a comida não fosse desperdiçada rapidamente. Era mais adequado "provê-los" nas segundas-feiras ou nos dias de trabalho para que assim controlassem suas "rações" de modo a permitir que estas "durassem" por toda a semana. No caso das crianças, prescrevia-se que fossem alimentadas com arroz, mingau e caldo de carne. Dos cinco aos dez anos só deveriam receber "tarefas leves de trabalho". O objetivo era "fortalecer os músculos e moralizar o espírito", pois, a partir dos doze anos, elas já eram consideradas aptas para serviços mais pesados, bem como capazes de trabalhar para assim "devolver" aos senhores o capital nelas empatado.

Essas eram publicações que buscavam compartilhar soluções "administrativas" e que visavam "controlar" os escravizados e manter a "boa paz" nos grandes latifúndios espalhados pelo Brasil. Entretanto, só se criam regras quando se teme pela possibilidade de que estas sejam burladas. Isto é, só se legisla sobre castigos e controles quando a sociedade se rebela com frequência. O certo é que trabalhadores e trabalhadoras não se acomodavam ao cativeiro, praticando pequenos e grandes atos de revolta cotidianamente. É por isso que os manuais mencionados carregam um estilo urgente; era preciso compartilhar formas de "manejo", dividir experiências e assim controlar rigorosamente os escravizados, os quais, aliás, correspondiam à imensa maioria nas populações coloniais e mesmo imperiais. Medo e autoridade constituíam, portanto, pares indissolúveis nessas sociedades.

Se a rebelião era um ato que ficava apenas subentendido nesses documentos, já seus objetivos centrais eram literais: buscava-se referendar e reafirmar o poderio do senhor, que tinha controle sobre a vida, o destino e até a morte de sua escravaria. O suposto era "dividir conhecimentos" e assim melhor reinar e dominar.

Também nas fotografias, que se tornaram uma verdadeira coqueluche no Brasil a partir de meados do século xix, o senhor fazia questão de se imortalizar à frente de seus escravizados. Nos documentos visuais da época do café, frequentemente se vê o senhor "ostentando" a sua farta "escravaria" — ele com sapatos e os demais descalços, ele com traje completo e os cativos com roupas muitas vezes esfarrapadas, ele com olhar determinado e os trabalhadores evitando as lentes ou esboçando sinais de reação.

Na foto feita por Militão Augusto de Azevedo (1837-1905) em seu estúdio, por mais que o profissional procurasse demonstrar o controle que o proprietário (e seu provável cliente) exercia, e o orgulho de expor-se nessa condição, o resultado não correspondeu, totalmente, à intenção. No exato momento do clique, escravizados apresentaram todo tipo de resposta. Alguns corresponderam ao que foi, provavelmente, deles exigido; já outros se mostraram displicentes e até mesmo contrariados.

Senhor e seus escravos, *São Paulo, albúmen de Militão Augusto de Azevedo, c. 1860. 6,3 × 8,3 cm. Museu Paulista da Universidade de São Paulo.*

Marc Ferrez (1843-1923), um dos grandes pioneiros da fotografia no Brasil e profissional de rara qualidade e capacidade, elaborou um belo álbum de fotos para apresentar as fazendas e plantações de café do Vale do Paraíba. As paisagens são amplas, muito organizadas, e nelas os trabalhadores dedicam-se pacífica e dadivosamente às suas tarefas diárias. Os cativos surgem dispostos de maneira geométrica e sempre olhando para baixo. Esses são gestos e atitudes, como veremos, especialmente arquitetados pelo fotógrafo, que procurava não apenas corroborar como difundir a imagem de uma hierarquia inflexível, em que os trabalhadores são passivos e não mostram nenhum laivo de reação. Hoje sabemos, porém, que há muita elaboração intelectual e visual nesses registros visuais, uma vez que, em tal contexto, a região padecia de uma situação oposta. Com o fim iminente do sistema, e a decadência das plantações do Vale, senhores começavam a exigir ainda mais dos trabalhadores, os quais, por sua vez, reagiam de várias formas à opressão.

Não obstante, chama atenção como a representação iconográfica guarda um certo padrão, buscando reforçar formas de poder, desmentidas pela própria realidade. Talvez por isso mesmo, sobretudo nos momentos finais do sistema escravocrata, multiplicaram-se fotos de fazendas onde reinava uma pretensa calmaria. No entanto, se no atacado a mensagem era clara, já no varejo, nos detalhes das fotos, é possível ver um mundo de reações: cativos cochichando, exibindo expressões de ira ou reações vexatórias diante da exposição artificial e aviltante de seus corpos. As roupas também estão muitas vezes sujas e maltrapilhas, denotando a decadência local. Para ter certeza da artificialidade e do engenho da operação, basta atentar para a imagem ao centro. Em vez do capataz da fazenda, é o chefe de produção de Ferrez quem, com suas mãos, posiciona os "modelos", nesta cena imaginária e que registra de maneira parcial a grande propriedade, o domínio dos senhores e a própria escravidão.

Marc Ferrez, Escravos em terreiro de uma fazenda de café na região do Vale do Paraíba. *São Paulo. 30 × 40 cm. Acervo Instituto Moreira Salles.*

* * *

Mulheres brancas figurariam bem menos nas fotos oitocentistas. Quando aparecem, ficam retidas no espaço doméstico ou escondidas por detrás de cadeirinhas ou seges, denotando, a partir dessa dificuldade de serem observadas nas ruas, sua posição ao mesmo tempo invisível, pois obrigatoriamente recatada e reclusa no interior desse mundo do mandonismo patriarcal, e simbolicamente presente nesses carros de aluguel apenas utilizados por pessoas às quais correspondiam espaços sociais superiores na comunidade. Já as escravizadas, e por comparação, apareciam com muito mais frequência nas fotos de época. Ora eram retratadas como amas de leite — uma representação tradicional no eixo afro-atlântico e que procurava conferir "humanidade" ao sistema — ora de maneira sensualizada, de modo a que se estabilizassem estereótipos contra os quais as mulheres negras ainda hoje lutam.

De toda forma, mesmo com o fim do Império, e o começo do declínio desse mundo rural escravocrata que acabaria por ruir junto com a monarquia, perpetuou-se a imagem dos senhores provedores, diante dos quais era preciso agir com lealdade e submissão. Esse etos patriarcal e masculino foi, assim, transplantado para os tempos da República, quando se continuava a regular a distribuição do poder por meio da hierarquia e da força política de senhores de terra, que acumulavam grande influência política, através não só de postos representativos como de práticas eleitorais. A importância das unidades da federação e a força política de um estado sustentavam-se agora no tamanho do eleitorado e na consequente extensão da presença parlamentar que seguiu derivando do poder dos senhores regionais.

Por sua vez, a estabilidade política da República ficava garantida por três procedimentos fundamentais: empenho dos governos estaduais em manter o conflito político confinado à esfera regional; reconhecimento por parte do governo federal da plena soberania dos estados no exercício da política interna; manutenção de um processo eleitoral no qual, a despeito dos mecanismos políticos que buscavam controlar as disputas locais, as fraudes mantinham-se frequentes.

Dessa maneira, e como uma forma de ingerência dos interesses privados na lógica pública do Estado, fraudes acompanhavam todas as fases do processo eleitoral, sendo o voto entendido como moeda de troca. O "voto de cabresto", por exemplo, converteu-se numa prática político-cultural — um ato de lealdade do votante ao chefe local. Por sua vez, o "curral eleitoral" aludia ao barracão onde os votantes eram mantidos sob vigilância e ganhavam uma boa refeição, dali só saindo na hora de depositar o voto — que recebiam num envelope fechado — diretamente na urna.

O certo é que as relações de poder se desenvolviam a partir do município e que na ponta desse relacionamento consolidado estava o fenômeno do coronelismo. Coronel era o posto mais alto na hierarquia da Guarda Nacional, a instituição do Império que ligou os proprietários rurais ao governo. Com a República, porém, se a Guarda perdeu sua natureza militar, os assim chamados coronéis deixaram de participar da corporação mas conservaram o poder político nos municípios onde viviam, recriando em novas bases a mística dos grandes mandonismos locais. O coronelismo passou a significar, então, um complexo sistema de negociação entre esses chefes e os governadores dos estados, e destes com o presidente da República. O coronel corporificava um dos elementos formadores da estrutura oligárquica tradicional baseada em poderes personalizados e nucleados, geralmente, nas grandes fazendas e latifúndios brasileiros.

Ademais, certas características consolidadas ao longo do tempo persistiam na Primeira República. Uma delas foi justamente o perfil oligárquico da nação, com a manutenção do número reduzido de eleitores e cidadãos elegíveis. Em 1874, ainda durante o Império, apenas cerca de 10% da população votava. Já em tempos de República, em 1910 por exemplo, numa população de 22 milhões somente 627 mil tinham direito de voto. Nos anos 1920, a porcentagem oscilava entre 2,3% e 3,4% do total da população.

E assim se estabilizava a República brasileira no início do século XX, na base de muita troca, empréstimo, favoritismos e negociações. Mas a manipulação direta de votos é uma história, em grande parte, do passado. Hoje, com 147,3 milhões de cidadãos aptos a votar, distribuídos em 5570 municípios nacionais e em 171 localidades de 110 países no exterior, o Brasil é reconhecido por abrigar a maior eleição digital do mundo e dispor de uma infraestrutura tecnológica de ponta que evita interrupções na transmissão de dados, garantindo um processo de apuração de votos não só eficaz como seguro e muito confiável. Poucas horas após o encerramento da votação, os brasileiros já conhecem o nome de seus governantes, fato inédito num país de dimensões continentais e que conta com um eleitorado gigante.

Todavia, se os trinta últimos anos de democracia nos asseguraram tal padrão de participação eleitoral, mesmo assim nossa República continua falha, e apresentando muita concentração de poderes, no que se refere aos quesitos que discriminam a igualdade social, de renda e propriedade.

Segundo matéria do portal G1 em 6 de dezembro de 2016, e contando com dados do Censo Agropecuário de 2006, uma vez que não existem registros novos na área, um relatório feito pela Oxfam Brasil mostra como persiste o desequilíbrio da sociedade brasileira no meio rural:

> Grandes propriedades somam apenas 0,9% do total dos estabelecimentos rurais brasileiros, mas concentram 45% de toda a área rural do país. Por outro lado, os estabelecimentos com área inferior a dez

hectares representam mais de 47% do total no país, mas ocupam menos de 2,3% da área total. Há uma grande desproporção, também, quando se analisa a questão de gênero no setor rural. São os homens que controlam a maior parte dos estabelecimentos rurais e estão à frente dos imóveis com maior área: eles possuem 87,3% de todos os estabelecimentos, que representam 94,5% de todas as áreas rurais brasileiras. No outro extremo, estão as mulheres que representam quase o dobro do número de produtores rurais sem posse da terra em comparação aos homens — 8,1% frente a 4,5%, respectivamente.

A mesma pesquisa revela que o Brasil ocupa um vergonhoso quinto lugar na América Latina quando se analisa o tema da desigualdade do uso da terra. Ele aparece após Paraguai, Chile, Venezuela e Colômbia. E a concentração só tem aumentado no país: em 2003 havia 4,2 milhões de propriedades, número que em 2010 passou a ser de 5,16 milhões. Enquanto as pequenas propriedades, os minifúndios, diminuíram, as grandes, acima de mil hectares, aumentaram. Em 2003, 51,6% das propriedades possuíam acima de mil hectares; em 2010 essa porcentagem cresceu para 56,1%.

Ou seja: não estamos enfrentando, corretamente, o problema da desigualdade de terra no Brasil. A desigualdade não se afirma apenas a partir da propriedade da terra; está também presente nos investimentos, na tecnologia e no gênero dos trabalhadores. Como vimos, os homens predominam nesses setores, possuindo 87,3% de todos os imóveis rurais que existem no país.

Em 2010, segundo o Repórter Brasil, e não há razão para acreditarmos que a situação tenha se alterado ou melhorado, a concentração de renda dos domicílios rurais brasileiros foi medida em 0,727 (índice Gini). Só para dar uma ideia do gap, o Gini do Brasil como um todo era, nesse contexto, de 0,53. Somente a Namíbia, com 0,743, nos superava no quesito desigualdade rural. Por outro lado, o rendimento médio mensal do trabalho principal das famílias rurais representava 35% (360 reais) do rendimento médio mensal do trabalho principal nas cidades (1017 reais).

É possível comprovar a desigualdade ainda a partir de outro ângulo: os números do crédito rural em 2016. As grandes propriedades rurais, com mais de mil hectares, concentram 43% do crédito rural, enquanto os 80% dos estabelecimentos menores apresentaram variação de 13% a 23% em sua proporção. Segundo o Incra, existem 729 pessoas físicas e jurídicas no Brasil que se declaram proprietárias de imóveis rurais, cada uma com dívidas acima de 50 milhões de reais com a União. No total, esse grupo deve aproximadamente 200 bilhões de reais, com propriedades de área suficiente para assentar 214 827 famílias.

O fato de estarmos perpetuando a desigualdade no setor rural é um dos grandes desafios que o país tem pela frente. De acordo com o mesmo estudo, é nos municípios em que há muita concentração fundiária, nos que apresentam maior produção agrícola e, ainda, naqueles onde o grande agronegócio está presente de forma significativa que também se encontram os maiores níveis de pobreza e desigualdade. O município de Correntina, na Bahia, por exemplo — um dos que contam com maior nível de agronegócio do Brasil e cuja produção é altamente tecnológica —, está, não obstante, entre aqueles que apresentam um considerável nível de pobreza, pouco condizente com tanta modernidade.

Outro lado dessa moeda é o acúmulo de poder nas mãos de famílias que praticam o mandonismo político, cultural e social há longa data em suas regiões de origem. É certo que no último pleito, de 2018, grandes caciques eleitorais não conseguiram confirmar sua influência e predomínio, como foi o caso da dinastia Sarney, no Maranhão, que sofreu uma derrota acachapante. Nem mesmo o retorno do patriarca José Sarney ao estado, aos 88 anos, impediu sua filha, Roseana Sarney, de perder as eleições ainda no primeiro turno. Não evitou, igualmente, que seu filho Sarney Filho (PV) ficasse sem mandato.

De toda maneira vale sublinhar que, há 62 anos no poder, José Sarney foi deputado, governador, senador por cinco mandatos — dois durante a ditadura e três em regimes democráticos — e presidente da República. No Maranhão foram cinquenta anos de domínio oligárquico, que não conseguiram lhe tirar a marca de estado mais pobre do país. Conforme o *Atlas do Desenvolvimento Humano no Brasil*, de 2013, ele estaria no topo da lista, com 63,6% da sua população considerada "vulnerável à pobreza", ou seja, "indivíduos com renda domiciliar per capita igual ou inferior a 255 reais mensais, em reais de agosto de 2010, equivalente a meio salário mínimo nessa data". Depois viriam Alagoas (59,8%), Piauí (58,1%), Pará (56%), Ceará (54,8%), Paraíba (53,6%), Bahia (52,7%), Sergipe (52,1%), todos estados dominados por suas respectivas elites rurais.

A associação entre mandonismo local e concentração de renda também é clara no Ceará, estado onde o clã Ferreira Gomes pode ser classificado politicamente como uma oligarquia. Segundo matéria da *Folha de S.Paulo* de 26 de agosto de 2002, Cid Gomes (PPS) assumiu a prefeitura de Sobral em 1997, rompendo o revezamento estabelecido entre as famílias Prado e Barreto, que dominaram a cidade desde 1963. "E restaurou o domínio político para a família Ferreira Gomes. Os Ferreira Gomes estiveram no poder logo na origem do município. Os dois primeiros prefeitos foram antepassados de Ciro e Cid: em 1890, Vicente César Ferreira Gomes, e em 1892, José Ferreira Gomes." A família voltou ao poder em 1935, quando outro parente de Ciro, Vicente Antenor Ferreira Gomes, foi prefeito por nove anos, até 1944, durante o governo de Getúlio Vargas. De 1944 a 1977, os Ferreira Gomes se mantiveram longe do poder e da política. Isso até que o pai de Ciro e Cid, José Euclides Ferreira Gomes, que era defensor público, voltou à chefia do Executivo municipal entre 1977 e 1983 — mas ainda sob a tutela política da família Prado.

Ciro entrou na política aos vinte anos, quando o pai atuava como prefeito e o apontou procurador do município. Além de ter o apoio da família Prado, José Euclides, filiado ao PDS, tinha o apoio de César Cals, um dos três coronéis que se revezaram no governo do estado durante o regime militar (1964-85). Por meio do pai, o PDS foi o primeiro partido político de Ciro, que passou por sua primeira eleição em 1982, para deputado estadual. Na eleição de 1986, na sua reeleição, ele se candidatou pelo PMDB e apoiou a proposta do grupo de Tasso Jereissati, que também era candidato pela primeira vez ao governo do estado, para derrubar os coronéis e instalar o que os adversários chamam de "oligarquia dos tucanos".

Mas, se derrubou uma oligarquia, tendeu a fortalecer outra, aquela que associava muito claramente a terra a cacife político.

No Rio Grande do Norte, poucas famílias dominam a política estadual; os sobrenomes se revezam a cada eleição e os velhos políticos pulam de cargo em cargo. As famílias tradicionais da política potiguar costumam apostar sempre no mesmo: estrutura, poder econômico, cabos eleitorais e prefeitos. A família Alves é tão famosa na região que se dá ao luxo de faltar a debates e a outras iniciativas democráticas. Ainda assim, as oligarquias locais sofreram duas derrotas seguidas nas eleições de 2014 e 2018, e estão reduzidas como nunca antes na política do estado.

Também em Goiás duas oligarquias têm se alternado no poder: os Caiado e os Bulhões. O senador Ronaldo Caiado (DEM) representa uma família que manda em Goiás desde o século XIX. É a mais antiga do estado e uma das mais enraizadas no Senado. Mas o que poucos sabem é que ela nasceu como coadjuvante de outra oligarquia, que desapareceu há muito tempo: os Bulhões. Antônio

José Caiado, um dos ancestrais de Ronaldo, iniciou-se na política como braço direito do deputado Leopoldo de Bulhões. Leopoldo buscou o seu apoio porque, já naquela época, os Caiado eram ricos em terras no estado. A aliança com os Bulhões só os deixou ainda mais poderosos. O rompimento entre as duas oligarquias aconteceu no ocaso político de Leopoldo, que se negava a dividir o poder com Antônio. O neto dele, Totó Caiado, foi o principal partidário do rompimento. A partir daí, o caiadismo ganhou vida própria. Totó, avô de Ronaldo, foi deputado federal e senador. Durante 36 anos as oligarquias governaram Goiás.

No Acre, outro clã se despediu, por ora, nas eleições de 2018: os Viana. O PT deixa o comando do estado após vinte anos de domínio, com a vitória de Gladson Cameli (PP), que por sua vez é sobrinho do ex-governador Orleir Cameli.

Outros nomes tradicionais da política brasileira, se não caíram por estarem associados ao mandonismo, foram atingidos por acusações de corrupção. Esse é o caso do ex-governador do Paraná, Beto Richa (PSDB). Ele se licenciou do cargo para disputar uma vaga como senador e ficou apenas em sexto lugar. Na véspera das eleições, foi preso por corrupção.

Embora importantes figuras do clientelismo tenham sido atingidas no período recente, o esquema fisiológico permanece pouco avariado. Basta notar que nem todas as famílias se viram alijadas do processo eleitoral. A família de Renan Calheiros não era formada por usineiros, mas seu pai já fazia política no município de Murici, em Alagoas, há longo tempo. Ainda hoje Renan é senador pelo estado, seu filho é governador, e seu irmão é prefeito de Murici. Há também parentes na Assembleia Legislativa, de maneira que o clã continua controlando o poder local e recursos federais. Mesmo assim, o líder político sofreu um desfalque no Senado; ele que foi presidente da Casa por quatro vezes, não conseguiu se eleger no ano de 2019.

Existe, portanto, uma inequívoca associação entre mandonismo e concentração de renda e dos poderes políticos. Mesmo que outras formas de produção e emprego estejam ganhando corpo até nos estados mencionados, o certo é que as oligarquias têm a capacidade de minar o aperfeiçoamento democrático, reforçando os piores ranços da política. Não por obra do acaso, nesses locais, serviços essenciais ao povo, como saúde, educação, moradia e transporte, continuam muito precários, com o Estado mostrando sua total falência e ausência nesses aspectos estruturais. Neles, os índices de violência são também muito elevados. Segundo o Programa de Redução da Violência Letal (PRVL/Presidência da República/Unicef de 2016), nas taxas de mortes violentas, Sergipe ocupa a primeira posição, seguido por Rio Grande do Norte, Alagoas, Pará, Amapá, Pernambuco, Bahia, Goiás, Ceará, Rio de Janeiro e Mato Grosso.

Se as figuras dos "mandões locais", na expressão de Maria Isaura de Queiroz, saíram, de alguma maneira, enfraquecidas nas eleições de 2018, nem por isso demos conta de abolir totalmente o discurso autoritário que costuma cercá-las. Além do mais, perda de eleição não significa, necessariamente, o fim da hegemonia das famílias locais, uma vez que continuam exercendo o controle da estrutura burocrática do Estado. Na verdade, é possível dizer que substituímos seis por meia dúzia, sendo as justificativas basicamente parecidas. Manter a segurança é uma necessidade num país que pratica uma violência epidêmica, uma vez que a Organização Mundial da Saúde utiliza essa qualificação para a violência que supera dez homicídios por 100 mil habitantes; o problema sempre foi o vínculo que se consolidou entre as forças repressoras e certas elites locais, produzindo uma polícia que muitas vezes não prima pela imparcialidade. A manutenção das hierarquias é outra bandeira conservadora, mas que sempre teve o poder de continuar a eleger vários políticos espalhados pelas diversas instituições representativas nacionais.

Por outro lado, chama atenção o fato de as reformas empreendidas nesses anos de redemocratização, de um modo geral, terem sido incapazes de quebrar de vez determinadas travas fortes nacionais, cujos limites seguem esbarrando na pouca tolerância das várias oligarquias locais. O conhecido pacto de compromisso, realizado entre algumas elites políticas e sociais, até aqui manteve com sucesso as intervenções visando preservar interesses dos grandes proprietários agrários, as diferentes formas de violência praticadas por setores do agronegócio, a desconfiança diante dos alertas dos setores ambientais e os projetos de flexibilização de armamentos. Sobrevive, pois, mesmo que arranhado nas últimas eleições, um modelo autoritário de fazer política, que não consegue se desvencilhar das velhas elites rurais e hoje urbanas, e que não ajuda a animar uma saudável e necessária itinerância no poder.

A história da democracia, dos gregos até a nossa modernidade, implica não só a liberdade de expressão como a justiça no que concerne à distribuição de cargos públicos e a igualdade diante da Justiça. E nessa nossa breve história brasileira da democracia existem muitos avanços, mas também evidentes recuos. Convivem, ainda, um modelo de "democracia inclusiva", que levou à introdução crescente de distintos sujeitos sociais, e, igualmente, uma "democracia exclusiva", que procura ameaçar, quando não tolher, o catálogo de direitos dos cidadãos.

E com a manutenção das vantagens políticas garantidas pelas oligarquias estaduais ocorre uma espécie de acomodação dos hábitos políticos, das condutas eleitorais e que, não raro, convergem para a manutenção do poder herdado ou construído há longa data.

Além do mais, com a recente introdução das mídias sociais, um fenômeno novo tomou forma. Se de um lado ele gerou uma certa democratização de informações e lugares plurais de fala, de outro acabou colaborando para a consolidação de um novo tipo de líder carismático e de uma nova forma de fazer política, nem por isso menos autoritários. Trata-se do político populista digital, que prega o ódio e a intolerância, acusa a imprensa e os intelectuais, e se proclama novo ao se dirigir sem mediação alguma à população.

No entanto, até mesmo no caso desses novos suportes de comunicação, nunca esteve tão firme a imagem de um presidente-pai, um *pater familias*: autoritário e severo diante daqueles que se rebelam; justo e "próximo" para quem o segue e compartilha das suas ideias. Assim sendo, e apesar de a linguagem digital ser uma plataforma teoricamente aberta a todos, ela continua a explorar modelos exclusivos de autoridade e a produzir dinâmicas segregacionistas, amplificando sistemas renovados de reconhecimento das hierarquias simbólicas e das formas de autoridade.

Não existe uma continuidade mecânica entre nosso passado e o presente, mas a raiz autoritária de nossa política corre o perigo de prolongar-se, a despeito dos novos estilos de governabilidade. Mais uma vez, igualdade e diversidade, sentimentos e valores próprios da expansão dos direitos democráticos, correm perigo quando não se rompe com a figura mítica do pai político — agora uma espécie de chefe virtual, que fala em nome e no lugar dos filhos e dependentes —, do herói destacado e excepcional, do líder idealizado.

Essa é uma linguagem que herdamos dos mandonismos do passado, da época do domínio exclusivo da grande propriedade rural, mas que vem encontrando renovada sobrevida nesta nossa era dos afetos digitais, igualmente autoritários.

3. Patrimonialismo

Desde o início dessa breve história de cinco séculos foi logo ficando patente a dificuldade que temos de construir modelos compartilhados de zelo pelo bem comum. Em seu lugar, várias formas de compadrio, a moeda de troca dos favores, o recurso a pistolões, o famoso hábito de furar fila, de levar vantagem, ou a utilização de intermediários, se enraizaram nesta terra do uso abusivo do Estado para fins privados. O certo é que persistirá no Brasil um sério déficit republicano enquanto práticas patrimoniais e clientelistas continuarem a imperar no interior do nosso sistema político e no coração de nossas instituições públicas.

"República" significa "coisa pública" — bem comum —, em oposição ao bem particular: a *res privata*. Pensada nesses termos, como bem ajuíza o historiador José Murilo de Carvalho, "nossa República nunca foi republicana". Por mais tautológico que possa parecer, não pode haver república sem valores republicanos, e por aqui sempre fez falta o interesse pelo coletivo, a virtude cívica e os princípios próprios ao exercício da vida pública. Nos falta, ainda mais, o exercício dos direitos sociais, qual seja, a participação na riqueza coletiva: o direito, ou melhor, o pleno exercício do direito à saúde, à educação, ao emprego, à moradia, ao transporte e ao lazer.

Diante desses impedimentos, ficam expostas a cidadania precarizada de certos grupos sociais brasileiros e as práticas de segregação a que continuam sujeitos. Sobretudo para os setores vulneráveis da sociedade, a regra democrática permanece muitas vezes suspensa no país, e nosso presente, ainda muito marcado pelo passado escravocrata, autoritário e controlado pelos mandonismos locais.

E, como nossa República é frágil, ela se torna particularmente vulnerável ao ataque de seus dois principais inimigos: o patrimonialismo e a corrupção. O primeiro deles, o patrimonialismo, é resultado da relação viciada que se estabelece entre a sociedade e o Estado, quando o bem público é apropriado privadamente. Ou, dito de outra maneira, trata-se do entendimento, equivocado, de que o Estado é bem pessoal, "patrimônio" de quem detém o poder.

E, apesar de o conceito de patrimonialismo parecer velho e em desuso, até superado, ele nunca se mostrou tão atual. A prática atravessa diferentes classes, não sendo monopólio de um grupo ou estrato social. Utilizada pela primeira vez pelo sociólogo alemão Max Weber (1864-1920) ainda em finais do século XIX, a palavra "patrimônio" deriva de "pai", enquanto o termo em si evoca o sentido de propriedade privada. O conceito também sugere a importância do lugar patrimonial; isto é, do espaço individual que constantemente se impõe diante das causas públicas e comuns.

As teses do sociólogo alemão não se limitaram, entretanto, a um uso particular e localizado do conceito. Nas mãos desse teórico, ele ganhou um sentido mais amplo, remetendo a uma forma de poder em que as fronteiras entre as esferas públicas e privadas se tornam tão nebulosas que acabam por se confundir. Patrimonialismo passou a designar, então, a utilização de interesses pessoais, destituídos de ética ou moral, por meio de mecanismos públicos. Não vale, porém, o seu contrário: o uso de bens privados em prol da vontade pública. Nesse caso, a ordem dos fatores altera, e muito, o produto.

Ainda segundo Weber, quando o Estado faz uso desse tipo de expediente patrimonial e passa a ser entendido como mera extensão dos desejos daqueles que ocupam o poder, a máquina política acaba por se revelar, ela própria, ineficiente. Isto é, o Estado perde em racionalidade quando os interesses públicos deixam de ditar as normas de governo, e, ainda mais, quando se afirma o personalismo político: essa verdadeira colcha de arranjos pessoais que alimenta práticas de conchavo, de apadrinhamento, de mandonismo e de clientelismo, as quais se sobrepõem à regra pública.

No caso brasileiro, não foram poucos os autores que lidaram com o conceito de patrimonialismo ao resumir práticas políticas reincidentes no país. Ainda em 1936, no livro *Raízes do Brasil*, Sérgio Buarque de Holanda atacou nossa renitente "ética de fundo emotivo" e a mania nacional de evitar as instâncias públicas e o corpo da lei. Chamou de "cordialidade" a esse modelo e lançou um alerta. "Cor" ("coração"), explica ele, vem do latim, e serve para definir a maneira como os brasileiros usam o afeto em vez de se aplicarem no exercício da razão. Tal hábito estaria presente em nosso passado colonial, mas teria sido ampliado durante o Império e sobretudo com a República, a qual, segundo o historiador, padecia com a "frouxidão das instituições".

A recepção da obra de Holanda foi, porém, matreira com seu próprio autor. Desde a segunda edição de *Raízes*, ele teve que se defender contra o uso equivocado de sua interpretação, e da má leitura que recebeu seu capítulo mais famoso, não por acaso chamado "O homem cordial". O que era uma crítica, e, de acordo com Holanda, representava um dos claros empecilhos para a entrada do país na modernidade, passou a ser entendido como elogio e motivo de regozijo. Como se nosso papel no concerto das nações fosse ofertar ao mundo "um homem cordial" ou, por natureza, tivéssemos sido moldados por esse tipo de prática patrimonial. Com certeza não existe uma fórmula de remédio prescrita, expressamente, para os brasileiros, por mais que uma série de mitos sociais procurem jogar para a biologia o que é da lógica e da experiência política dos sujeitos e dos atores sociais.

Raymundo Faoro, em *Os donos do poder: Formação do patronato político brasileiro* (1958), explorou o termo recuando ao contexto do século XVI. Investiu, pois, na análise de nossa formação colonial, largamente pautada na grande propriedade latifundiária, no trabalho escravizado e na concentração política e econômica em torno dos senhores de terra. Era essa aristocracia rural que personalizava a lei e as próprias instituições da terra, e não tinha prurido algum em governar seus domínios a partir dos dividendos do próprio quintal.

Também Antonio Candido, em seu ensaio "Dialética da malandragem" (1970), tendo como base o romance de Manuel Antônio de Almeida, *Memórias de um sargento de milícias*, de 1854, chegou à conclusão de que sobreviveria entre nós uma certa "dialética da ordem e da desordem", onde tudo viraria, ao mesmo tempo, lícito e ilícito. Nessa estrutura complexa, a intimidade se transmutaria em moeda corrente, levando a uma "vasta acomodação geral", dissolvendo os extremos e solapando o significado da lei e da ordem.

Já Roberto DaMatta, em seu livro *Carnavais, malandros e heróis*, de 1979, propôs uma nova interpretação do Brasil a partir da famosa expressão: "Você sabe com quem está falando?". Segundo o antropólogo, a frase lembraria a maneira como por aqui se aplica, e com "rigor", a norma privada na manutenção da hierarquia social e das práticas nepotistas no interior do Estado. Diagnosticou, ainda, a existência de uma sociedade dual, onde conviveriam duas formas paralelas de conceber e agir no mundo. Um mundo de "indivíduos", sujeitos à lei, e outro de "pessoas", para as quais os códigos seriam formulações distantes e até irrelevantes.

De toda maneira, e a despeito de vivermos num longo período de redemocratização, firmado desde a Carta Magna de 1988, que tornou mais robustas as instituições brasileiras, o certo é que o conceito continua operante no Brasil, onde a prática política é ainda muito afeita à mistura entre afetos públicos e privados. Essa contaminação de esferas leva, por sua vez, ao fortalecimento dos pequenos e grandes poderes pessoais, ampliando as possibilidades de suas ações nas esferas do Estado.

A propósito, a persistência dos mandonismos locais acaba por produzir outra espécie de patrimonialismo, quando interesses regionais passam a afetar diretamente a lógica pública. Não que o Estado deva ser imune às demandas setorializadas; o problema se apresenta quando um certo tipo de corporativismo político favorece alguns cidadãos, em detrimento de muitos.

Práticas patrimonialistas são mesmo antigas entre nós. Caio Prado Júnior, no seu livro *Evolução política do Brasil e outros estudos* (1933), mostrou como nos primeiros 150 anos da colonização a presença da Coroa portuguesa na sua colônia americana era apenas diminuta e residual. Cabia, portanto, ao proprietário de terras, por intermédio das câmaras municipais, o exercício do poder político. Colonos e donatários faziam o papel de "delegados locais", uma vez que eram os depositários da autoridade pública, a eles atribuída pela metrópole lusa. E, sendo eles o "Estado", os assuntos relativos a este último tornavam-se, no limite, temas de natureza privada.

Dessa maneira, apesar de o termo ser, por vezes, diferente, o sentido e a compreensão conservaram-se basicamente semelhantes. Como os colonos concentravam o exercício do poder, e guardavam para si grande autonomia política, uma série de consequências se avolumaram. Em primeiro lugar, eles passaram a acreditar que suas instituições públicas eram irrelevantes diante do gigantismo de seu mando pessoal. Também julgaram que deviam pouca lealdade ao monarca português, já que a administração externa era realizada de modo errante e sem eficiência. Por fim, sentiam-se desobrigados de prestar contas de seus atos à metrópole, até porque esta não detinha instrumentos capazes de vigiá-los.

Da sua parte, as próprias autoridades lusitanas também agiam de maneira patrimonialista, uma vez que se mantinham associadas à grande propriedade exportadora; contanto que continuassem a receber seus lucros, preferiam não esticar demais a corda da intervenção pública.

Até meados do século XVII, o patrimonialismo, mesmo que não levasse esse nome, foi a principal característica administrativa da colônia brasileira; a Coroa exercendo seus direitos dentro dos estreitos limites da sede do governo-geral. A administração lusitana era apenas elementar, conservando para si o estritamente necessário, de forma a não perder o controle sobre seu rico domínio ultramarino. Criava-se, assim, uma espécie de dependência do governo lusitano em relação à administração do Brasil, executada, na prática, pelos colonos. Essa estrutura, por sua vez, combinava com a atitude "passiva" da metrópole lusitana, que sempre achou melhor viver do recebimento dos lucros auferidos pela cana do que ser obrigada a gerir, ela mesma, o dia a dia dos negócios coloniais.

Por outro lado, a condição de colônia de Portugal fez com que fosse transferida para o Brasil uma parcela significativa do Estado lusitano e da administração pública portuguesa. Junto com tais instituições burocráticas vieram certas características desse aparato estatal, entre elas, justamente, o patrimonialismo. O rei era cercado por uma corte palaciana, uma nobreza togada que ocupava todos os cargos e funções, mas se comportava como usufrutuário dos repartes e proventos. Os fidalgos ganhavam pensões e acesso aos postos superiores, os oficiais da Armada e do Exército recebiam cargos, os civis e os eclesiásticos contavam com empregos e benefícios. Já a metrópole, diante dessas concessões, reagia cobrando ainda mais impostos coloniais.

O certo é que a camada que então se consolidou na administração do Império português não só era onerosa, como estacionara bem no interior do aparelho de Estado lusitano colonial. Ela era também próxima e associada ao soberano, e se valia dessa vizinhança, bem como de seu prestígio junto ao monarca, para conseguir benefícios em proveito próprio e, na maior parte das vezes, em detrimento dos demais segmentos da sociedade.

Outro elemento que comprova a ampla dimensão patrimonial vigente no período colonial é o fato de no Brasil imperar um tipo de família patriarcal que levou o Estado a ser encarado como um prolongamento e uma extensão do ambiente doméstico. Segundo Sérgio Buarque de Holanda, os detentores das posições públicas de responsabilidade, formados no interior dessa sorte de ambiente, logo aprenderam a manipular e misturar os domínios do privado e do público. Como a burocracia administrativa era exercida diretamente por essa aristocracia, e a partir de uma autarquia agrária, reforçava-se, ainda mais, o caráter hoje chamado de patrimonialista do aparato estatal então existente no país.

Do ponto de vista da Coroa não havia, propriamente, conflito atravessando a separação entre público e privado; afinal, atribuía-se ao ofício do rei a prática das virtudes que fazem os soberanos conhecer e guiar os súditos na busca pela concretização do interesse coletivo. Ou seja, a Coroa se media por seus próprios padrões: avançar sobre o patrimônio do reino era modo de exercer o poder que considerava o Estado como uma empresa do soberano. O nome que hoje se dá a essa prática é patrimonialismo.

No entanto, na época, e na perspectiva do monarca, nada de excepcional ou imoral existia no uso do poder.

Tal situação se complicaria, porém, com a vinda da corte em 1808. Junto com ela desembarcou na nova sede toda a máquina administrativa da metrópole. Afinal, da colônia seriam encaminhadas ordens para todos os lugares onde vigorava a dominação lusa. Ademais, desde que aportara no Rio de Janeiro, d. João deixou clara a intenção, devidamente concebida ainda em Lisboa, de, a partir da colônia, cuidar do seu Império. Para tanto, deixou a pasta dos Negócios Estrangeiros e da Guerra sob a responsabilidade de d. Rodrigo de Sousa Coutinho. João Rodrigues de Sá e Meneses, visconde de Anadia, que em Portugal já havia sido secretário dos Negócios Estrangeiros e da Guerra, na chegada ao Brasil foi nomeado secretário dos Negócios da Marinha. E, para tratar dos assuntos internos da colônia, foi escolhido Fernando José de Portugal, depois marquês de Aguiar, que havia atuado como vice-rei no Rio de Janeiro entre 1801 e 1806.

A nova trindade ministerial, de tão ineficiente aos olhos da população local, foi logo ironizada e comparada a três diferentes relógios: um atrasado (d. Fernando de Portugal), outro parado (visconde de Anadia), e o terceiro sempre adiantado (d. Rodrigo), todos girando na direção do monarca. Já nos escalões mais baixos, o número de funcionários aumentava, inflando e emperrando a máquina administrativa, uma vez que muitos cargos foram sendo criados apenas para atender os recém-chegados, amigos próximos do rei, que, mais do que serem úteis ao Estado, reclamavam sua subsistência. A maior parte dos imigrados — monsenhores, desembargadores, legistas, médicos, empregados da Casa Real, os homens do serviço privado e protegidos do monarca — comportou-se como uma "chusma de satélites". Muitos deles eram parasitas do governo que dariam continuidade no Rio de Janeiro ao ofício exercido em Lisboa: comer à custa do Estado e nada fazer para o bem da nação. A máquina inchava, premiavam-se os conhecidos, e, para arcar com as novas despesas, via-se como única saída criar impostos, para que o Brasil inteiro pagasse a elevada conta.

Também as instituições que existiam em Portugal foram transplantadas para o Brasil, com o mesmo espírito de rotina burocrática. A ideia era formar a nova sede tomando a administração de Lisboa como espelho, reproduzindo aqui a estrutura administrativa portuguesa, mas sem deixar de amparar os desempregados e próximos da corte que iam chegando nos anos subsequentes a 1808. Assim, o governo tratou de instalar suas áreas estratégicas de atuação — segurança e polícia, justiça, fazenda e área militar. Porém, não começou do zero: a Coroa sempre administrou e controlou o Brasil baseada no código legal que vigorava em Portugal desde o século XVII — as Ordenações Filipinas. A administração da metrópole estendia-se até a colônia num organograma hierárquico centralizado no Paço, em Lisboa, e que abrangia o governo-geral do Brasil, o governo das capitanias, o das câmaras municipais e, como vimos, o aparato judicial vigente a partir da Casa da Suplicação, o Desembargo do Paço e a Mesa da Consciência e Ordens. A intenção era, portanto, prover a colônia e, a partir de 1815, o Reino Unido de novas instituições, e também satisfazer "os amigos" que nela entravam ou permaneciam, ao lado do rei, trazendo a bagagem pesada dos favores que estavam acostumados a usufruir em Portugal.

As despesas no Brasil se avolumavam, a máquina inflava, bem como crescia o patrimonialismo de Estado, ligado aos novos imigrados lusitanos, que vinham à colônia com a intenção de por aqui permanecer, ao menos enquanto a guerra continuasse na Europa e em território português. Ficou famosa, nesse sentido, a prática de utilizar as propriedades privadas existentes no Rio de Janeiro para acomodar os novos fidalgos da corte. Localizada uma bela morada, ela seria logo requisitada não só para os fidalgos como para funcionários e militares lusos que não tinham onde se estabelecer. Dizem as testemunhas que era comum ver os lacaios da corte pintando nas portas das moradas as letras PR, com o significado de "Príncipe Regente", e assim desalojando as famílias que por lá viviam. Ao povo apenas restou fazer piada com o ato arbitrário, relendo o PR como "Ponha-se na rua".

Para evitar o confisco de suas casas, alguns proprietários locais simulavam ou mesmo realizavam nelas obras perfeitamente dispensáveis, defendendo-se do que chamavam de "invasão de fidalgos". Outros simplesmente se faziam de desentendidos, não atendendo à requisição. O certo é que a fúria da população se voltou contra esses personagens do segundo escalão, logo denominados de "toma-larguras".

Mas o "toma lá dá cá" da política de favores e patrimonialismos não acabou aí. Por exemplo, os comerciantes que já moravam no Rio de Janeiro, a maioria deles portugueses, não aceitaram de bom grado a presença dos compatriotas que, privilegiados pela Coroa, foram ocupando seus lugares. O governo percebeu que precisava amenizar as tensões atraindo os comerciantes lesados bem como os proprietários de terra locais, que, a essa altura, também não estavam gostando nem um pouco da nova configuração que o governo ia tomando. E nada como um bom título de nobreza ou outra distinção para acalmar os humores. Assim, rapidamente, foi criada a Câmara do Registro das Mercês e, em 1810, a Corporação de Armas — para bem organizar o nascimento de uma nobreza e de uma heráldica em terras brasileiras. D. João concedeu, até seu retorno a Portugal em 1821, nada menos que 254 títulos: onze duques, 38 marqueses, 64 condes, 91 viscondes e 31 barões. Isso sem contar a instauração da Ordem da Espada e dos títulos de grã-cruzes, comendadores e cavaleiros. Nesse quesito, o soberano fez 2630 cavaleiros, comendadores e grã-cruzes da Ordem de Cristo; 1422 da Ordem de São Bento de Avis e 590 da de

Santiago. O importante é que ao lado da nobreza titulada fora do país surgia, aos poucos, uma nobreza da terra, ávida pelos mesmos símbolos de distinção. Foi apenas com a independência e a formação de um Estado nacional que começaram a ser criadas instituições mais autônomas, no sentido de dizerem respeito a uma realidade mais propriamente brasileira. Com o adensamento da vida urbana, surgiram também novos agentes econômicos ligados ao setor de serviços e uma variedade maior de representações políticas dos interesses de grupos sociais distintos. Com isso, a burocracia do Estado deixou de ser um prolongamento praticamente exclusivo da classe senhorial agrária tradicional, ou dos comerciantes já estabelecidos e funcionários portugueses recém-chegados ao Brasil, para passar a incluir certos setores oriundos dos serviços urbanos e profissionais liberais.

Mesmo assim, a estrutura social do patrimonialismo restou basicamente semelhante: o Estado precisava responder aos interesses da produção rural, a qual, por sua vez, dependia fortemente da manutenção da mão de obra escrava. Tanto que, para além do nosso território e de suas fronteiras americanas, a emancipação brasileira provocou reação em várias nações africanas, integradas ao Império português. Na Guiné, em Angola, Moçambique, grupos de mercadores de escravos propuseram a união com rebeldes do Rio de Janeiro. Não é coincidência, portanto, o fato de o reinado de Daomé ter sido o primeiro a reconhecer o Império brasileiro, antes mesmo de Portugal. Como mostra o historiador Luiz Felipe de Alencastro, em Angola um panfleto impresso no Brasil convidava Benguela a se unir à "causa brasileira".

Durante o Primeiro e o Segundo Reinado, nossos dois imperadores governariam manipulando os interesses agrários e por eles sendo manipulados; os senhores de terra acumulando as funções públicas, privadas e muitos títulos. Essa era uma eficaz forma honorífica e simbólica de fazer aliados a partir do farto oferecimento de títulos e mercês. Tanto que, já na Constituição de 1824, um item passava quase que desapercebido frente aos temas mais polêmicos. Tratava-se do artigo 102, inciso XI da Constituição Política do Império. Nele, assegurava-se na letra da lei o que fora dado, até então, costumeiramente; ou seja, entre as competências do imperador, como chefe do Executivo, ficava garantido o direito "de conceder títulos, honras, ordens militares, e distinções em recompensa dos serviços feitos ao Estado; dependendo as mercês pecuniárias da aprovação da Assembleia, quando não estiverem já designadas, e taxadas por lei".

Formalizava-se dessa maneira o nascimento de uma nobreza que surgia umbilicalmente vinculada ao imperador, uma vez que apenas ele tinha o direito de conceder tal tipo de benesse. Ela guardava, ainda, algumas originalidades. Diferentemente do modelo europeu, que recompensava os bons serviços com títulos não só vitalícios como hereditários, no Brasil os nobres "nasciam e ficavam jovens". Assim, se a hereditariedade só era garantida para o sangue real ou para aqueles que vieram de Portugal ostentando tais honras, já a titularidade oferecida aqui se resumia ao seu legítimo proprietário. Tratava-se de um modo peculiar de associar o agraciado à figura do imperador, que não apenas era o exclusivo detentor do direito de "fazer nobres", como podia "puni-los", deixando de manter a descendência.

Nas mãos do primeiro monarca a nobreza cresceria muito, não mais porque seu reino seria breve. Assim, de 1822 a 1830, d. Pedro I faria 119 nobres, entre os quais dois duques, 27 marqueses, oito condes, 38 viscondes com grandeza e quatro sem grandeza, vinte barões, sendo dez com grandeza e dez sem grandeza. Seria, no entanto, sob a batuta do segundo imperador que vingaria o projeto monárquico e se enraizaria uma espécie de corte tropical. Em seu longo reinado, que começou em 1841 e terminou em 1889,

Pedro II governaria tendo a seu lado um segmento social que se diferenciou dos demais pela ostentação de um título de nobreza e pelo uso de um brasão: símbolos de distinção e de prestígio. Só no período que vai de 1870 a 1888, o monarca faria 570 novos titulados, os quais correspondiam, por sua vez, à nova elite que acompanhava o jovem imperador.

Durante todo o Império, o total de títulos concedidos chegaria a 1439 — sendo que um só titular poderia receber mais de um —, número que na verdade correspondia, como vimos, a uma espécie de "nobreza meritória", bastante diversa da nobreza de nascimento, típica das cortes europeias daquele contexto. No Brasil, boa parte dos titulados eram fazendeiros do Vale do Paraíba logo convertidos em orgulhosos "barões sem grandeza". Assim, se muitas vezes eram momentos especiais, e ligados à agenda da corte, que levavam à concessão de títulos — "aniversário de S. M. Imperial", "dia da sagração e coroação de S. M. I.", "por motivo da chegada da Imperatriz", por razão de casamentos, batizados ou aniversários oficiais —, em vários casos era o "bom desempenho" que recomendava o recebimento da honra: "serviços prestados", "provas de patriotismo", "por fidelidade e adesão a S. M. I.", "serviços contra a cólera-morbo", "serviços na Guerra do Paraguai", ou até "trabalhos nas exposições universais".

"Provas de patriotismo", "por fidelidade e adesão a S. M. I.", eram referências pomposas e vagas que, de toda maneira, atavam as novas elites agrárias ao soberano. Oficialmente, os titulares formavam o nível mais alto da nobreza imperial. Na prática, todavia, conformavam uma elite selecionada com base no mérito econômico, profissional ou cultural, mas também na projeção social, sem privilégios ou pressupostos de bens materiais ou de vínculos à terra. Comerciantes, professores, médicos, militares, políticos, fazendeiros, advogados, diplomatas, funcionários, se faziam representar, por meio de seus brasões, como os melhores em seu ramo. Assim sendo, sem o direito à hereditariedade, que garantia a perpetuação do título, era preciso "provar no ato" a importância de sua conquista.

Entre os titulares brasileiros, outras hierarquias vingavam: enquanto todos eram nobres, somente alguns eram "grandes do Império". Tal privilégio, basicamente honorífico, não era reconhecido a todos os duques, marqueses e condes, mas apenas aos viscondes e barões *com grandeza*. Eram os membros desse pequeno grupo de elite que, segundo o *Almanaque Laemmert*, iam à frente nos cortejos reais, ou acompanhavam de perto Suas Altezas Imperiais, e recebiam o tratamento de "Excelência".

Além desses titulados e brasonados, convivendo no cotidiano do palácio real, uma entourage selecionada ocupava cargos e cumpria funções, compartilhando tanto das formalidades quanto da intimidade do imperador e garantindo assim um status diferenciado. Os conselheiros de Estado, fidalgos e oficiais das casas Real e Imperial, formavam, junto com a nobreza titulada, esse grupo especial que durante o Segundo Reinado viveu, na América, uma nova versão da corte, só incomodada pelo sol de quarenta graus, mais próprio ao clima dos trópicos.

No Brasil, os termos se confundiam e se dividiam. Na teoria, nobres eram aqueles que recebiam títulos por parte do imperador. Na prática, porém, o termo era mais elástico e flexível. "A corte" podia significar o grupo de pessoas mais chegadas ao rei, e também os titulados. Designava, igualmente, "a corte do Rio de Janeiro", tendo como referência o Paço de São Cristóvão. Nesse sentido, se pertencer "à corte" — à corte carioca — era um direito relativamente amplo, ser titular, ser nobre, era um privilégio de poucos. A balança ficava nas mãos do monarca, o qual garantia para si a formação do grupo de aliados que orbitava, necessariamente, ao seu redor.

Verdadeira cruzada de nobilitação, enquanto o imperador pagava pela adesão da elite carioca do café com títulos e honras, já os cafeicultores, sobretudo do Vale do Paraíba, esforçavam-se muito para ganhar a proximidade do monarca e com ela receber mais benesses do Estado. Esse era, de fato, um modelo que privilegiava as mercês e dádivas pessoais com barganhas e indulgências públicas.

Tal proximidade com o poder também facultava que os "empresários rurais" tivessem grande influência no Senado. Em primeiro lugar, como o critério de entrada era censitário, precisava-se ter uma renda anual de 800 mil-réis para ser "elegível" para esses postos. Em segundo, não parece ser coincidência que o auge da proporção de senhores rurais na instituição tenha se dado na década de 1840, exatamente durante o apogeu do tráfico ilegal de escravos africanos.

A proporção de bacharéis em direito foi sempre alta, atingindo quase 40% no final do Império, sendo que a concorrência com profissionais liberais, como os médicos, tendeu a se elevar nos tempos da República. De toda maneira, ainda em termos do Segundo Reinado, e como mostrou Raymundo Faoro, o Senado sempre foi uma instituição da Coroa, participando de sua política. Aliás, comportou-se como um órgão a serviço do Poder Moderador, como vimos, de exclusividade do soberano, uma vez que ele se utilizava dessa instituição para dominar a Câmara e o próprio ministério. Por fim, para chegar ao Conselho de Estado, era preciso manter-se próximo do monarca, já que os políticos eram por ele selecionados a partir de uma lista tríplice. Alcançar tais posições não era fácil, mas aqueles que o conseguiam tinham garantido um mandato vitalício, recebiam uma remuneração que correspondia a uma vez e meia do que era reservado aos deputados e não tinham chance de perder seus postos.

Outra forma de entender como interesses patrimonialistas se inseriam na máquina do Estado, ainda durante o Segundo Reinado, é avaliar a radical dicotomia que se estabelecia entre as províncias e a corte, assim como a política que se realizava nesses dois espaços distintos. E, como não existia representatividade nacional, o caminho mais fácil era apostar na política local, a melhor maneira de satisfazer interesses regionais. Assim, a despeito de os partidos serem nacionais, as variações e orientações de província a província eram imensas. Já nesse momento, a Guarda Nacional e os agentes policiais constrangiam violentamente os eleitores, de modo que, desde o pleito de 13 de outubro de 1840, o processo levou a alcunha de "eleições do cacete".

A situação começa a mudar com a reforma empreendida pelo ministério Paraná, de 1853, que privilegiou uma distribuição mais equânime por "círculos" ou "distritos" de um deputado. Com isso, Paraná intencionava conseguir uma representação mais justa e real do país na Câmara dos Deputados. Além do mais, a reforma estabeleceu a eleição de suplentes deputados e, sobretudo, um sistema mais rígido de "incompatibilidades eleitorais". Pela primeira vez, os presidentes de províncias, os seus secretários, os comandantes de armas, os generais em chefe, os inspetores gerais da Fazenda pública, as autoridades policiais, os juízes de paz, municipais e de direito, eram inelegíveis no âmbito de suas atividades.

Grupos conservadores rapidamente se opuseram ao projeto, alegando que tal reforma tiraria as características da instituição que deveria, na opinião desses setores, ser ocupada por "pessoas notáveis" e "conhecidas" nas suas respectivas províncias e não por "funcionários subalternos", favorecidos por "pequenas influências locais".

Mesmo assim, e observando os resultados das eleições de 1856, constatou-se que o sufrágio no Brasil mudara pouco. Depois de apenas uma eleição, as forças regionais logo aprenderam como agir diante do pleito, de forma que a lei fosse cumprida mas não lograsse atingir seus objetivos. Com efeito, a força desses setores acabava se impondo à reforma e era usada de maneira a manter privilégios e mandonismos regionais. O Estado privilegiava a centralização, mas a força das províncias era inegável.

Somente em 1881, oito anos antes do fim do regime, o Império mudou de fato o formato de suas eleições. A Reforma Saraiva estabeleceu a eleição direta, deu condições para que fosse implementada uma Justiça Eleitoral, restabeleceu os círculos com um deputado, regulamentou as incompatibilidades, determinou penalidades contra as fraudes, alargou o voto aos naturalizados, acatólicos e libertos, além de introduzir os títulos eleitorais; uma de suas mais importantes inovações.

No entanto, bastou que um pleito fosse executado de maneira honesta para que o país acordasse com a certeza de que a vida partidária brasileira se encontrava dividida; as câmaras mostrando uma composição distinta e não tão homogênea como a daquelas anteriores a 1881. Mesmo assim, como o Senado era composto por lista tríplice referendada pelo imperador, ele continuava a funcionar, e era entendido como uma sorte "de partido do governo". Enfim, visto do ângulo que fosse — do Estado para as elites regionais ou o oposto —, destacava-se um uso premeditado da política, marcado pelos interesses localizados.

Com a chegada da República, o fortalecimento de setores urbanos, a diversificação dos grupos de reivindicação e o funcionamento mais regular das instituições públicas, esse tipo de expediente político poderia até parecer superado. Não obstante, práticas patrimonialistas continuaram a residir no seio do Estado; sendo políticos e chefes de Estado acusados de fazer uso pessoal das verbas públicas.

No livro *Coronelismo, enxada e voto*, Victor Nunes Leal explora a maneira como o poder público foi se afirmando em relação ao privado nesse contexto; o Estado apoiando-se fortemente nos latifundiários e senhores de terra e, ao mesmo tempo, extrajudicialmente, tolerando que os fazendeiros, então chamados de "coronéis", entrassem na estrutura dele. Em troca dos votos que os grandes proprietários angariavam em suas regiões, conhecidos na época como "força moral", o Estado homologava poderes formais e informais para essas figuras.

O fenômeno da urbanização, tão característico das décadas de 1910 e 1920 no Brasil, não consegue romper, portanto, a dinâmica do modelo agroexportador patrimonialista. Ao contrário, durante a Primeira República expandiu-se o fenômeno conhecido como "voto de cabresto" e do coronelismo, na sua correlação com o governo, configuração que a princípio neutralizou a atuação desses novos grupos ascendentes, limitando a participação e o voto.

Por sua vez, a estabilidade política da República era garantida por três procedimentos principais: pelo empenho dos governos estaduais em manter o conflito político confinado à esfera regional; pelo reconhecimento por parte do governo federal da plena soberania dos estados no exercício da política interna; e pela manutenção de um processo eleitoral em que, a despeito dos mecanismos políticos que tentavam controlar as disputas locais, as fraudes continuavam frequentes. Aliás, fraudes aconteciam em todas as fases do processo eleitoral — do alistamento de eleitores até o reconhecimento dos eleitos. Mas alguns procedimentos ficaram famosos. A eleição de "bico de pena" vem da época do Império e diz respeito às diversas manipulações feitas pelas mesas eleitorais, como a falsificação de assinaturas e adulteração das cédulas eleitorais. A "degola" significava o não reconhecimento do eleito pela Comissão de Verificação da Câmara dos Deputados — procedimento que eliminava os adversários, anulando sua eleição. O "voto de cabresto", como vimos, transformava-se quase numa prática político-cultural — representando um ato de lealdade do votante ao chefe local. Por fim, o "curral eleitoral" referia-se ao barracão onde os votantes eram mantidos sob vigilância, ganhavam uma boa refeição e só saíam na exata hora de votar.

Era difícil mostrar autonomia nessa terra do favor e dos constrangimentos privados e públicos. Longe do liberalismo político, da compreensão de que a abolição era consequência de um movimento coletivo, e que a Primeira República era resultado de um contrato entre cidadãos, continuava forte o complicado jogo das relações pessoais, contraprestações e deveres: chave do personalismo e do próprio clientelismo.

Tal uso privado da máquina seria muito restringido a partir da Constituição de 1934, que não apenas ampliou o poder do governo federal, mas tornou o voto obrigatório e secreto, a partir dos dezoito anos. Também se criou a Justiça Eleitoral e a Justiça do Trabalho, instituições que visavam cercear o arbítrio privado dos grandes proprietários, bem como coibir seu poder de barganha junto ao Estado.

A despeito das várias constituições que o país teve desde então, sobretudo a partir de 1988, não só foram referendados os direitos ao voto secreto, como se estabeleceram novos direitos trabalhistas, entre eles a redução da jornada semanal de 48 para 44 horas, o seguro-desemprego e as férias remuneradas; todas medidas que visam garantir direitos individuais e do cidadão. Por sinal, os alicerces da República Federativa do Brasil são: a soberania, cidadania, dignidade da pessoa humana, os valores sociais do trabalho e da livre-iniciativa e o pluralismo político.

Ainda assim, o legado do poder privado sobrevive dentro da máquina governamental. O Departamento Intersindical de Assessoria Parlamentar (Diap) apresenta dados muito reveladores acerca da chamada "bancada de parentes", que continua crescendo no Congresso Nacional. Na Câmara, em 2014, foram eleitos 113 deputados com sobrenomes oligárquicos, sendo parentes de políticos estabelecidos. Nas eleições de 2018, o número de parlamentares com vínculos familiares aumentou para 172.

A Paraíba é o estado que possui o maior número, proporcional, de parlamentares eleitos com laços familiares. Dos doze deputados eleitos pelo estado, dez têm relação de parentesco com outros políticos. No Senado, os dois estreantes Veneziano do Rêgo (MDB) e Daniella Ribeiro (PP) chegam ao poder por conta de sua ascendência familiar. Completa a bancada José Maranhão (MDB), com mandato até 2023, e que também se enquadra perfeitamente nos critérios da "bancada de parentes".

Dentre os partidos que mais elegeram parentes na Câmara, o destaque fica para PP e PSD, com dezoito representantes cada. Eles são seguidos pelo MDB com dezessete, PR com dezesseis, PSDB com treze, e DEM e PT com doze cada. O PSB conta com onze deputados, PDT e PTB têm nove, e PRB oito. O SD tem seis e o partido do presidente, o PSL, tem quatro deputados. O PCdoB conta com quatro, e PROS e PPS com três cada. O Pode tem dois, enquanto PSOL, PSC, Avante, PTC, PPL, PRP e Patri têm um deputado cada.

No Senado, em 2018, a "bancada de parentes" caiu de 39 para 24 senadores, incluindo-se os suplentes, número ainda grande quando se sabe que o Senado Federal possui 81 representantes.

Num levantamento preliminar do Diap, foram identificados, entre os 567 novos parlamentares, 138 deputados e senadores que pertencem a clãs políticos — um aumento de 22% em relação a 2014. O número de membros da "bancada dos parentes", no entanto, é seguramente muito mais alto, já que a pesquisa ainda está em andamento e considerou apenas relações de primeiro grau.

No ano de 2018, houve até mesmo casos de "dinastias" que fizeram campanha com um discurso antissistema, aproveitando a onda em voga contra a política tradicional. Esse é o caso de Eduardo e Flávio Bolsonaro (ambos no PSL), eleitos para a Câmara e o Senado, respectivamente, e que já fazem carreira na política estadual e nacional. Em Pernambuco, e segundo matéria do BOL de 17 de dezembro de 2018, o deputado mais votado, João Campos (PSB), é filho do ex-governador Eduardo Campos, morto em 2014.

A prima do político, Marília Arraes (PT), que, por sua vez, é sobrinha de uma ex-deputada federal e neta do também ex-governador Miguel Arraes, foi a segunda mais votada. Na Bahia, o segundo mais votado para a Câmara é filho do senador Otto Alencar (PSD). No Piauí, Iracema Portella (PP), filha de um ex-governador e de uma ex-deputada federal, conseguiu mais um mandato na Câmara, enquanto seu marido, Ciro Nogueira (PP), foi reeleito para o Senado. No Rio Grande do Norte, metade das vagas para deputado federal foram ocupadas por parentes — um eleito é filho do ex-governador.

Já no Ceará, e de acordo com a mesma matéria, um dos deputados federais mais votados é filho do atual presidente da Assembleia Legislativa. No Pará, o clã dos Barbalho garantiu tanto a reeleição do seu chefe, o senador Jader Barbalho (MDB), como a de dois outros membros para a Câmara — a ex-mulher do senador e um primo. Por sua vez, Kátia Abreu (PDT-TO) tem agora no Senado a companhia de seu filho, Irajá Abreu (PSD), "atualmente deputado federal por Tocantins e que ganhou uma das duas vagas em disputa no estado". Na Paraíba, o deputado federal Veneziano Vital do Rêgo (MDB) conquistou uma vaga no Senado, onde seu irmão já cumpriu mandato e sua mãe ocupa uma suplência. A outra vaga do estado é de Daniella Ribeiro (PP), irmã do deputado Aguinaldo Ribeiro (PP-PB), que foi reeleito. Ou seja, a bancada paraibana na Câmara é na verdade "um retrato escancarado da persistência da força dos clãs políticos". Das doze vagas, dez são ocupadas por deputados com laços com outras pessoas que já cumpriram algum mandato eletivo.

Outra franja do sistema que possibilita a prática do patrimonialismo faz parte do Orçamento Federal brasileiro, no qual se determina como será gasto o dinheiro público definido de forma conjunta pelo Palácio do Planalto e pelo Congresso Nacional. Se o governo formula a proposta, deputados e senadores a modificam e aprovam.

Há, porém, um tipo de "atalho" no Orçamento, que permite aos políticos o acesso a uma parte da verba sem a necessidade de submetê-la à aprovação dos colegas. São as "emendas parlamentares". Emendas correspondem aos pedidos que deputados e senadores realizam com o objetivo de incluir no Orçamento despesas específicas, ligadas à saúde e ao transporte, por exemplo. Elas costumam ser destinadas às cidades e demais localidades onde se encontram os eleitores do parlamentar em questão, o qual, por sua vez, as utiliza para fortalecer laços políticos.

Mas os meandros da máquina são ainda mais capciosos. Mesmo que esteja incluída no Orçamento, a liberação efetiva dos recursos depende de uma ordem do governo. Sendo assim, as emendas parlamentares acabaram se convertendo em formas de barganha política entre o presidente da República e os congressistas.

Por uma determinação da lei, metade dos valores das emendas individuais devem ser utilizados em ações ou serviços de saúde. Essas emendas podem ser destinadas, ainda, a obras, como a construção de escolas ou de centros esportivos, e a compras, por exemplo, de equipamento hospitalar. É também possível repassar verba para órgãos públicos ou privados, desde que sejam de reconhecida importância social. Por isso, vários parlamentares defendem a existência das emendas individuais como uma forma eficiente de atender necessidades objetivas da população, pois o deputado ou senador teria mais contato com as demandas de sua região do que o governo federal.

Por outro lado, as mesmas emendas individuais podem ser entendidas como uma deficiência do modelo de definição dos gastos públicos, pois, por meio delas, indivíduos se apropriam de pedaços do Orçamento sem que suas emendas passem pela análise do conjunto do Congresso ou do governo. Um estudo publicado em 2014 pela Câmara dos Deputados mostrou como muitas verbas públicas acabam sendo utilizadas em troca do apoio do eleitor, por questões meramente políticas e que visam à própria perpetuação no poder. As emendas possibilitariam, portanto, a formação de currais eleitorais, relações clientelistas e patrimoniais entre o deputado e seus eleitores ou quaisquer que sejam os seus favorecidos. Assim, elas adquirem um caráter pessoal e podem servir de instrumento para práticas corruptas, ao dar a quase seiscentos parlamentares o poder de decidir o destino de verbas públicas.

Diversos escândalos de desvios de recursos tiveram como origem emendas individuais, como o dos "anões do Orçamento", em 1993 — no qual parlamentares destinaram verbas a entidades ligadas a parentes ou "laranjas" —, e o da "máfia dos sanguessugas", quando recursos para a saúde foram usados na compra de equipamentos com preço superfaturado, acima do praticado no mercado.

Assim, são várias as maneiras de exercer o velho "jeitinho brasileiro", quando a maioria dos políticos entendem o cargo público que ocupam como uma "propriedade privada", sua ou de sua família, em detrimento dos interesses da coletividade que os elegeu. E, se esse é o sentido consagrado, o uso do termo "patrimonialismo", de tão recorrente, já virou, como bem mostra André Botelho, uma espécie de "categoria de acusação: é um pecado/crime em que o 'outro' incorre, não o sujeito da enunciação". Termos como "patrimonialismo" ou "patrimonialista" têm servido, pois, igualmente para estigmatizar um oponente político ou desqualificar um adversário.

Enfim, nesses trinta anos, o Brasil não só buscou consolidar a democracia, como modernizou as relações sociais. Não deu conta, porém, de deter as práticas de patrimonialismo que se encontram bastante arraigadas e ajudam a explicar parte da crise que vivenciamos nos dias de hoje. É por essas e por outras que o patrimonialismo se mantém como um dos grandes inimigos da República, tendo o poder de solapar e enfraquecer as instituições do Estado. A saúde de uma democracia é medida pela robustez de suas instituições e, no nosso caso, desde os tempos coloniais boa parcela de tais instâncias foi dominada por interesses de grupos de poder, que se apropriam de parte da máquina do Estado com fins particulares. A teoria de que os brasileiros são mais informais e "alheios à burocracia" ganha aqui outra "roupagem", quando expedientes como esses acabam resultando no benefício de alguns e no malefício de muitos.

A contaminação de espaços públicos e privados é uma herança pesada de nossa história, mas é também um registro do presente. A concentração da riqueza, a manutenção dos velhos caciques regionais, bem como o surgimento dos "novos coronéis" e o fortalecimento de políticos corporativos mostram como é ainda corriqueiro no Brasil lutar, primeiro, e antes de mais nada, pelo benefício privado. Essa é uma forma autoritária e personalista de lidar com o Estado, como se ele não passasse de uma generosa família, cujo guia é um grande pai, que detém o controle da lei, é bondoso com seus aliados, mas severo com seus oponentes, os quais são entendidos como "inimigos".

Conforme escreveu Max Weber: "Quem vive 'para' a política a transforma, no sentido mais profundo do termo, em 'fim'". Se o Brasil vem buscando fortalecer suas instituições, falta-lhe ainda um compromisso cívico e cidadão que garanta a vigilância rigorosa contra essa forma de má conduta pública, a qual segue fazendo parte do expediente de certos políticos que não discriminam as esferas domésticas daquelas públicas e afeitas aos interesses da comunidade brasileira.

4. Corrupção

Se o patrimonialismo é o primeiro inimigo da República, o segundo principal adversário atende pelo nome de corrupção. Trata-se de uma prática que degrada a confiança que temos uns nos outros e desagrega o espaço público, desviando recursos e direitos dos cidadãos. Não por coincidência, ela se encontra, muitas vezes, associada ao mau trato do dinheiro público, ocasionando o descontrole das políticas governamentais.

Ao longo do tempo, a corrupção ganhou vários nomes, que, no entanto, guardaram uma compreensão comum, representando, segundo o professor José Murilo de Carvalho, o ato de "transgredir", no sentido de "desrespeitar, violar e infringir as mais diversas áreas de atuação". Etimologicamente, a palavra provém do latim *corruptio*, significando o "ato de quebrar em pedaços"; isto é, de "deteriorar ou decompor algo". Na gestão do Estado, a corrupção remete ao ato de conceder ou receber vantagens indevidas ou de agentes públicos ou do setor privado, com o intuito de obter vantagens. De tão espraiada no Brasil, a corrupção acabou tomando parte, fundamental, do mundo da política, mas está igualmente presente nas relações humanas e pessoais.

A história e o tempo têm, entretanto, o poder de deslocar e agregar sentidos. O termo "propina", por exemplo, que hoje significa "recurso oferecido de forma ilícita a alguém ou a uma instituição", surgiu vinculado ao mundo das bibliotecas e com um sentido basicamente distinto. Em Portugal, com a criação da Biblioteca Pública em 1797, o conceito de "propina" remetia ao costume de retirar um exemplar de cada edição nacional para que ficasse guardado na instituição. Nada havia de ilegal na atividade, que tampouco intentava satisfazer interesses individuais. Ao contrário, a propina tinha como objetivo preservar a memória editorial de modo a garantir que os acervos públicos preservassem exemplares de todas as publicações do país. Lembrava, de toda maneira, o ato de receber "contribuições", em exemplares, dos vários editores ou livreiros.

No entanto, nesse meio-tempo o próprio uso popular do termo levou-o a ser crescentemente associado ao ato de gratificar alguém de maneira extra e incorreta por um serviço que deveria ser regularmente executado. Por isso, "propina" virou sinônimo de "suborno"; um valor monetário pago ou obtido para receber ou distribuir vantagens, em boa parte ilegais, sobretudo no âmbito da administração pública. A corrupção é o crime — o ato de oferecer vantagem indevida a agente público — enquanto o suborno ou a propina correspondem à vantagem ou paga oferecida ou recebida. O suborno pode ser tanto "ativo", quando um indivíduo oferece diretamente dinheiro a um funcionário de instituição pública para ganhar benefícios próprios ou a terceiros, como "passivo", quando um agente público pede dinheiro a alguém em troca de facilitações pessoais.

O ato de corrupção também pode envolver diferentes setores sociais, sendo todos os incluídos na operação considerados igualmente criminosos. O "corruptor" é aquele que propõe uma ação ilegal para benefício próprio, de amigos ou familiares, e pratica o ato consciente de que está infringindo a lei. Já o "corrompido" ou "corrupto" é aquele que aceita a execução de uma ação ilegal em troca de dinheiro, presentes ou outros serviços que o beneficiem pessoalmente. Há ainda a figura do "conivente", que é o sujeito que toma conhecimento do ato de corrupção mas nada faz no sentido de evitá-lo.

Assuma a forma que assumir, o certo é que a corrupção leva ao desvirtuamento dos costumes, tornando-os imorais e antiéticos. Suas decorrências não incidem apenas nas esferas privadas; acabam por afetar, diretamente, o bem-estar dos cidadãos. O efeito é de causa e consequência. Os gastos destinados ao enriquecimento privado reduzem recursos e investimentos públicos na saúde, educação, segurança, habitação, transporte ou em programas sociais e de infraestrutura. A corrupção também fere a Constituição em outro ponto, ampliando a desigualdade econômica.

A corrupção se manifesta em qualquer época histórica, mas seu significado é amplo, pode variar muito, e não existe uma linha única de continuidade. Não obstante, a corrupção que hoje assola a política nacional, e tem indignado os brasileiros, faz parte, em maior ou menor escala, do cotidiano do país desde os tempos do Brasil colônia. Por isso, estratagemas usados pelas elites coloniais lembram, de forma direta ou mais distante, as várias práticas ilícitas perpetradas por alguns de nossos governantes atuais.

Desde fins do século XVI, nas sátiras, sermões, poemas e ofícios, políticos do Brasil eram acusados de enriquecimento ilícito e de práticas como favorecimento, tráfico de influências, nepotismo e abuso de autoridade. Até mesmo na carta que Pero Vaz de Caminha escreveu quando chegou ao território há vestígios, se não de corrupção, ao menos de patrimonialismo. No final da missiva, considerada o primeiro documento escrito sobre o Brasil, o escrivão aproveita a oportunidade e roga ao rei português, d. Manuel I, que dê uma mão para seu genro. Ele pede que o parente seja libertado do degredo em São Tomé por "furtos e extorsão à mão armada". Corrupção, favorecimento ou patrimonialismo, o recado de Caminha oscila na sua definição mas com certeza indica o uso de vantagens privadas a partir de entrada privilegiada no espaço público.

Há também provas de posturas que hoje seriam chamadas de corruptas na colônia americana dos portugueses desde a época do primeiro governador-geral, Tomé de Sousa (1503-79), que foi autorizado pelo rei d. João III, em 1548, a fazer "dádivas a quaisquer pessoas", contanto que consolidasse o domínio lusitano em terras brasileiras.

Enriquecimentos ilícitos se colavam à biografia de autoridades locais e em especial à dos governadores. Mem de Sá, que foi governador-geral do Brasil entre 1558 e 1572, era acusado de abusar de sua posição. Traficantes de escravos que deixavam a costa da África em direção ao rio da Prata e eram obrigados a aportar no Rio de Janeiro para o abastecimento de seus navios negreiros, sabiam previamente que por lá acabariam coagidos a desembolsar uma determinada porcentagem de seus "bens" e entregá-la ao governador da capitania. Muitas vezes, o "pedágio" custava até mais: autoridades exigiam o direito de subir a bordo e reservar para si os melhores escravizados e escravizadas.

No século XVII, viajantes costumavam afirmar que era preferível ser roubado por piratas em alto-mar a aportar no Brasil, onde teriam de pagar uma série de taxas sobre a mercadoria comercializada, além de serem obrigados a adular os administradores e grandes proprietários com todo tipo de presente.

Em relatos de viajantes do século XVIII, um certo "jeitinho" brasileiro já chamava a atenção daqueles que percorriam as Minas Gerais. Nas cartas deixadas, navegadores narravam sua surpresa diante da "esperteza dos brasileiros", que contrabandeavam cargas preciosas e misturavam pó com ouro para passar a impressão de que a produção era ainda maior e assim conseguir mais lucros. É desse período a expressão "santo do pau oco": o ouro surrupiado era escondido dentro de imagens de madeira da Igreja Católica, para que seus comerciantes escapassem ilesos dos altos impostos cobrados pela Coroa portuguesa. Nesse caso, tratava-se sobretudo de uma prática de contrabando ou de evasão de taxas, já que se roubava do erário da metrópole em prol de benefícios privados. Mais uma vez as práticas eram distintas, mas levavam, então, definições e nomes semelhantes.

Aliás, no contexto da mineração, quando a acumulação de valores poderia ser muito mais ligeira, existiram vários casos de propina: propina para não pagar taxas, propina para ficar com uma parte do ouro taxado, e assim por diante. Um caso famoso, e apresentado pela historiadora Adriana Romeiro, é o de d. Lourenço de Almeida, que governou as Minas Gerais de 1721 a 1732. Corriam à solta notícias que o acusavam de ter constituído um patrimônio sólido a partir da venda de ouro, sempre por meio de práticas ilícitas. Sua ascensão foi tão vertiginosa que em pouco tempo ele possuía mais de cem contos de réis, uma verdadeira fortuna para os padrões da época. Num período em que a metrópole se mantinha afastada dos seus domínios, e que o controle era feito, como vimos, por administradores coloniais, havia dois expedientes básicos que garantiam a um político roubar à vontade e sem ser importunado. Era preciso agir com certa discrição e respeitar limites. Pois d. Lourenço infringiu ambos, chegando a extrair diamantes, produto que era considerado um monopólio da Coroa, sem a devida notificação à metrópole.

É fato que tal realidade histórica era bastante distinta da atual. Isto é, fazia parte da própria estratégia da monarquia portuguesa usar a repartição de terras e privilégios em troca de serviços prestados ao soberano. A Coroa simplesmente fechava um dos olhos para as práticas de enriquecimento cometidas por seus agentes, desde que não atentassem contra as receitas régias e, de preferência, realizassem tais expedientes de maneira discreta, através de testas de ferro escolhidos, em geral, entre os criados ou comerciantes locais. De toda forma, em pleno século XVIII, o termo era utilizado para indicar venalidade e perturbação das condições políticas necessárias ao exercício da virtude e da liberdade.

O certo é que a corrupção, seja lá o nome, expressão ou forma que recebesse, ou que a prática amparasse, a despeito de não ser uma exclusividade brasileira, sempre esteve presente na história nacional. A primeira explicação para a disseminação da corrupção no Brasil, ou ao menos uma das maiores facilitações para tal prática, era justamente, e como temos tratado neste livro, a distância da administração lusitana. O segundo elemento importante era o fato de a colônia ter sido invariavelmente entendida como uma terra de oportunidades e da promissão. Afinal, no começo do Setecentos, nas Minas Gerais, com apenas um pouco de sorte era possível encontrar um bom veio de ouro e enriquecer do dia para a noite. Milhares de camponeses analfabetos, no espaço de dez anos somente, poderiam fazer fortuna, integrar a elite local e, se fossem mais ousados, interferir na política e na economia da capitania.

Além do mais, não se pode esquecer que o Brasil financiou a existência do sistema escravocrata até apenas 130 anos atrás. Ora, para manter uma instituição como essa, e durante tantos séculos — a despeito de a prática não ser penalizada por lei —, era preciso diminuir a dose de escrúpulo moral em relação ao outro e pensar muito mais no proveito próprio. A escravidão minava conceitos como moral e ética; era comercializada diretamente entre proprietários e traficantes, e seu dia a dia vigia à margem do controle do Estado português, que era dono das feitorias africanas mas não controlava o tráfico nem os mercados de escravos.

Por sinal, e como temos visto, nesse contexto a impunidade estava, de alguma maneira, prevista costumeiramente. Melhor dizendo, poderia ser considerada um privilégio que o rei consentia às elites e agentes locais. Assim como elas prestavam serviços ao soberano ao tomar parte na obra de colonização — ajudavam na abertura de estradas para o escoamento dos produtos de exportação, mantinham os portos abertos, exploravam e cultivavam os produtos agrícolas e minerais, eram responsáveis pelo funcionamento do comércio —, ganhavam em troca uma sorte de direito à impunidade. Por isso, o contrabando foi, de longe, a prática ilícita mais regular no Brasil colonial. Enquanto a Coroa fingia ignorar as atividades ilegais, as autoridades locais envolvidas na repressão ao contrabando eram, elas mesmas, atuantes nesse tipo de contravenção. Com efeito, as elites lucravam muito, enquanto o rei fazia vista grossa e assim recebia seus dividendos também. Tanto que, em casos que implicavam investigar e punir alguém que poderia prejudicar o "bem comum" mas que, ao mesmo tempo, trabalhava em prol da colonização e dos interesses da Coroa, a saída encontrada era, com frequência, diminuir ou neutralizar o delito.

Havia um divórcio, claro, entre a sociedade e o Estado, cuja atuação só era notada, efetivamente, na hora da cobrança de impostos. De resto, colonos administravam seus bens sem grande ingerência externa nas suas atividades e decisões. Criavam, portanto, um governo paralelo, no qual tais práticas ilícitas tomavam parte fundamental no bom andamento dos negócios da colônia.

A corrupção não é, por certo, um problema exclusivamente nacional. Tampouco existe alguma continuidade evolutiva e predeterminada entre o passado e o presente. No entanto, o fato de termos sido uma colônia de exploração, dedicada à exportação de bens materiais e produtos agrícolas complementares às economias europeias, e de, além disso, termos contado com um domínio frágil da metrópole, levou os brasileiros a desenvolver uma série de artifícios e estratégias para burlar o pacto colonial, sem ou com o consentimento de Portugal.

É equivocado, porém, atribuir apenas à colonização portuguesa o pacto com a corrupção. O próprio sistema acabava por animar tal tipo de expediente, e as sociedades colonizadas por outras potências — como Holanda, Inglaterra e França — adotavam políticas equivalentes quando interessadas exclusivamente na "exploração" de seus domínios.

De toda maneira, tais práticas continuaram e perseveraram em tempos de Reino Unido e de Império. No dia em que d. João desembarcou no Rio de Janeiro, em 1808, recebeu um "belo presente" de um traficante de escravos local: a melhor casa da cidade, situada num belo e vistoso terreno. "Ceder" a Quinta da Boa Vista à família real assegurou a Elias Antônio Lopes o status de "amigo do rei" e um visto de entrada no mundo de privilégios da corte. Nos anos seguintes, e como consequência do seu "ato dadivoso", ele não só enriqueceu muito, e rapidamente, como acumulou títulos de nobreza.

Lopes não era um caso isolado: muitos senhores de engenho, fazendeiros e traficantes de escravos também estabeleceram um regime de trocas e negociações com o príncipe português, que chegou à sua colônia americana com os cofres praticamente falidos. Os negócios públicos e privados já se confundiam no Brasil colonial, mas essa ligação se estreitou com a vinda da corte lusitana, quando se instaurou, como vimos, o costume da compra de títulos de nobreza em troca de pagamento à realeza, que detinha o direito de fazer nobres. Quem quisesse ostentar um título, apresentar seu brasão gravado na entrada de sua casa, ou tivesse a intenção de imprimi-lo na porcelana doméstica ou no papel de cartas, teria que pagar à Coroa um valor considerável, que aumentava proporcionalmente ao grau de nobreza: barões sem grandeza pagavam a metade do que pagava um conde, por exemplo.

O costume era estipulado por lei, mas o comércio que se travava em torno dele e o jogo de favores e símbolos de poder que o rondava, não. Só para dar uma ideia, como uma forma de aumentar os cofres do Estado, nos oito primeiros anos em terras brasileiras d. João distribuiu mais títulos de nobreza do que em setecentos anos de monarquia em seu país. Portugal tinha nomeado até então dezesseis marqueses, 26 condes, oito viscondes e quatro barões. Até 1816 o príncipe regente já havia feito, e exclusivamente no Brasil, 28 marqueses, oito condes, dezesseis viscondes e 21 barões.

O dito popular: "Quem furta pouco é ladrão/ Quem furta muito é barão/ Quem mais furta e esconde/ Passa de barão a visconde" sinaliza a maneira como, no Brasil, era tudo uma "questão de preço". Mas ganha ainda outro sentido nesse contexto específico, em que os nobres barganham o seu lugar e posição. Há quem diga que a inspiração para o versinho veio de dois importantes personagens de época, que lograram obter o título de barão e, logo em seguida, o de visconde, graças a muita sonegação de impostos. Joaquim José de Azevedo, o visconde do Rio Seco, e Francisco Bento Maria Targini, visconde de São Lourenço, são considerados pela historiografia dois dos principais representantes da corrupção na primeira metade do século XIX.

Por causa do excesso de burocracia, até mesmo os menos abonados acabavam sendo incentivados a cometer atos ilícitos. Na época da Constituinte de 1823, um comerciante chegou a enviar uma carta ao governo afirmando que conseguira um alvará para vender comida em seu estabelecimento. No entanto, pouco tempo depois, funcionários públicos passaram a exigir um novo alvará para que ele pudesse servir café. Diante da demanda, inexplicável mas também incontornável, a saída foi subornar autoridades e aceitar tomar parte do jogo.

Durante o Império brasileiro, o termo "corrupção" foi raramente utilizado ou mesmo referido. Conceitos carregam suas próprias datações e a transposição no tempo traz consigo mudanças de significado. A nossa moderna noção de corrupção está vinculada a um tipo de Estado cuja lógica advém da ideia de igualdade de direitos; modelo que não fazia parte das concepções de um governo que, a despeito de seu caráter mais ou menos esclarecido ou constitucional, nunca abriu mão do Poder Moderador: um quarto poder — como vimos, de exclusividade do monarca —, que anulava os demais. Além disso, por meio dos rituais, das gravuras oficiais e dos documentos, largamente disseminados naquele contexto, o soberano ia sendo associado à imagem do monarca divino; aquele que não era julgado por seus atos entre os homens, mas por outra espécie de justiça, a divina — de Deus. Dessa forma, é preciso um esforço de "tradução" do termo, uma vez que ele possui um sentido diverso, apesar de muitas vezes paralelo.

No Primeiro Reinado (1822-31), o jornalista Borges da Fonseca chamava d. Pedro I de "Caríssimo", e, ao que tudo indica, não por tê-lo em alta conta. Essa era, antes, uma referência às enormes verbas que a Casa Imperial consumia dos cofres públicos e aos "hábitos do imperador", que custavam muito ao Estado. Por sinal, enquanto Borges da Fonseca acabou preso, e não apenas uma vez, em função das críticas que introduzia em seus comentários, as pessoas por ele denunciadas continuaram se beneficiando com uma série de mamatas do Estado.

Domitila de Castro, amante de d. Pedro I que ganhou dele o título de marquesa de Santos, promovia um poderoso tráfico de influências na esfera da corte. No ano de 1825, alguns embaixadores então de passagem pelo Brasil relataram que quem quisesse receber um favor especial do imperador — como facilitar a vida política ou econômica de um amigo ou até dificultar a de um inimigo —, teria que passar pelo pedágio cobrado por Domitila e seus irmãos.

Em suma, durante o Primeiro Reinado, a despeito da situação política em si conturbada — o fechamento da Assembleia Constituinte em 1823, ou a crise que resultaria na partida de d. Pedro I, no ano de 1831, para Portugal —, nos jornais e atas da Câmara a noção de corrupção pouco aparece referida diretamente, nem consta neles nenhum outro termo com significado parecido. Melhor dizendo, instalada uma monarquia constitucional bem no meio da América republicana, questões do dia a dia eram debatidas em termos acalorados, mas preservando-se, muitas vezes, o Estado e seu governante. Ao menos para efeito externo.

Tal constatação torna-se ainda mais evidente no Segundo Reinado, especialmente nos momentos de maior popularidade do Império, quando d. Pedro II passou a ser lembrado não só enquanto um monarca constitucional de direito divino, mas como um mecenas das artes. Ao lado da prosperidade econômica que se afirmou durante os anos 1850 e 1870 — com o monopólio do café brasileiro nos mercados internacionais —, veiculou-se, com grande sucesso, a imagem de um sistema político acima das demais questões "mundanas".

No entanto, com o passar do tempo essa imagem iria mudar. A representação do imperador permaneceria inabalada até o contexto final da Guerra do Paraguai (1864-70), quando o Império de d. Pedro II conheceu seu momento de maior apogeu mas também, e sem que se pudesse prever, o início de sua decadência. A essa altura, o abolicionismo ganhava força, era fundado o Partido Republicano e o Exército fortalecia-se como instituição autônoma. Já o Império seria assolado por questões que inaugurariam uma nova agenda de acusações, estando na linha de frente a própria idoneidade do sistema e de seu chefe de Estado.

E não parece coincidência que, no mesmo momento em que o monarca e seu governo davam sinais de fragilidade política, vários casos que vinculavam a monarquia a práticas de corrupção

— por vezes direta, por vezes indireta — começassem a aparecer na imprensa sem que pudessem ser abafados pela Coroa. Não que até então inexistissem razões para o descontentamento da população. No entanto, chama atenção como é só nesse ponto que tal descontentamento ganha a esfera pública por meio das críticas que aparecem nos jornais e se dirigem diretamente aos funcionários da Coroa e ao soberano, crescentemente associadas à má administração e a expedientes obscuros com relação a funcionários.

Não há como elencar todos os incidentes que poderiam, no contexto, ser vinculados à noção de corrupção do Estado. O exemplo mais emblemático da contaminação entre esferas públicas e privadas ficou conhecido na época como o "Bolsinho do Imperador". Tratava-se de grandes verbas do Tesouro postas à disposição do monarca, que podia movimentá-las sem prestar contas ao Estado. Sem dúvida, ele investia esses recursos, notadamente, na formação de artistas, cientistas e músicos que tinham como meta criar e difundir uma cultura nacional, mas não havia controle algum sobre tais operações.

Outro evento icônico do final do Império ficou conhecido como o "caso do roubo das joias da Coroa". Estamos no ano de 1882, mais exatamente na madrugada de 18 de março, quando um gatuno teria entrado nos aposentos do Palácio de São Cristóvão — residência íntima da família imperial — e retirado do interior de um armário todas as joias da imperatriz Teresa Cristina e da princesa Isabel, sua filha.

Até esse momento, o Império era vítima do processo e não o agente deflagrador. Entretanto, o desenrolar dos acontecimentos e suas consequências políticas mudaram o cenário. O problema girou menos em torno do valor pecuniário dos objetos roubados; vinculou-se sobretudo ao caráter político e simbólico do episódio.

Na verdade, o incidente preenchia a agenda da oposição, a

qual passou a acusar o governo imperial de negligência e omissão na condução de temas privados, que agora se tornavam públicos. Afinal, se o Paço poderia ser devassado com tal facilidade, que esperar em relação à segurança dos súditos? Aí estava apenas o começo de uma história complexa, que acabaria por se desdobrar em acusações de suborno e de inépcia administrativa; um prato cheio para a imprensa folhetinesca da época.

As ocorrências internas do Paço, que abrigava uma família, até então, extremamente discreta e protegida, ganhavam as primeiras páginas dos jornais. Segundo narram os periódicos sensacionalistas de então, a imperatriz teria usado as joias no baile, deixara-as em casa e rumara diretamente para Petrópolis. Todas as preciosidades haviam sido guardadas numa caixa, que permanecera sob os cuidados de Francisco de Paula Lobo, membro do serviço particular da corte.

Dizem os autos que, como o funcionário não tivesse encontrado as chaves do cofre, optara por deixar a caixa dentro de um armário, do qual ela havia misteriosamente desaparecido. Até aí, a investigação ficava restrita à alçada de funcionários ineptos. No entanto, como joias da Coroa são objetos de Estado, foi logo convocada a cúpula da polícia da corte e o próprio ministro da Justiça. A história é longa, repleta de idas e voltas; o importante é que não demorou a se apurar que o furto partira do interior da estrutura do palácio. Dois funcionários foram detidos, bem como um ex-empregado — suspeito de ter entrado no prédio no dia do sumiço das joias.

Para complicar o mistério, e começar a desvendá-lo, alguns dias depois uma carta anônima indicou onde estariam guardadas as joias roubadas: numa caixa de biscoitos enterrada nos fundos da casa do último suspeito. Ali foram encontradas não só as joias roubadas como dezenas de outras também pertencentes à Coroa. Assim se resolvia um crime, e com certa eficiência, mas iniciava-se uma questão muito maior e que dizia respeito às falácias morais do governo.

O que desgastou a monarquia não foi exatamente o furto, porém uma determinada conivência com ele e a ausência de medidas punitivas. Manuel Paiva, o principal suspeito, que havia sido afastado formalmente do serviço no Paço, continuava contando com a proteção do monarca. Para piorar, mantivera consigo as chaves do palácio. Além disso, os três implicados no roubo foram soltos de imediato e com o consentimento prévio do imperador. E ainda: nesse meio-tempo, os dois policiais que atuaram no caso acabaram agraciados: o primeiro com a comenda da Ordem da Rosa, e o segundo com o grau de Cavaleiro.

Tais gestos foram prontamente interpretados pela imprensa como tentativas de "silenciar" os policiais e de "amaciá-los" ofertando-lhes títulos em geral reservados à nobreza. Os termos eram outros, mas se referiam à noção de corrupção ou favoritismo, sendo que a própria confusão nos conceitos utilizados nos autos é prova da elevação da temperatura política.

Nesse meio-tempo, como o episódio foi definido como um simples "furto", somente a vítima poderia dar prosseguimento ao processo. E a vítima era tão simplesmente o imperador, que resolveu dar o caso por encerrado. Resultado: Paiva voltou para casa e a indignação da imprensa foi geral. A *Gazeta de Notícias* bradava que "no Brasil não há legalidade [...] é uma folia organizada". Dizia-se ainda que, assim como as joias, a Justiça do Império havia sido "enterrada" e que tudo não passava de um "mar de lama". O sucedido também ganhou o Legislativo: a Câmara e o Senado reclamaram uma atitude do ministro da Justiça e do imperador.

Mais uma vez, d. Pedro buscou pôr panos quentes na situação; por meio de seu mordomo-mor, enviou uma declaração atestando que não interferiria mais no rumo da investigação. O novo gesto contemporizador não conteve, todavia, uma avalanche de críticas. Para entender o impacto do evento, basta lembrar que na época três escritores conhecidos publicaram folhetins na imprensa, todos inspirados no incidente: Raul Pompeia, José do Patrocínio e Artur Azevedo. Os três eram figuras de visibilidade social e o objetivo parecia comum: revelar a fragilidade das instituições imperiais e lançar dúvidas sobre a capacidade de governo de d. Pedro II.

O caricaturista e jornalista Ângelo Agostini, crítico contumaz do Império sobretudo a partir dos anos 1870, entrou na história e, em seu periódico, dedicou ao tema uma página inteira, cujo título desmerecia o sistema: "Roubo, lama e mistério". Agostini fazia pouco da polícia e do imperador, e terminava dizendo que "infelizmente o véu do mistério não é bastante espesso para que através dele não se veja um poder que a opinião pública julga, justa ou injustamente, envolvido nesse triste negócio". Falta de aplicação da lei, carência de ordem e hierarquia, uma monarquia que começava a ser desacreditada, uma polícia dominada por interesses vis, aí estavam acusações que abalariam qualquer sistema que se pretendesse pautado pela justiça e pela ética.

Revista Illustrada, *Rio de Janeiro*, n. 291, p. 8, 1882.
Acervo Fundação Biblioteca Nacional – Brasil.

O episódio poderia até parecer leviano e passageiro se não revelasse as especificidades da noção de corrupção no Brasil imperial. Em primeiro lugar, atacar o imperador virava sinônimo de criticar diretamente o Estado, uma vez que ele o personificava. Por isso, por mais que o evento do roubo das joias da imperatriz pudesse ser visto como uma questão pessoal, acabou fazendo um barulho muito maior. Apresentar o monarca a partir de suas subjetividades, na esfera privada, era em si sinal de sua decadência política. Como no adágio francês sobre Luís XVI, "um monarca que foge — e que é percebido desta maneira — é a cada dia menos rei". O mesmo vale para nosso imperador. Um soberano que faz simples acordos com funcionários é cada vez menos soberano, pois está sujeito às mesmas tentações que afetam seus súditos.

De toda maneira, o mais decisivo para que o caso tomasse as proporções que ganhou, não foram exatamente as críticas ao monarca, mas o momento político. Ou seja, enquanto o regime esteve forte, permaneceu livre de questionamentos. No entanto, bastou que algumas debilidades do regime se tornassem públicas para que certos episódios, em geral mantidos debaixo do tapete, adentrassem a sala de jantar.

Corrupção é, portanto, uma noção que surge nesse contexto — ainda que com outros nomes —, como forma de acusação ao sistema, o qual, para existir, precisava estar acima dela. No caso, criticar o monarca significava lancetar o sistema em sua idoneidade. Estamos em 1882, e o imperador não tinha como saber que a situação política se complicaria muito a partir de então. A monarquia cairia em 1889. Vale lembrar como termina o famoso conto de Christian Andersen, chamado "A roupa nova do rei": "O monarca estava nu" e nem havia notado.

Chama atenção como durante o Império e também no decorrer da Primeira República (1889-1930) falava-se em corrupção referindo-se a governos e não a indivíduos. Foi com esse espírito que Alberto Sales, irmão do presidente Campos Sales (1898--1902), arrependido de ter apoiado a República, desabafou, ainda em 1901, dizendo que o regime era "mais corrupto que a monarquia". Alberto Torres, governador do Rio de Janeiro de 1897 a 1900, desencantado com o novo regime, seguiu cantilena semelhante: "Este Estado não é uma nacionalidade; este país não é uma sociedade; esta gente não é um povo".

Já mencionamos como a combinação entre a consolidação do modelo republicano federalista e a ascendência das oligarquias agrárias fez surgir um fenômeno social e político característico desse período: o coronelismo. Ele significou a expressão da coexistência das novas formas modernas de representação política (o sufrágio universal) com uma estrutura fundiária arcaica e baseada na grande propriedade rural. Isto é, se o direito de voto era agora assegurado pela nova Constituição republicana, já o fato de a maioria dos eleitores morarem no interior do país, e sobretudo no campo, e participarem muito pouco da política nacional levou-os a ser controlados pelos proprietários agrários e a votar de acordo com a determinação destes últimos.

Esse era o "voto de cabresto", quando se elegiam chefes políticos locais (municipais), regionais (estaduais) e federal (o governo central). A fraude, mas também a corrupção, estava por toda parte. Se os senhores dependiam do governador para realizar as obras e benfeitorias que necessitavam, já o governo dependia dos senhores para conquistar o eleitorado.

E valia de tudo. Conta-se que, em algumas localidades, o eleitor recebia uma cédula e um número, que correspondia a seu jazigo caso não seguisse a orientação do mandão do lugar. Já os senhores combinavam um valor entre si, e o cotizavam, de forma a garantir a eleição de seu candidato. Enquanto isso, o governo federal, coerente com o compromisso firmado com aqueles que detinham o poder, só diplomava candidatos da situação, garantindo a eternização dos grupos locais no comando. E tudo tinha seu preço, que variava a depender do grau e da hierarquia dentro do governo.

Outro procedimento processual durante a Primeira República, e que revela como a estrutura andava tomada pelo conchavo e pela corrupção, foi a conhecida "Política dos Governadores". Ela era pautada no compromisso firmado entre o governo federal e as oligarquias que governavam os estados, cujo objetivo maior era evitar "a instabilidade" e a itinerância política, que fazem parte de qualquer sistema federativo.

Havia toda uma engenharia institucional durante a Primeira República que permitia que as elites regionais tivessem pleno controle do processo, com o governo federal fazendo vista grossa aos esbulhos cometidos por elas para eleger as bancadas e o governo estadual.

De toda maneira, na grande imprensa ainda não se usava muito a palavra "corrupção" no sentido de "malfeito político". Fazendo uma averiguação nos jornais *O Paiz* e *Correio da Manhã*, entre 1900 e 1930, percebe-se o emprego mais frequente de termos como "desfalque", "peita", "suborno", "compressão" ou "prevaricação".

Na verdade, a imprensa parecia não fazer barulho, nem dava publicidade a casos de corrupção em grande escala (a não ser quando se tratava de atacar casuais inimigos políticos), preferindo se dedicar aos casos menores. Via de regra, publicavam-se notinhas sobre processos contra funcionários subalternos, geralmente em nível local ou regional. Segue uma lista corrida delas. Enquanto em 1901 comenta-se um "desfalque" na Estrada de Ferro Central do Brasil, em 1902 o caso do Hospício Nacional e o do Lloyd Brasileiro ganham as manchetes. Em 1910 e 1912, alguns membros do governo são acusados de "malversação do dinheiro público". Em 1919 uma série de juízes são denunciados por corrupção.

Em 1921 o presidente Artur Bernardes é suspeito de suborno eleitoral, e em 1922 listam-se ocorrências de suborno no Congresso. Por sinal, as fraudes eleitorais parecem ter sido a forma mais importante de corrupção na Primeira República, também chamada de República Velha pelo governo que a sucedeu. A ideia de Getúlio Vargas e seus políticos era associar a prática apenas à Primeira República, e assim descaracterizá-la para, ao mesmo tempo, valorizar sua própria gestão.

Enfim, a corrupção ganhou tal proporção durante esse período, e foi tão associada a ele, que no ano de 2017, em Santa Catarina, uma operação preparada pela polícia para desmontar um esquema ilegal do tipo foi denominada, justamente, de "Operação República Velha".

História não é competição de salto em distância, nem é possível elaborar uma narrativa evolutiva quando o tema é corrupção. O que se pode afirmar é que foi somente a partir de 1945 que no Brasil se passou a legislar não apenas sobre a corrupção do Estado, mas também acerca daquela individual e de responsabilidade do chefe do governo. São muitos os exemplos que podem ser retirados da ainda breve história da República brasileira: vou me deter naqueles que ficaram, digamos assim, "famosos".

Em 1954, Getúlio Vargas suicidou-se. Na carta-testamento que deixou, botou a conta na crise política e nas diversas acusações de corrupção feitas a ele e a alguns membros do seu governo. Além do "crime da rua Tonelero" — um atentado executado por auxiliares próximos do presidente contra seu maior inimigo, Carlos Lacerda —, um caso ainda mais grave, e que já havia jogado a opinião pública contra GV, envolveu o jornal *Última Hora*. A essa altura o único órgão de imprensa a permanecer ao lado do presidente, o noticioso foi acusado, por uma Comissão Parlamentar de Inquérito, de receber dinheiro para apoiar o governo. Ademais, dizia-se que o noticioso conseguira liberar um empréstimo do

Banco do Brasil graças à intervenção de GV. O escândalo era tal que a expressão "mar de lama", que anda (infelizmente) tão atual, foi criada nesse contexto. Para piorar de vez a situação, o proprietário do periódico, Samuel Wainer, era amigo pessoal de Vargas. O gesto de Getúlio representou, pois, um ato extremo de quem encara, individualmente, a culpa pelo Estado.

Há quem diga que o suicídio evitou um golpe militar que se montava já naquela época. Ou melhor, adiou-o por dez anos, pois em 1964 ele ganharia corpo, e também a partir da alegação de corrupção, acrescida de subversão individual e do Estado. Vale a pena, nesse sentido, anotar os termos do presidente militar Ernesto Geisel (1907-96) quando explica o golpe: "O que houve em 1964 não foi uma revolução. As revoluções fazem-se por uma ideia, em favor de uma doutrina. Nós simplesmente fizemos um movimento para derrubar João Goulart. Foi um movimento 'contra' e não 'por' alguma coisa. Era contra a subversão [...] e a corrupção".

A construção de Brasília, no fim da década de 1950, também foi alvo de muitas suspeitas de desvio de dinheiro público. Uma CPI chegou a ser instalada, buscando verificar onde se concentravam as propinas distribuídas pelo governo às empreiteiras para que a imensa obra fosse terminada no "prazo certo"; qual seja, até o final da administração de Juscelino Kubitschek, pois ele é que deveria colher os frutos da façanha.

Jamais se soube ao certo quanto custou a nova capital. Estimado na época em 1,5 bilhão de dólares, o gasto com a construção de Brasília hoje equivaleria a 83 bilhões de dólares; o correspondente a umas oito Olimpíadas do Rio, ou a cerca de 10% do PIB brasileiro em 1960, que foi de 15 bilhões de dólares. Também não se sabe quantos operários morreram por causa da pressa na construção; se é verdade que seus cadáveres foram enterrados, com o auxílio de máquinas escavadoras, junto às próprias edificações; se de fato existiu a prática de castigos corporais contra trabalhadores; e se realmente eles protestaram contra as condições de vida e de trabalho. Sabe-se apenas que os milhares de operários vindos principalmente do Nordeste, de Goiás e do norte de Minas Gerais — os "candangos" — só moraram em Brasília quando o local era canteiro de obras. Concluída a capital e instalado o governo, eles tiveram duas opções: ou foram devolvidos a seus estados natais, ou foram viver segregados em acampamentos semelhantes a favelas, nas periferias da cidade.

Aliás, Brasília nunca foi um consenso. A grande imprensa era, nesse contexto, basicamente contra a criação da nova capital. Tampouco ficou claro quem foi que pagou a conta. Tanto que Jânio Quadros assumiu em 1961 falando grosso. Acusava o governo anterior de promover a alta do custo de vida, de elevar a inflação, de desperdiçar a verba pública com obras monumentais como Brasília, assim como insinuava que fora a prática da corrupção que teria viabilizado tantos projetos volumosos.

Da mesma maneira que subiu rápido, Jânio também caiu depressa. Seu vice, João Goulart, mais conhecido como Jango, regressou da viagem diplomática que fazia à China já informado da renúncia de Jânio e fez uma longa viagem de volta até Montevidéu, onde se reuniu com o embaixador brasileiro, Valder Sarmanho, cunhado de Getúlio Vargas, e aceitou o parlamentarismo. Em seguida desembarcou no Brasil, com o prestígio em alta, as mãos abanando e uma enxurrada de problemas. Alguns, como a inflação e o esgotamento do ciclo de investimentos do Plano de Metas, vieram por herança de governos anteriores; outros, porém, estavam na base da estrutura histórica e profundamente desigual da sociedade brasileira, como a questão agrária.

Segundo a Constituição, na impossibilidade de o titular manter o cargo de presidente, este seria ocupado pelo vice. No entanto, como Jango se encontrava em viagem oficial, o posto foi temporariamente assumido pelo presidente da Câmara dos Deputados, Ranieri Mazzilli. Os militares fizeram de tudo para impedir a posse do vice, em razão do que acreditavam ser seus vínculos com o "comunismo". Mesmo assim, e por causa da pressão política e do movimento da sociedade civil, Jango assumiu seu lugar, ainda que sob o sistema parlamentarista. Em 1963, quando um novo plebiscito escolheu o presidencialismo como sistema político, a chefia do Estado foi devolvida, finalmente, a Jango, que, como sabemos, ficou pouco no poder.

De qualquer maneira, toda essa movimentação emitia um segundo alerta: o golpismo continuava articulado no país. A característica geral era o envolvimento de organismos extrapartidários no financiamento das campanhas, e o mais perigoso e radical deles, o Instituto Brasileiro de Ação Democrática (Ibad), funcionava no Rio de Janeiro, desde 1959, articulado com a Agência Central de Inteligência (Central Intelligence Agency, CIA) norte-americana.

O Ibad deflagrou uma operação ilegal de grande porte, despejando uma avalanche de dinheiro para o financiamento da campanha de 250 candidatos a deputados federais e de seiscentos deputados estaduais, além daquela de oito candidatos a governadores — uma ilegalidade sem tamanho, de acordo com a lei eleitoral em vigor, que proibia o financiamento externo de campanhas. Os recursos provinham de empresas multinacionais ou associadas ao capital estrangeiro e de fontes governamentais dos Estados Unidos responsáveis por investir na conspiração contra Goulart, como, anos depois, o embaixador norte-americano no período confirmou. O objetivo do patrocínio em alta escala era estratégico: construir uma frente parlamentar oposicionista no Congresso, emperrar o governo e abrir caminho para o golpe. Tratava-se de crime chamado naquele contexto de "corrupção eleitoral". O Ibad foi fechado por Jango, em 1963, após uma CPI que comprovou as denúncias de ilegalidade.

As práticas corruptas andavam mesmo entranhadas no país. Tanto que em 1964 os militares usaram a corrupção e o comunismo como argumentos principais para deflagrar um golpe e com ele instituir a ditadura. Ao mesmo tempo, a censura vigente desde o princípio do novo regime impediu que as várias denúncias que recaíam sobre o grupo militar fossem de fato analisadas. Ainda assim, não pôde evitar que diversos escândalos atingissem o governo. A Caixa de Pecúlio dos Militares (Capemi) venceu uma concorrência suspeita para a exploração de madeira no Pará e 10 milhões de dólares teriam sido desviados nessa época. A General Electric chegou a admitir ter feito o pagamento de propina a servidores públicos para vender locomotivas à Rede Ferroviária Federal (RFFSA). Houve também suspeita de corrupção na construção da ponte Rio-Niterói e da Rodovia Transamazônica: uma estrada gigantesca, com 4997 quilômetros previstos no projeto, 4223 quilômetros (mal) construídos, e a pretensão de cortar a Bacia Amazônica de leste a oeste e ligar a Região Nordeste ao Peru e ao Equador.

A obra da Transamazônica serviu de alavanca e de símbolo para um ambicioso programa de expansão e colonização que incluía o deslocamento de quase 1 milhão de pessoas com o intento de ocupar estrategicamente a região, não deixar despovoado nenhum espaço do território nacional e explorar a área de fronteiras. A estrada foi inaugurada por Médici em 27 de setembro de 1972 e utilizada para potencializar uma imagem ufanista do Brasil, compartilhar o sentimento de que estava em curso um processo admirável de modernização do país e produzir assim uma determinada identidade que congregasse os brasileiros. Mas não deu muito certo.

A construção da rodovia massacrou a floresta, consumiu bilhões de dólares, e até hoje há trechos intransitáveis por causa das chuvas, dos desmoronamentos e das enchentes dos rios. A Transamazônica torrou uma verba que não existia, mas demorou para que os brasileiros entendessem o tamanho do buraco. Só se deram conta na hora em que o "Milagre" acabou e a inflação bateu na casa de três dígitos — em 1980, atingiu a cifra de 110%. Quando o governo dos militares terminou, em 1985, o país estava endividado e a inflação chegava a estonteantes 253%.

O Brasil se tornara a cópia exata do reino de Belíndia, situado num longínquo rincão entre o Ocidente e o Oriente e criado, em 1974, pela imaginação do economista Edmar Bacha, que no texto "O economista e o rei da Belíndia: Uma fábula para tecnocratas" queria denunciar a crise mas precisava driblar a censura. Nesse reino, a forma de contabilizar a riqueza nacional servia para ocultar a brutal concentração de renda que repartia o país em regiões avançadas — a "Bélgica" — e regiões atrasadas — a "Índia" —, onde havia fome, miséria absoluta, baixa expectativa de vida e alta taxa de mortalidade infantil.

Mas a corrupção ganhou outras formas durante a ditadura militar. A partir de 1970, estabeleceram relações bastante estáveis sargentos, capitães e cabos da 1ª Companhia do 2º Batalhão da Polícia do Exército, no Rio de Janeiro, e o contrabando carioca. O capitão Aílton Guimarães Jorge, segundo matéria do BOL de 14 de fevereiro de 2019, que fizera jus a uma medalha de honra — a Medalha do Pacificador pelo combate à guerrilha —, integrava a quadrilha que comercializava ilegalmente "caixas de uísques, perfumes e roupas de luxo, inclusive roubando a carga de outros contrabandistas. Os militares não só escoltavam como intermediavam diretamente negócios dos contraventores. Foram presos pelo Serviço Nacional de Informações (SNI) e torturados, mas acabaram inocentados porque seus depoimentos foram colhidos com o uso de violência".

Outro caso importante é o que envolve o delegado paulista Sérgio Fernandes Paranhos Fleury, que se converteu numa personalidade tão conhecida como temida em sua época. Ele esteve implicado em casos de captura, tortura e assassinato de presos políticos. Pois bem, como revela a mesma matéria do BOL, o delegado acabou acusado pelo Ministério Público de associação ao tráfico de drogas e extermínios. Apontado como líder do Esquadrão da Morte, um grupo paramilitar que cometia execuções por conta própria, Fleury também acabou ligado a criminosos comuns, segundo o MP, fornecendo serviço de proteção ao traficante José Iglesias, o Juca, na guerra de quadrilhas paulistanas.

Ainda assim, sua atuação durante a repressão lhe rendeu uma Medalha do Pacificador, além da necessária blindagem dentro do Exército, que deu um jeito de neutralizar as denúncias contra ele. Qualquer semelhança com o período atual não será mera coincidência.

No final do ano de 1973, a prisão preventiva de Fleury foi decretada por conta do assassinato de um traficante. Entretanto, nessa época reescreveu-se o Código Penal, estabelecendo que réus primários com "bons antecedentes" tivessem direito à liberdade durante a tramitação dos recursos. Fleury morreu em 1979, quando seu processo ainda corria na Justiça.

Na década de 1970, ganhou força o escândalo dos governadores biônicos — titulares investidos pelo Regime Militar, quando não existia sufrágio universal. A nomeação dependia, assim, da sanção das autoridades de Brasília. O presidente Médici (1969--74), por exemplo, ajudou a indicar os governadores de estado, selecionando-os a partir da "boa conduta" em relação ao regime. Nem por isso eles deixaram de cometer suas falcatruas. Haroldo Leon Peres foi escolhido no Paraná, em virtude de sua postura pública favorável ao governo. No entanto, acabou sendo obrigado a renunciar ao cargo por ter sido pego extorquindo um empreiteiro. Na Bahia, no ano de 1971, Antônio Carlos Magalhães cumpria seu primeiro mandato. Foi, porém, acusado de beneficiar a Magnesita, empresa da qual seria acionista, abatendo em 50% as dívidas por ela contraídas. Finalmente, o governador paulista Paulo Maluf também não escapou às denúncias. Em 1979, quando estava por dois anos no posto, foi acusado de corrupção no caso conhecido como Lutfalla — uma empresa têxtil que pertencia a sua mulher, Sylvia, e que obteve um grande empréstimo do Banco Nacional de Desenvolvimento Econômico (BNDE) na época em que já se encontrava em processo de falência.

Por fim, no ano de 1976, momento em que as redações dos jornais ainda estavam sob censura mas já vislumbravam alguma liberdade, Ricardo Kotscho publicou no *Estado de S. Paulo* uma série de textos que descreviam com detalhes as mordomias de que ministros e servidores desfrutavam em Brasília. Segundo o jornalista, na casa do ministro de Minas e Energia, uma vistosa piscina térmica decorava o jardim. O ministro do Trabalho fazia jus a 28 empregados. Já o governador do Distrito Federal adquiriu 6,8 mil pãezinhos para sua casa, num mesmo dia. Era muito pão para pouco café com leite.

Um regime ditatorial, como sabemos, não permite a averiguação dos fatos, nem o controle e a punição da corrupção. Já em tempos da Terceira República, as instituições públicas começaram a funcionar melhor, de maneira que os escândalos ganharam as manchetes dos jornais. Talvez o primeiro caso a arrebanhar a opinião pública contra a corrupção tenha sido o processo de impeachment do presidente Fernando Collor de Mello, obrigado a renunciar em 29 de dezembro de 1992. Ele era acusado pelo próprio irmão de liderar um amplo esquema de corrupção que arrecadou cerca de 15 milhões de reais e movimentou 1 bilhão de reais dos cofres públicos, nos valores da época, sendo o empresário Paulo César Farias seu "testa de ferro". Nas manifestações dos "caras-pintadas", como ficou conhecido o movimento estudantil que estourou naquele ano, os slogans entoados nas ruas referiam-se diretamente a Collor, personificado na figura dos marajás, que enriqueciam rapidamente e de forma ilícita, e os quais, aliás, ele havia prometido combater em sua campanha eleitoral. Seu vice, Itamar Franco, que já assumira a Presidência provisoriamente em setembro de 1992, deu continuidade ao mandato, e terminou-o regularmente. Mais uma vez, os tempos do passado evocam o presente, a despeito de os contextos serem muito distintos.

Enfim, os exemplos são muitos e variados. Não obstante, no seu conjunto, mostram como a prática é antiga e enraizada entre nós, mesmo que o termo carregue certa ambiguidade e fluidez. De toda maneira, trata-se sempre de casos de "transgressão à lei", seja por parte da classe política, de seus representantes máximos ou de cidadãos. A propósito, no tempo que for, passado ou presente, a corrupção só pode existir se estiver disseminada na própria sociedade, a qual, de alguma forma, a acoberta ou redime.

Mas não existem só continuidades; há também rupturas importantes no que se refere à punição pública dos corruptos e dos corruptores. Novamente, vários casos ilustram essa afirmação, porém vou me restringir a alguns, mais contemporâneos e de grande impacto na mídia e entre os brasileiros.

No dia 14 de maio de 2005 a revista *Veja* divulgou uma gravação de vídeo em que Maurício Marinho, ex-chefe do Departamento de Contratação dos Correios (Decam/ECT), pedia vantagens pecuniárias para conseguir beneficiar o empresário curitibano Joel Santos Filho, que fora contratado por 5 mil reais pelo então empresário e fornecedor dos Correios Arthur Wascheck Neto. Joel apenas se fez passar por empresário, com o intuito de obter provas materiais acerca das atividades ilegais de Marinho. Enganado, este acabou detalhando o esquema de corrupção de agentes públicos vigente na empresa. Na edição de 18 de maio, a mesma revista trouxe uma matéria escandalosa sob o título "O homem-chave do PTB". A reportagem revelava o nome do ex-deputado federal Roberto Jefferson, então líder daquele partido, como sendo o chefe da operação. Acuado, Jefferson divulgou novos detalhes da transação dos Correios, abrindo um amplo esquema de corrupção de parlamentares, no qual ele próprio andava metido. Esclareceu ainda que a assim chamada "base aliada" recebia recursos do Partido dos Trabalhadores (PT) para garantir a adesão que o PTB oferecia ao governo federal.

Foi a partir desse contexto que surgiu o termo "mensalão", um neologismo criado por Jefferson para explicar a mesada paga aos deputados que votassem a favor dos projetos do Poder Executivo. Ao que tudo indica, o termo já era recorrente entre os parlamentares, nos bastidores de Brasília, servindo para designar esse tipo de prática ilegal. A expressão também havia sido utilizada pelo deputado federal Miro Teixeira, em setembro de 2004, para nomear um esquema semelhante. E, se naquela época a denúncia não fora em frente, em 2005 o caso virou um escândalo e de grandes proporções.

José Dirceu, então ministro da Casa Civil, foi imediatamente incriminado e apontado como o mentor do esquema. Entretanto, apenas em agosto de 2007 o Supremo Tribunal Federal (STF) deu início ao processo que envolveu quarenta nomes, denunciados em abril de 2006 pelo procurador-geral da República. Os acusados respondiam pelos crimes de formação de quadrilha, lavagem de dinheiro, peculato, corrupção ativa, gestão fraudulenta e evasão de divisas. Todos os incriminados passaram à condição de réus e tiveram seus direitos políticos cassados.

Outros escândalos começaram a aparecer, numa espécie de efeito dominó. Daniel Dantas, do Banco Opportunity, foi apontado como uma das principais fontes de recursos para o mensalão. Dantas era gestor da Brasil Telecom e da Amazônia Celular. Autorizada a quebra de sigilo do banco, verificou-se que essas empresas, bem como a Telemig Celular, haviam injetado 127 milhões de reais nas contas da DNA Propaganda, negócio administrado pelo empresário mineiro Marcos Valério, logo acusado de alimentar o que ficou conhecido na época como "valerioduto"; outro amplo esquema de pagamentos ilegais a parlamentares.

No ano de 2011, um relatório de 332 páginas produzido pela Polícia Federal não só confirmou a existência do mensalão, como revelou de que maneira funcionava o esquema de desvio de dinheiro público para compra de apoio político no Congresso. A crise do mensalão acabou por gerar outras denúncias (o escândalo dos bingos de 2004, o escândalo dos Correios de 2005), todas envolvendo o Partido dos Trabalhadores.

Essa não foi a primeira vez que o governo e um partido brasileiro adotaram esquemas ilegais para garantir votos parlamentares, mesmo se tomarmos como marco o início da Terceira República — a partir da promulgação da Constituição Cidadã de 1988. De todo modo, a ação penal 470 corporificou o maior processo julgado pela Corte, sendo ouvidas mais de seiscentas testemunhas de acusação e de defesa em diversos estados brasileiros e no exterior. Os autos somam mais de 50 mil páginas e ultrapassam oito anos de processo.

Mas foi a primeira vez que vimos o resultado de uma política de mais longa duração, empenhada na capacitação e formação da Polícia Federal (PF) — aliás, muito implementada durante a gestão presidencial do PT —, e que atuou conjuntamente com o Ministério Público, o que fez imensa diferença nas decorrências do processo. Até então eram basicamente os pobres, em sua maioria negros, que acabavam na prisão. Dessa vez, políticos influentes, e não apenas peixes pequenos, e a própria elite econômica acabaram incluídos no processo e criminalizados.

A política de escândalos vinculados ao Estado, todavia, não começou nem terminaria com o mensalão. Em 2014, a Operação Lava Jato ganharia as manchetes dos jornais nacionais. Em março daquele ano, a Polícia Federal quebrou o sigilo de um posto de gasolina em Brasília que servia de disfarce para doleiros envolvidos com lavagem de dinheiro. Foi a descoberta de um posto de gasolina que realizava a lavagem de carros e, especialmente, a lavagem de dinheiro que inspirou o nome da operação da PF, integrada com o Ministério Público Federal — "Lava Jato".

Se o dinheiro terminava em Brasília, começava numa empresa de Londrina, no Paraná, razão por que a operação ficou sob responsabilidade da 13ª Vara da Justiça Federal, em Curitiba, então comandada pelo juiz Sérgio Moro — uma das muitas varas especializadas no crime de lavagem de dinheiro espalhadas pelo país, desde 2003, por iniciativa do Conselho Nacional de Justiça. E, novamente, não se tratava de coisa pequena. A investigação detonou um amplo esquema de corrupção na Petrobras, que envolvia um grupo de altos funcionários da estatal, as dezesseis maiores empreiteiras do Brasil organizadas em cartel e nossos principais partidos políticos — PMDB, PP, PSD, PSDB e, sobretudo, o PT.

O esquema, que se mantivera operante durante os últimos trinta anos, era complexo e incluía várias ramificações e setores: obras, contratos, suborno para políticos, partidos e funcionários públicos, bem como doleiros e empresários. As empreiteiras se reuniam periodicamente para delimitar de que forma seriam fraudadas as licitações da Petrobras: preços eram acertados previamente, e estabeleciam-se os percentuais a serem desviados para o pagamento de propinas.

A verdade é que, de tão enraizada, a corrupção criara uma "máquina de governar", que se concretizava em todos os níveis da gestão pública — federal, estadual e municipal. Mais uma vez, mas em escala ainda maior, vários altos executivos e grandes empresários foram presos no país. A lista incluía os presidentes da Andrade Gutierrez, da Camargo Corrêa, da OAS, da Queiroz Galvão e da UTC Engenharia, além dos vice-presidentes da Engevix e da Mendes Júnior. O caso mais simbólico, e que mexeu com a opinião pública por causa da grandeza das cifras e do número de políticos envolvidos, foi a prisão do engenheiro Marcelo Odebrecht, presidente da maior empreiteira e do segundo maior grupo privado do Brasil. Primeiro houve sua prisão preventiva, depois ele participou de um acordo de delação: foram dois anos de cadeia, e Marcelo Odebrecht passou a cumprir pena de prisão domiciliar em dezembro de 2017.

Esse era apenas um pequeno fio de um novelo muito maior; uma série de delações premiadas desvelou o alto grau de entrosamento entre empresários e o sistema político brasileiro. Empresas, isoladamente ou em cartel, compravam benefícios às empresas estatais e agências de poder. Em troca de uma "certa" tolerância e do acesso ao Estado, entregavam altas somas de dinheiro para políticos individualmente e financiavam o sistema partidário. A ponta do iceberg, que deixava entrever o tamanho da montanha, veio do depoimento dos doleiros presos pela PF, no Paraná — Alberto Youssef, Carlos Habib Chater, Nelma Kodama —, e de Paulo Roberto da Costa, ex-diretor da Petrobras. Até hoje, além de vários empresários, políticos de peso permanecem detidos ou em prisão domiciliar, entre eles o ex-deputado federal Eduardo Cunha (MDB-RJ), o ex-ministro Antonio Palocci, o ex-deputado estadual e federal e ex--ministro-chefe da Casa Civil José Dirceu e Luiz Inácio Lula da Silva, presidente do Brasil entre 2003 e 2011, que em julho de 2017 foi condenado em primeira instância a nove anos e seis meses de prisão por corrupção e lavagem de dinheiro. Confirmada a segunda instância da sentença, Lula teve sua prisão decretada e entregou-se à Polícia Federal em abril de 2018.

O esquema de corrupção praticado pelo Partido dos Trabalhadores não era exatamente novo, mas chegou a uma escala e abrangência nunca vistas. O PT, em aliança com outras agremiações da coalizão governante, não estava engajado num processo de "aparelhamento gramsciano" do Estado para construir e espalhar o socialismo, como dizem hoje políticos diretamente ligados ao atual governo. De toda maneira, o dinheiro roubado comprava campanhas eleitorais e aliados no Congresso, e pretendia garantir a perpetuação do partido no poder. Serviu também para o enriquecimento pessoal de alguns de seus membros. Mas corrupção é corrupção, não importando motivo ou alegação. E é um processo que acaba por consumir as finanças do Estado, levando, indiretamente, à falta de recursos para setores infraestruturais da sociedade, como a educação, a saúde, a moradia e os transportes.

Outro escândalo que causou profunda comoção nos brasileiros, neste caso implicando comprovado enriquecimento ilícito pessoal, foi o desdobramento da Operação Lava Jato no Rio de Janeiro. Em 2016, Sérgio de Oliveira Cabral Santos Filho, filiado ao MDB, foi preso e tornou-se réu por corrupção passiva, lavagem de dinheiro e evasão de divisas. Ele foi governador daquele estado de 1º de janeiro de 2007 até 3 de abril de 2014, quando renunciou. Cabral acabou sendo alvo das operações Calicute, Eficiência, Fatura Exposta, Mascate, Unfair Play, e está atualmente preso. Suas penas acumuladas ultrapassam cem anos de prisão.

O arranjo montado pelo governador do Rio era tão complexo que, antes de ele deixar seu posto, entre os rituais de transição do cargo para seu sucessor, Luiz Fernando Pezão, também do MDB, houve a tentativa de eternizar o esquema. Cabral chegou a organizar uma reunião com empreiteiras, pedindo-lhes que mantivessem o mesmo esquema de propinas. Desbaratada a operação, provou-se que a corrupção já se tornara uma política de estado na administração fluminense. O ex-governador Pezão foi igualmente detido, no dia 29 de novembro de 2018, acusado de assumir a liderança do esquema de contravenção legado por seu padrinho. O certo é que nos últimos anos os fluminenses viram um ex-governador, um governador, o presidente da Assembleia Legislativa, dez deputados, um ex-procurador-geral e cinco dos sete conselheiros do Tribunal de Contas serem levados para a cadeia.

Um dos nomes mais implicados em denúncias de corrupção é o de Aécio Neves, do PSDB, que foi deputado federal, senador da República (2011 a 2019) e governador do estado de Minas Gerais (2003 a 2010), sendo hoje deputado federal, novamente, sempre pelo mesmo estado. Aécio, no momento em que escrevo este livro, é réu no Supremo Tribunal Federal por corrupção passiva e obstrução de justiça. Ele teria pedido propina de 2 milhões de reais a Joesley Batista, conforme registrado em vídeo, em troca de obstruir a Lava Jato e indicar cargos políticos. O deputado mineiro é investigado em mais oito processos, dos quais sete envolvem corrupção, mas continua no exercício de suas atividades políticas, regularmente. Aécio Neves já apresentou dois recursos ao STF para reverter a decisão que o tornou réu, e o segundo deles ainda tramita no tribunal.

Muitos desses processos não se encontram, em sua maior parte, concluídos e sei que muito ainda há de acontecer. Todavia, a despeito da existência de tais operações, que puseram na prisão ou em julgamento políticos e empresários, a sensação de corrupção no país só se intensificou nos anos de 2017 e 2018. Pelo menos esta é a conclusão da pesquisa elaborada pela Transparência Internacional (TI). O Brasil perdeu dezessete pontos nesse período, indo do 79º lugar para o 96º, e figurando ao lado de países como Zâmbia, Colômbia e Panamá, todos com 37 pontos, e atrás de Ruanda, Burkina Fasso, Timor Leste e Arábia Saudita. A pesquisa da TI, chamada de Índice de Percepção de Corrupção (IPC), mostrou que, em 2014, quando começou a Operação Lava Jato, ocupávamos a 69ª posição, com 43 pontos. A deterioração internacional da imagem do Brasil é também denunciada pelos próprios brasileiros, que, na mesma pesquisa, lamentam a ausência de medidas efetivas de combate à corrupção.

Lutar contra a corrupção não pode se reduzir a uma cruzada moralista; o fenômeno só será de fato atacado a partir de planos duradouros de desbaratamento dos arranjos e de condenação dos envolvidos, além de muita vontade política por parte do Estado. Por outro lado, jogar todas as baterias contra apenas uma pessoa — e assim personalizar a questão —, ou transformar um único partido em bode expiatório de uma prática muito espraiada, e assim parecer "vacinado contra a doença", é saída que não dá conta de um problema de ordem mais geral. Infelizmente, os esquemas são não só antigos mas também arraigados, originando, como afirma Célia Regina Jardim Pinto, uma "forma de governar". O combate à corrupção também não há de se limitar a peça de campanha pública; precisa atingir a todos os cidadãos e políticos imputáveis por práticas criminosas do passado e do presente, qualquer que seja o partido político envolvido.*

* Por sinal, desde junho de 2019, o site The Intercept vem publicando mensagens que teriam sido trocadas de 2015 a 2018 pelo aplicativo Telegram, entre o atual ministro da Justiça, Sergio Moro, e o procurador Deltan Dallagnol. Obtidas por hackers, elas apontam interferência indevida e parcial do então juiz Sergio Moro nas investigações da Operação Lava Jato. Os documentos vazados mostram que a Lava Jato teria feito de tudo um pouco: sugeriu testemunhas, opinou sobre o andamento das apurações, antecipou a decisão aos acusadores e articulou movimentos que depõem contra a imparcialidade do juiz e do procurador. Há também mensagens que revelam o receio dos juízes da Lava Jato acerca da consistência das acusações contra o ex-presidente Lula nas vésperas da denúncia do caso do triplex em 2017, e discutem formas de impedir uma entrevista dele, da prisão, por ocasião das eleições de 2018. Outras mensagens, ainda, mostram como Dallagnol incentivou um cerco ao presidente do Supremo Tribunal Federal, Dias Toffoli. O certo é que vai ficando claro que a Operação Lava Jato não atuou com a equidistância necessária, e tampouco Sergio Moro com imparcialidade em relação aos vazamentos. Como ministro da Justiça, ele anunciou o caso à imprensa antes que a Polícia Federal desse o processo por terminado e, além disso, avisou que destruiria o material apreendido, o que só pode ser feito por decisão judicial. (N. A., ago. 2019)

Foi o próprio período de estabilidade democrática que permitiu a denúncia pública do esquema fraudulento de contravenção que operava do interior da máquina do governo. E é sempre bom lembrar que, se há corrupto, há corruptor, e as empresas com certeza tiveram seu quinhão nesses grandes arranjos de burla da burocracia do Estado.

Quebrar o pacto implícito que se estabelece com a prática da corrupção é um dos enormes desafios que os brasileiros têm pela frente. A urgência faz parte da nossa própria agenda democrática, que prevê a distribuição equânime de direitos. Conforme definiu Luís Roberto Barroso, ministro do Supremo Tribunal Federal: "A corrupção é um crime violento, praticado por gente perigosa. [...] A corrupção mata na fila do sus, na falta de leitos, [...] de medicamentos, nas estradas que não têm manutenção". Ela também resulta da disseminação de práticas autoritárias de governo, as quais, no decorrer da história, visaram tanto perpetuar-se no poder, a partir do uso de procedimentos ilegais, como enriquecer de maneira ilícita.

Por sinal, estudos da Fundação Getulio Vargas (FGV), do ano de 2009, estimam que a economia brasileira perde com a corrupção, anualmente, de 1% a 4% do Produto Interno Bruto (PIB), o que corresponde a um valor superior a 30 bilhões de reais. Em 2010, uma pesquisa da Federação das Indústrias do Estado de São Paulo (Fiesp) apontou que o custo anual da corrupção no país significa de 1,38% a 2,3% do PIB. Em 2013, o levantamento feito pela Confederação Nacional da Indústria (CNI) mostrou que cada real desviado pela corrupção representa um dano de três reais para a economia e para a sociedade.

O Brasil carrega uma triste tradição de escândalos envolvendo políticos que realizam operações fraudulentas com o dinheiro público, beneficiando pessoalmente os donos dos esquemas. Os fatores que explicam essa persistente prática de corrupção estão ligados ao passado, mas não se limitam a ele. Em primeiro lugar, a ausência de mecanismos seguros de fiscalização das instituições nacionais e dos políticos brasileiros tendeu a deixar ainda pior um cenário ruim. Ademais, a falta de transparência no trato do bem público funciona como estímulo para que as autoridades convivam mais folgadamente com tal prática.

A captura do Estado por interesses particulares e a consequente prática de corrupção que se instaura visando a própria conservação desse tipo de esquema é um dos principais fatores que explicam a crise que vivemos atualmente. Além de afetar a economia, alocando recursos de forma ineficiente, a corrupção tem o poder de instalar uma burocracia inapta, na medida em que o funcionamento desta não é gerido pelas necessidades do Estado, mas pela distribuição farta de cargos e verbas para os "amigos fiéis", que trocam "favores" e "interesses". Por último, a corrupção viceja quando há uma mentalidade mais ampla que não só a aceita, como a naturaliza em seu cotidiano. A corrupção pública se prolonga nas práticas individuais que visam sempre "dar um jeitinho", "quebrar um galho", "fechar um olho". Nesse caso, é melhor abrir os dois.

Esse conjunto de exemplos prova como, a despeito dos diferentes nomes e formatos que a prática tomou história afora, a corrupção esteve sempre perigosamente dentro do nosso Estado. Tal tipo de recorrência ajuda a refletir, também, como história não é antídoto para o presente mas pode prevenir doença política oportunista.

A saída para esse óbice nacional, tão resistente ao tempo e a vários governos, não passa apenas pela personalização dos culpados ou pela humilhação pública e espalhafatosa. Aliás, a exposição e a expiação de acusados na mídia, antes de seu julgamento e comprovação de seus atos, podem causar danos morais irreparáveis e não solucionar os problemas anunciados. Se é urgente punir corruptos e corruptores, é igualmente necessário garantir uma justiça efetiva e equânime para todos, e nesse capítulo ainda estamos longe da última página e do ponto-final. A corrupção se espalha quando há um ambiente a ela favorável, e é essa mentalidade que será preciso combater.

De tão frequente e enraizada, a corrupção corre o risco de parecer endêmica ao Brasil. Nada pode provar que ela faz parte do caráter nacional e que, portanto, não há de ser extirpada com o aperfeiçoamento da nossa democracia. Os brasileiros não andam, pois, assolados por uma epidemia ou uma virose de corrupção. A resolução desse problema que ameaça a robustez de nossas instituições é tarefa primordial num Estado republicano.

Julgar idoneamente atos ilegais praticados no coração do Estado brasileiro, prender corruptos e corruptores, políticos e empresários, intermediários e seus mandantes, é prova de amadurecimento da democracia. Já jogar para a plateia, fiar-se em discursos que prometem mais do que podem realizar, significa criar terreno fértil para que práticas ilícitas continuem a florescer. Vale lembrar, e os exemplos do passado revelam, como, muitas vezes, governos de matriz autoritária tomam o poder ou são eleitos utilizando slogans que denunciam as práticas ilícitas de governos anteriores e assim se autovalorizam. No entanto, sem planos de fato eficientes e comprometidos, acabam caindo, eles próprios, no canto da sereia da contravenção.

Em 1904, o norte-americano William Sydney Porter cunhou o termo "República das Bananas" num conto chamado "O almirante". A história se passa na Anchúria, um local fictício mas que há de ter sido inspirado em Honduras, país onde o escritor então morava. A brincadeira pegou e acabou associada às nações latino-americanas, de uma maneira geral, e de forma sempre depreciativa.

Em 1912, o escritor Lima Barreto criou as *Aventuras do dr. Bogóloff*. O anarquista russo Grégory Petróvitch Bogóloff, que dava nome ao romance feito da união de vários folhetins picantes e que reaparece no também romance *Numa e a ninfa*, de 1915, teria decidido se mudar para o Brasil, um país especializado na arte de roubar. Conta Bogóloff que tinha lido "brochuras escandalosamente apologéticas da desconhecida república da América do Sul". Nelas encontrava descrições de um país "onde não havia frio nem calor; onde tudo nascia com a máxima rapidez; que tinha todos os produtos do globo; era, enfim, o próprio paraíso". Esperto, ele deu um desconto de "cinquenta por cento" no que leu, e mesmo assim resolveu emigrar. No entanto, terminou maldizendo a aventura: "Que desgraçada viagem!".

Não contente, em 1918, em plena Primeira República, Lima publicou no jornal anarquista e carioca *A.B.C.* o artigo "A política republicana", que assim definia o seu contexto político:

> A República no Brasil é o regime da corrupção. Todas as opiniões devem, por esta ou aquela paga, ser estabelecidas pelos poderosos do dia. Ninguém admite que se divirja deles e, para que não haja divergências, há a "verba secreta", os reservados deste ou daquele Ministério e os empreguinhos que os medíocres não sabem conquistar por si e com independência. [...] Ninguém quer discutir; ninguém quer agitar ideias; ninguém quer dar a emoção [...]. Todos querem "comer". "Comem" os juristas, "comem" os filósofos, "comem" os médicos [...] "comem" os advogados, "comem" os poetas, "comem" os romancistas, "comem" os engenheiros, "comem" os jornalistas: o Brasil é uma vasta "comilança".

Os brasileiros parecem cansados de ver sua imagem associada a tal expediente ilegal, que afeta a todos, acaba com nossa autoestima e também com nossa reputação internacional. Já faz mais de um século que as paródias mencionadas foram criadas. Mas, nesse caso, o tempo de outrora ainda nos diz, infelizmente, respeito.

5. Desigualdade social

Um problema crucial de nossa agenda republicana é a manutenção de uma vergonhosa desigualdade social, herdada do passado mas produzida e reproduzida no presente. Segundo relatório da Oxfam Brasil de 2018, se em 2016 ocupávamos a 10ª posição no ranking global da desigualdade de renda, em 2017 passamos para o 9º lugar, com o problema se aguçando em vez de melhorar. O fenômeno da desigualdade é tão enraizado entre nós que se apresenta a partir de várias faces: a desigualdade econômica e de renda, a desigualdade de oportunidades, a desigualdade racial, a desigualdade regional, a desigualdade de gênero, a desigualdade de geração e a desigualdade social, presente nos diferentes acessos à saúde, à educação, à moradia, ao transporte e ao lazer.

A desigualdade social é especialmente aguda, e tende sempre a aumentar em países que oferecem poucas oportunidades de emprego, apresentam investimento discreto nas áreas sociais e não estimulam o consumo de bens culturais. Não por coincidência, a desigualdade afeta, vigorosamente, os países periféricos e de passado colonial, onde se percebe a preservação de um robusto gap social no padrão de vida dos habitantes.

Já mencionamos, mas é bom relembrar, que o Brasil foi formado a partir da linguagem da escravidão, que é, por princípio, um sistema desigual no qual alguns poucos monopolizam renda e poder, enquanto a imensa maioria não tem direito à remuneração, à liberdade do ir e vir e à educação. A paisagem colonial foi tomada por grandes latifúndios monocultores, onde os senhores de terra tinham domínio absoluto e concentravam a renda. A corrupção e o enraizamento de práticas patrimonialistas também não auxiliaram a prover o país de uma realidade mais inclusiva. Ao contrário, notabilizaram-se por dispor interesses privados acima dos públicos, privando os setores mais vulneráveis de nossa sociedade de benefícios que o setor público deveria proporcionar com maior equanimidade.

Mão de obra escrava, divisão latifundiária da terra, corrupção e patrimonialismo, em grandes doses, explicam os motivos que fizeram do país uma realidade desigual. Não dão conta de esclarecer, porém, por que, a despeito do processo de modernização e de industrialização que o país conheceu no século XX, não conseguimos romper totalmente com esse círculo vicioso do passado. De um lado, pesquisas vêm comprovando que temos mostrado alguma alteração, para melhor, nos dados que medem a desigualdade social no Brasil. Segundo registros colhidos pelo Instituto Brasileiro de Geografia e Estatística (IBGE), por meio da Pesquisa Nacional por Amostra de Domicílios (Pnad) — que analisaram as condições de vida dos brasileiros em 2018 —, a fatia da renda nacional apropriada pelos 10% mais ricos caiu nos últimos anos de 46% para 41%, enquanto o pedaço dos 50% mais pobres cresceu: de 14% para 18%.

Mas existem discordâncias com relação a esses resultados. Marc Morgan Milá, economista irlandês discípulo de Thomas Piketty, indicou em pesquisa de 2018 que os governos brasileiros, na prática, jamais optaram por enfrentar a desigualdade social. Na opinião desse estudioso, ela é maior do que se supunha, com uma imensa concentração de renda retida no topo da pirâmide social: o grupo que representa os 10% mais ricos da nossa população acumula mais da metade da renda nacional. Entre os anos de 2001 e 2015, essa fatia da população teria visto sua parte na renda crescer de 54% para 55%. E, ainda de acordo com os cálculos de Morgan, a renda apropriada pelos 50% mais pobres também subiu nos últimos anos; de 11% para 12% do total. No entanto, 40% da população brasileira, a parcela do meio, teve sua participação na renda encolhida de 34% para 32%.

A mesma investigação revela como o estrato mais rico da população, que corresponde a apenas 1% dos brasileiros, abocanha 28% da renda nacional. Realizando uma comparação com outros países, o pesquisador irlandês apontou que, nos EUA, as elites, o 1%, concentram 20% da renda, e na França, 11%. E ainda: se na França a renda anual dos grupos que se encontram entre os mais ricos é inferior a 925 mil reais, no Brasil a renda média anual desses setores chega a valores equivalentes a 1 milhão de reais.

Em 2018, um relatório preparado pela Oxfam Brasil chamado "País estagnado: Um retrato das desigualdades brasileiras" apresenta um panorama igualmente pessimista. Segundo a instituição, pela primeira vez em 23 anos o Brasil vê sua distribuição de renda estacionar e a pobreza recrudescer. Também se distanciou a convergência de renda entre mulheres e homens, bem como a equiparação de renda entre negros e brancos. Esses resultados são alarmantes, nos termos dos autores que assinam o relatório, ainda mais sendo a maioria da população brasileira composta, justamente, de mulheres, negros e pardos.

O mesmo documento explica que nos últimos cinco anos aumentou a proporção da população em condição de pobreza, cresceu o nível de desigualdade da renda no trabalho, ampliaram-se os dados de mortalidade infantil. O índice que mede a desigualdade da renda no país, o Gini de renda domiciliar per capita, o qual apresentava uma taxa de decrescimento desde 2002, estagnou entre 2016 e 2017. Conforme os organizadores, o desenvolvimento sustentável "caminha a passos largos para trás". Por exemplo, entre 2016 e 2017, os 40% mais pobres tiveram uma variação de renda pior do que a média nacional. No mesmo contexto, as mulheres e a população negra apresentaram um desempenho de renda abaixo daquele dos homens e da população branca. Esse resultado não pode ser tomado, porém, de forma isolada. De alguma maneira, ele é consequência da crise econômica, fiscal e política vigente no Brasil desde finais de 2013, que acabou por gerar uma clara retração da renda nacional, bem como expressa o processo de recessão experimentado no país, cujos índices de desemprego praticamente dobraram, passando de 6,8% em 2014 para 12,7% em 2017. Tal processo afetou, sobretudo, os mais pobres, as mulheres e a população negra, tendo sido, inclusive, percebido pelos brasileiros: nove em cada dez pessoas hoje definem o país como "muito desigual".

Com efeito, apesar da relativa melhora conhecida entre fins dos anos 1990 até 2012-13, uma série de investigações têm confirmado não só a alta concentração de renda existente no Brasil como o fato de que o país continua sendo um dos mais desiguais do mundo. Estudo realizado pelo Instituto de Pesquisa Econômica Aplicada, Ipea, publicado em 2018 pelo Centro Internacional de Políticas para o Crescimento Inclusivo do Programa das Nações Unidas para o Desenvolvimento, mostra que nosso país figura entre os cinco mais desiguais do planeta, levando-se em conta a concentração e distribuição desigual de renda.

Além do mais, uma pesquisa divulgada no dia 5 de dezembro de 2018 pelo IBGE indicou que a desigualdade de renda permanece sendo uma questão séria entre nós, e que a pobreza e a extrema pobreza aumentaram nestes últimos anos no país. Depois de a ONG Oxfam definir o cenário como de "estagnação", foi a vez de o IBGE demonstrar como a crise na economia, nas contas públicas e no mercado de trabalho teve impacto direto na vida do trabalhador.

Outro dado revela que os mais afetados são, em ordem de grandeza: pretos ou pardos, crianças entre zero e catorze anos, mulheres sem cônjuge e com filho, mulheres pretas ou pardas sem cônjuge e com filho, e pessoas com mais de sessenta anos. Com certeza, são as mulheres negras, arrimos de família, as que mais têm sido atingidas por essa crise. Se o número de homens brancos considerados pobres aumentou 7,8%, o de mulheres pretas também subiu, mas apenas 2,68%. No entanto, em termos absolutos, o número de negras e pardas em situação de pobreza é de 35%, enquanto o de homens brancos é de menos da metade: 16,6%. O mesmo quadro se repete para a situação social caracterizada como de "extrema pobreza".

O fato de o país apresentar graves conflitos distributivos do ponto de vista das contribuições fiscais relativas às várias classes sociais é outro tema que tem definido a desigualdade no Brasil. Segundo o relatório da Oxfam chamado "A distância que nos une: Um retrato das desigualdades brasileiras", de 2017, há um verdadeiro abismo no que se refere aos dados fiscais. Os 10% mais ricos pagam 21% de sua renda em impostos, enquanto os 10% mais pobres pagam 32%. Os impostos indiretos consomem 28% da renda dos 10% mais pobres e apenas 10% da renda dos 10% mais ricos. O imposto sobre herança, por exemplo, representa cerca de 0,6% da arrecadação nacional, valor baseado em alíquotas baixas e, por vezes, nem sequer aplicadas.

Para que se tenha uma visão comparativa, enquanto em São Paulo a alíquota do imposto sobre herança é de 4%, no Reino Unido ela alcança 40%. Além do mais, no Brasil "a arrecadação com impostos patrimoniais representa apenas 4,5% do total, enquanto em países da OCDE [Organização para a Cooperação e Desenvolvimento Econômico] como Japão, Grã-Bretanha e Canadá essa taxa é de mais de 10%". E ainda: quem ganha 320 salários mínimos por mês no nosso país, paga a mesma alíquota efetiva de Imposto de Renda (após descontos, deduções e isenções) que aqueles que recebem cinco salários mínimos. Quem tem renda acima de oitenta salários mínimos mensais, tem isenção média de 66%. Para quem ganha 320 salários, o benefício é de 70%. Na outra ponta, a isenção para a classe média é de 17%, e cai para 9% para os que ganham entre um e três salários mínimos mensais. Por fim, apenas dois países-membros e parceiros da OCDE não tributam lucros e dividendos de empresas: Estônia e Brasil.

Na área da saúde, dados também revelam uma inequívoca desigualdade entre os brasileiros e nas diversas regiões da União. Conforme mostra o quadro 1 a seguir, as maiores taxas de não atendimento guardam as seguintes características: mulheres (3,5%); indivíduos com idade entre 25 e 49 anos (3,7%); pretos e pardos (4,3%); pessoas com baixo ou médio nível de instrução (3,3% e 4,1%, respectivamente); e o grupo que não possui plano de saúde (4,2%). Há ainda claras desigualdades regionais, com os maiores números de não atendimento pelos serviços de saúde concentrando-se no Norte e no Nordeste.

Taxas diferenciais também podem ser encontradas entre as áreas urbanas e rurais, com os resultados de pesquisas efetuadas entre 1998 e 2009 destacando uma desigualdade de acesso elevada nessas últimas regiões.

Comparações de acesso entre trabalhadores formais e informais mostram como os segundos apresentam maior risco de saúde. Os índices para aferição, segundo análise feita a partir da Pnad de 2008, e seguindo pesquisa realizada por Isabella O. C. Miquilin, Letícia Marín-León, Maria Inês Monteiro e Heleno Rodrigues Corrêa Filho, são "ter estado acamado nas duas últimas semanas, ausência de cobertura de plano de saúde, não procura de atendimento de saúde nas duas últimas semanas, não atendimento pelos serviços de saúde quando procuraram e menor número de consultas nos últimos doze meses".

Por fim, e não menos revelador, é o dado que o sociólogo e pesquisador José Alcides Figueiredo Santos divulga, também pautando-se na Pnad de 2008, do IBGE. Pardos e pretos, de acordo com as categorias do Censo Nacional, têm 56,7% a mais de chances, em

QUADRO 1: PERCENTUAL DE NÃO ATENDIDOS PELOS SERVIÇOS DE
SAÚDE, SEGUNDO CARACTERÍSTICAS SOCIODEMOGRÁFICAS,
NO BRASIL E EM SUAS REGIÕES — 2013

CARACTERÍSTICAS	N	NE	SE	S	CO	BRASIL
Total	5,7	4,0	2,8	1,5	4,1	3,1
Sexo						
Masculino	6,4	2,2	2,3	1,1	3,7	2,3
Feminino	5,4	5,0	3,0	1,7	4,3	3,5
Idade (em anos)						
De 18 a 24	7,3	3,1	3,2	0,1	1,7	2,8
De 25 a 49	5,5	5,1	3,3	1,3	5,0	3,7
De 60 a 64	8,8	2,4	3,1	3,2	3,8	3,3
65 ou mais	0,2	4,2	1,0	0,2	4,0	1,6
Raça/Cor*						
Branca	4,8	3,0	1,9	1,2	2,8	2,0
Preta/parda	5,7	4,5	4,0	2,6	4,8	4,3
Escolaridade						
Sem instrução ou com ensino fundamental	5,3	4,3	2,8	2,1	4,6	3,3
Ensino médio	8,3	4,8	4,3	0,9	3,5	4,1
Ensino superior	1,4	1,7	0,2	0,4	3,7	0,8
Posse de plano de saúde						
Sim	0,2	1,7	1,3	0,3	1,8	1,2
Não	7,2	4,7	3,9	2,3	5,5	4,2

FONTE: IBGE — Pesquisa Nacional de Saúde (PSN) 2013.
NOTA: Percentual de não atendidos em relação ao total de pessoas que procuraram atendimento nas duas semanas anteriores à pesquisa.
* Excluídos indígenas e amarelos.

relação ao brancos, de apresentar um estado de saúde classificado como "não bom".

Passados 130 anos da abolição da escravidão e trinta da promulgação da Constituição de 1988, que previu a distribuição da riqueza por meio da educação, da saúde e do saneamento, o Brasil continua sendo um país injusto porque profundamente desigual.

EDUCAÇÃO E ANALFABETISMO

Educação nunca foi um direito de todos neste país de proporções continentais, passado escravocrata e estruturada concentração de renda. Enquanto existiu, o sistema escravista construiu um país de realidades apartadas também nesse quesito. Embora não constasse sob a forma de lei que os escravizados e escravizadas não poderiam ser alfabetizados, a historiografia vem mostrando como, até por motivos de segurança e com o intuito de evitar rebeliões, não se permitiu nem a eles nem a elas o acesso à leitura ou à escrita. Chegavam, sim, com vastos conhecimentos trazidos de seu continente de origem, mas poucos puderam participar, de maneira regular, de uma escola ou receber uma educação formal.

É preciso conceder que, durante o período colonial, até mesmo a população livre tinha acesso reduzido à educação formal, sendo esta considerada um privilégio de poucos. Desde a Constituição de 1824 o regime estabeleceu a gratuidade da instrução primária aos cidadãos. Mas a reforma eleitoral de 1881 flexibilizou o voto censitário e instituiu o critério de alfabetização para o pleno exercício dos direitos políticos. Educação significava, pois, um ganho insofismável para o acesso à cidadania. Talvez tenha sido por esse motivo que o Ato Adicional de 1834 atribuiu às províncias o dever de legislar, organizar e fiscalizar o ensino primário e secundário. Como consequência, escolas públicas, particulares, domésticas foram sendo criadas, seguindo a realidade de cada província, cujo orçamento ficava muitas vezes aquém das reais necessidades.

Em 1854, por meio do Regulamento para a Reforma do Ensino Primário e Secundário do Município da Corte, o acesso às escolas foi franqueado à população livre e vacinada, contanto que as crianças não padecessem "de moléstias contagiosas". A matrícula em escolas públicas era, não obstante, expressamente proibida aos escravizados e escravizadas, ratificando-se uma divisão verificada no próprio seio da sociedade. Além do mais, o mesmo regulamento estabelecia que pessoas livres, entre cinco e quinze anos, deveriam tomar parte do ensino obrigatório, sob pena de multa de até cem réis aos "pais, tutores, curadores ou protetores". Meninos menores de doze anos, "em tal estado de pobreza que, além da falta de roupa decente para frequentarem as escolas, viv[essem] em mendicidade" e que fossem encontrados vagando pelas ruas das cidades, seriam recolhidos em casas de asilo e enviados a oficinas particulares, mediante contrato do Estado, para que aprendessem ofícios e assim estivessem aptos ao trabalho. Um aspecto relevante: no regulamento de 1854 só há menção a "meninos pobres", não existem referências a "meninas pobres".

O suposto geral, naquele momento, era que o ensino primário seria mais que suficiente para as camadas pobres. Já o ensino secundário não era obrigatório e, como consequência, tornava-se restrito a uma parcela seleta da população livre. A desigualdade de base era incontestável. Tanto o curso secundário como o superior, os quais facultavam o exercício das atividades intelectuais mais prestigiosas e capacitavam as pessoas para os cobiçados cargos públicos, ficavam nas mãos das classes senhoriais, sendo que o restante da população acabava se dedicando aos trabalhos manuais.

A educação era também considerada a melhor maneira de contornar a chamada "questão do trabalho". Em 1867, o ministro conselheiro Liberato Barroso insistia nessa missão como o modo mais eficaz de "conservar a hierarquia e a civilização do Império". Há uma relação cristalina entre a criação de um estabelecimento como o Asilo dos Meninos Desvalidos e a Lei do Ventre Livre. A instituição deveria zelar pela educação dos "ingênuos" — os nascidos livres ou aqueles que tivessem adquirido a liberdade a partir de 28 de setembro de 1871 —, dos que fossem entregues pelos senhores ao governo. Deveria, ainda, atender aos "meninos livres" e em condições de "mendicidade", bem como adotar soluções para disciplinar "os libertos". Uma série de proprietários de escravos, descontentes com a medida, passaram a solicitar a "matrícula de ingênuos" no Asilo, como forma de indenização pelos gastos com a alimentação e cuidados com eles. O pressuposto das elites escravocratas era que não guardavam nenhuma responsabilidade por aquelas crianças; ao contrário, precisavam ser recompensadas por suas despesas.

No final dos anos 1870, o número de escolas públicas criadas na corte subiu de 45 para 95 estabelecimentos. Nessa época, o governo imperial construiu os primeiros prédios escolares, com dimensões e formatos arquitetônicos mais apropriados, para abrigar de quinhentas a seiscentas crianças. Entre 1870 e 1880, foram fundados os chamados "palácios escolares" da corte no Rio de Janeiro: a Escola Pública da Glória (atual Escola Estadual Amaro Cavalcanti, no largo do Machado) e as escolas municipais de São Sebastião e São José, situadas nas populosas freguesias de Santana e São José e frequentadas, basicamente, pelos filhos das elites cafeeiras. O importante, todavia, é que o tema entrou em cheio na agenda do Império. Políticos, advogados, médicos, professores, fazendeiros, fundavam associações e sociedades filantrópicas, leigas e religiosas, visando "proteger", "assistir", educar e instruir as crianças.

Com o tempo, as escolas foram ficando mais especializadas, também. As primárias, por exemplo, dividiam as crianças por gênero — meninos e meninas estudavam em locais e casas separados. Para as garotas que frequentavam o ensino primário, a doutrina cristã, a leitura, escrita e o cálculo mais elementar pareciam suficientes, desde que acrescidos de aulas de bordado e costura. E o currículo reservado às moças apresentava restrições no ensino de álgebra, geometria, gramática, história e geografia pátrias. A formação das meninas visava à vida do lar, à domesticidade, sendo a esfera pública reservada aos homens. Por isso, a partir de 1870, as poucas alunas que alcançavam o secundário eram geralmente direcionadas para o magistério. De outra parte, as crianças pobres, negras, escravizadas ou libertas, eram encaminhadas diretamente para o trabalho.

Esses eram mundos desagregados e que previam inserções distintas para pobres, negros e mulheres. De toda maneira, a educação significava, para os que podiam ocupar um assento nas novas escolas, um projeto de inclusão social, não apenas previsto para as elites, mas agora possível para aqueles que viveram por tanto tempo alijados das benesses da cidadania. Tanto que, aproveitando as franjas do sistema, e em número ainda pequeno, surgiram, na política, no direito, na engenharia, elites negras que conquistaram para si espaços nas instituições e ambientes de prestígio social.

Com a proclamação da República, uma nova Constituição foi promulgada em 1891. Seu artigo 35 estabelecia que "incumbe, outrossim, ao Congresso, mas não privativamente [...] criar instituições de ensino superior e secundário nos estados". Na prática, a União passou a controlar o ensino superior e secundário em todo o país, enquanto para os estados ficou a tarefa de abrir escolas primárias e demais cursos profissionalizantes e deles cuidar: as escolas normais para as mulheres e as escolas técnicas para os homens. Em contrapartida, com a voga das teorias raciais, que, como vimos, procuravam justificar "cientificamente" a desigualdade — a qual nada tem de natural, uma vez que é efeito de anos do enraizamento do sistema escravocrata no país e da concentração da renda com a parca distribuição de recursos —, esses pequenos espaços de ascensão social tornaram-se novamente muito restritos; quase impeditivos.

Foi apenas a partir da década de 1920 que iniciativas vinculadas à área educacional receberam novo alento. Os projetos eram tantos e tão variados que o período ficou conhecido como aquele do "otimismo pedagógico". A escola primária se transforma, então, numa das principais preocupações não só de educadores como de homens públicos. Em questão estava, notadamente, demonstrar o significado profundamente democrático e necessário da educação primária. Esses eram os ideais da Escola Nova, projeto liderado por estudiosos do calibre de Fernando de Azevedo (1894-1974), Anísio Teixeira (1900-71) e Lourenço Filho (1897-1970), que acabaram por animar os governos estaduais de parte significativa do Brasil.

Algumas estruturas autoritárias do país continuavam, no entanto, basicamente intocadas. A escola primária e profissional era destinada ao povo, enquanto a secundária e a superior perduravam como privilégios bem guardados da elite. Acrescente-se, ainda, que a porcentagem de analfabetos no ano de 1900 chegava a 75% da população, segundo o *Anuário Estatístico do Brasil* editado pela Diretoria Geral de Estatística do Ministério da Agricultura, Indústria e Comércio.

A história da educação no Brasil não se assemelha, pois, a uma via ascendente e progressiva. Com o Estado Novo, por exemplo, ocorrem muitos retrocessos. De claro caráter centralizador, o governo agiu na área educacional mediante vários decretos-leis, de 1942 a 1946, que ficaram conhecidos como Reforma Capanema, numa referência ao então ministro da Educação, Gustavo Capanema. Foram oito decretos que regulamentavam o ensino primário, o ensino secundário e as distintas áreas do ensino profissionalizante (industrial, comercial, normal e agrícola). Entretanto, a Reforma não alterou o dualismo vigente na educação brasileira. A Lei Orgânica do Ensino propiciava dois "caminhos" a serem percorridos do primário ao profissionalizante; um sistema bifurcado, com o secundário público destinado às "elites condutoras" e o profissionalizante para as "classes populares".

Assim, se por um lado o Estado organizou as relações de trabalho através da CLT, por outro impôs ao sistema público de ensino uma legislação que procurou separar aqueles que poderiam estudar de forma plena dos que deveriam estudar menos e chegar ao mercado de trabalho mais rapidamente. Para os estudantes oriundos das camadas médias e altas da sociedade, a vida escolar implicava frequentar o primário, depois o secundário em seus dois ciclos (ginásio e colégio) e finalmente a profissionalização no ensino superior; o que facultava o direito de seguir qualquer curso universitário. Já para os filhos de famílias das camadas baixas, significava coisa bem diferente: conseguir uma vaga em escola pública — a qual não garantia matrícula para todos — e cursar o primário. O aluno entraria então no secundário profissionalizante, também dividido em dois ciclos, para enfim ingressar, quando possível, no ensino superior, numa cadeira correspondente à habilitação no secundário. As estudantes que fizessem o normal, por exemplo, só poderiam frequentar o superior num dos cursos da "Faculdade de Filosofia".

O próprio processo de desenvolvimento econômico acabou por exigir maior diversificação das atividades ocupacionais e a ampliação das oportunidades educacionais. Entretanto, como o trabalho, no universo cultural que a sociedade escravocrata forjara, constitui-se numa atividade que se identificava como própria aos subalternos, o que vai ocorrer, na prática, é a expansão desordenada do modelo de sistema de ensino até então vigente. Devido à urgência de profissionalizar precocemente, ainda no ensino secundário, a massa trabalhadora, surgiram o Senai (1942) e o Senac (1946), visando qualificar a mão de obra para a prestação de serviços na indústria e no comércio, respectivamente. Tais instituições profissionalizantes, dirigidas pela Confederação Nacional da Indústria (CNI) e pela Confederação Nacional do Comércio (CNC), ofereciam, naquele primeiro momento, uma "ajuda de custo" a seus estudantes, o que deixava esse tipo de carreira mais atraente para os alunos provenientes das camadas mais baixas da sociedade.

Dessa maneira, mesmo considerando o êxito do Senai e do Senac, é forçoso reconhecer como, por meio deles, se deu a manutenção e fortalecimento do sistema dual de ensino, criando condições para que a demanda social da educação se diversificasse apenas de duas formas: os componentes dos estratos médios e altos continuaram a optar pelas escolas que os classificavam socialmente, e os componentes dos estratos populares passaram a frequentar instituições que os preparavam mais rapidamente para o trabalho. Com isso, o sistema educacional, de modo geral, fazia as vezes de um sistema de discriminação e bipartição social.

Para além da manutenção desse tipo de dualismo, o sistema educacional brasileiro, em consonância com o seu contexto, criou um curso primário voltado para um modelo de nacionalismo autoritário, então vigente. Elevar a figura do presidente Getúlio Vargas, como "pai da nação", e fazer da escola uma instituição que exige que seus alunos mais "absorvam" conhecimentos do que se formem como cidadãos críticos eram os objetivos naquele contexto. Nessa época realizavam-se grandes concertos orfeônicos, nos quais, regidos pela batuta do maestro e compositor Heitor Villa-Lobos (1887-1959), os alunos desfilavam, cantavam ou assistiam a apresentações em amplos ginásios, tendo a foto de Getúlio a animá-los. Civismo aqui parecia ser o mesmo que patriotismo, quando esses não são conceitos idênticos. Educar para libertar, para formar cidadãos mais autônomos, é proje-

Fotógrafo não identificado, Primeiro de maio de 1942 no Campo do Vasco, *Rio de Janeiro, 1942. Gelatina/prata. Acervo Iconographia.*

to que concede à escola o local que, de fato, ela merece. Já decorar hinos, fazer desfiles e registrá-los visualmente não forma pessoas mais prontas para a prática de valores e modelos cívicos. Mais uma vez, qualquer semelhança com o momento atual não será mera coincidência.

Na imagem vemos como os rituais de patriotismo, amplamente apoiados por Getúlio Vargas, dialogavam com demais regimes populistas e autoritários vigentes nesse mesmo momento, imprimindo um modelo de educação que primava pela exaltação de um passado inexistente, entoado a partir de hinos cantados coletivamente pelos estudantes. Aliás, faz parte da própria eficácia simbólica dos hinos nacionais contar com melodias tão grandiloquentes que acabam por obscurecer ou nuançar o conteúdo das suas letras. Apenas os entoamos, enquanto o ritual produz sua mágica: faz com que nos emocionemos às lágrimas sem que paremos para pensar sobre o que se canta e como se canta. Não por acaso, governos ditatoriais reservaram especial atenção aos momentos em que se cantavam coletivamente os hinos nacionais. Era nessas horas que a pátria ganhava um sentido palpável e reconhecível por e para todos. Foi assim na antiga União Soviética, com Ióssif Stálin, que a cada ano realizava um festival para exaltar a nacionalidade, o qual começava ou terminava com a população jovem entoando cânticos. Foi assim na Alemanha nazista, com Adolf Hitler, que selecionava crianças e adolescentes louros, os quais, comovidos, cantavam hinos de louvor à "mãe pátria" em grandes estádios ou imensas praças ao ar livre, com a população os acompanhando em alto e bom som. Foi assim nos tempos do Estado Novo de Getúlio Vargas, que também recorreu aos estádios, usados tradicionalmente para os jogos de futebol mas que foram convertidos em novos e destacados locais de patriotismo, onde estudantes desfilavam carregando a foto do presidente, animados ao som do hino nacional. Conforme definiu Benedict Anderson, circunstâncias como essas logo se convertem em momentos especiais, pois têm a capacidade de criar uma espécie de "comunidade imaginada", dando-se concretude a concepções e valores que são, nessas ocasiões, projetados e idealizados. Patriotismo e civismo podem parecer, mas não são, termos sinônimos. Civismo refere-se a atitudes e comportamentos que levam o cidadão a compartilhar e defender certas noções e práticas como se fossem deveres fundamentais para a vida coletiva de um país. Não há nada de condenável, portanto, em que idealizemos com nossos alunos a união em torno da utopia de um mesmo país mais justo, democrático e inclusivo. O problema é o uso político desses momentos estratégicos, quando o patriotismo vira uma forma de exagero pragmático do civismo, sem impacto na qualidade educacional oferecida ao estudantado.

Tanto que, em outro retrocesso educacional, o Estado Novo apresentou uma queda de mais de 30% no gasto em relação ao PIB. Se em 1940 os gastos em educação atingiam cerca de 1,5%, em 1945 eles baixaram para menos de 1%. Já durante os anos JK, permaneceram quase estagnados, exibindo um pequeno pico em 1957.

Várias metas, estabelecidas por governos anteriores, seriam retomadas a partir do Projeto de Lei sobre as Diretrizes e Bases da Educação Nacional, datado de 1948 e finalmente aprovado em 1961. Nesse mesmo ano, é criado o Conselho Federal de Educação, são implementadas diversas campanhas e movimentos de alfabetização para adultos, além de se verificar uma nítida expansão do ensino primário, fundamental, médio e superior. Ainda assim, o cobertor se revelou curto: foram mobilizados muito mais recursos e esforços na construção da nova capital, Brasília, do que na educação; com um contingente enorme de crianças permanecendo fora da escola.

Uma escola pública de qualidade, universal e gratuita — a única que tem o poder de minorar desigualdades e promover uma efetiva inclusão social —, bem como a aplicação de recursos públicos na educação, ainda não corresponde a uma realidade consolidada no Brasil, sobretudo se compararmos os investimentos feitos aqui com os realizados em outros países latino-americanos.

QUADRO 2: ESCOLARIDADE MÉDIA

País	1985	1990	1995	2000
Argentina	7,09	8,13	8,46	8,83
Bolívia	4,81	5,02	5,31	5,58
Brasil	3,48	4,02	4,45	4,88
Chile	6,69	6,97	7,25	7,55
Colômbia	4,55	4,7	4,96	5,27
Equador	5,87	5,9	6,14	6,41
Alemanha	9,64	9,71	10,03	10,2
Japão	8,74	8,96	9,23	9,47
México	5,2	6,72	6,96	7,23
Paraguai	5,16	6,14	6,1	6,18
Peru	6,02	6,21	7,31	7,58
Estados Unidos	11,57	11,74	11,89	12,05
Uruguai	6,89	7,09	7,31	7,56

FONTE: Paulo Rogério Maduro Jr., *Taxas de matrícula e gastos em educação no Brasil*. Rio de Janeiro: Fundação Getulio Vargas, 2007. Tese (Mestrado em Economia). p. 2.

A parcela do PIB despendida em educação em nações como Argentina, Chile, Bolívia, Colômbia, Paraguai, Uruguai, Peru e Equador é sensivelmente maior. No Brasil, não são consistentes e proporcionais os investimentos em educação, como deixa claro o gráfico 1 a seguir, que revela as oscilações apresentadas no setor entre os anos de 1933 e 2002.

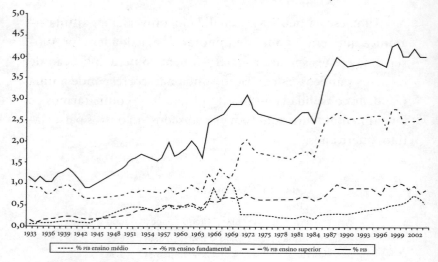

FONTE: Paulo Rogério Maduro Jr., op. cit., p. 25.

A Constituição de 1988, resultado de um sólido movimento de redemocratização, estabeleceu um compromisso pela universalização do ensino fundamental e pela erradicação do analfabetismo. Apesar disso, ainda estamos muito longe dessas metas. O Plano Nacional de Educação (PNE) de 2014 previa a diminuição da taxa de analfabetismo para 6,5% em 2015 e a erradicação para o final de 2024. Entretanto, como as metas das fases intermediárias não foram cumpridas, o projeto torna-se, a cada ano, mais inexequível, ao menos nos termos em que foi proposto.

O Brasil sempre manteve a maior taxa de analfabetismo dentre os países latino-americanos. No grupo mais alfabetizado, e guardando índices semelhantes, encontram-se Argentina, Chile e Costa Rica. Tal situação está ligada a padrões históricos que acabam por diferenciar perspectivas do presente. Por exemplo, no começo do século XX o analfabetismo argentino era de 50%, enquanto no Brasil chegava a 80%. Hoje estamos chegando nos 10%, enquanto na região do Prata a taxa quase zerou.

GRÁFICO 2: TAXA DE ANALFABETISMO EM PORCENTAGEM DA POPULAÇÃO ADULTA

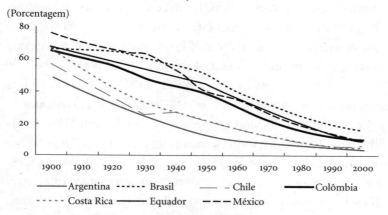

FONTE: María Teresa Ramírez G. e Juana Patricia Téllez. *La educación primaria y secundaria en Colombia en el siglo XX*. Bogotá: Banco de la República de Colombia, 2006, p. 5.

Um dos objetivos traçados pelo PNE foi, também, a universalização do atendimento escolar, até o ano de 2016, para a população de quinze a dezessete anos. Ficamos, no entanto, mais uma vez, longe da meta, na medida em que a taxa de escolarização dessa faixa etária permaneceu em 87,2%, num total de 9,3 milhões de estudantes. Por outro lado, no mesmo ano, dos alunos que efetivamente frequentavam as escolas, somente 68% se encontravam na série adequada para a idade. Desses últimos, as mulheres estavam representadas em maior número, 73,3%, enquanto os homens eram apenas 63,1%. Além do mais, e confirmando as práticas de exclusão social perpetradas há longa data no Brasil, enquanto a frequência entre pessoas brancas correspondia a 75,7%, entre pretos ou pardos ela baixava para 63%.

Marcadores como sexo e raça também indicam a existência de padrões distintos entre estudantes maiores de 25 anos, e que tinham em média oito anos de estudo no ano de 2016. Enquanto as mulheres estudaram por volta de 8,2 anos, já os homens apresentaram uma média de 7,8 anos de estudo. Em contrapartida, se brancos tiveram cerca de nove anos escolares, entre pretos ou pardos o patamar desceu para 7,1 anos, reiterando-se, agora por outro ângulo, a existência de discriminação racial no ambiente escolar.

Nota-se, portanto, que a situação atual ainda se encontra distante das intenções dos anos 1920. Segundo dados levantados pelo Instituto Paulo Montenegro, por meio do Indicador de Alfabetismo Funcional, e apresentados no relatório de 2018, numa amostra quantitativa que selecionou alguns depoimentos, 29% dos participantes foram considerados analfabetos funcionais (ou seja, são incapazes de compreender textos simples e, mesmo que capacitados a decodificar minimamente as letras, em geral frases e textos curtos, bem como os números, não desenvolvem habilidades de interpretação de textos ou de efetuação de operações matemáticas). Desses, 8% aparecem classificados como analfabetos — não conseguindo realizar tarefas simples como a leitura de frases e palavras — e 22% como analfabetos "rudimentares": aqueles que conseguem localizar "uma ou mais informações explícitas, expressas de forma literal, em textos muito simples. Compara[m], l[eem] e escreve[m] números familiares identificando o maior/menor valor. [...] Reconhece[m] sinais de pontuação [...] pelo menos nome e função". Com relação aos demais participantes, 34% foram classificados com nível elementar — pois "seleciona[m] uma ou mais unidades de informação, observando certas condições, em textos diversos de extensão média [...] Resolve[m] problemas envolvendo operações básicas com números da ordem do milhar [...] Compara[m] ou relaciona[m] informações numéricas ou textuais expressas em gráficos ou tabelas [...] Reconhece[m] significado de representação gráfica de direção e/ou sentido de uma grandeza" — e 12% com nível proficiente: aqueles que "elabora[m] textos de maior complexidade (mensagem, descrição, exposição ou argumentação) [...] interpreta[m] tabelas e gráficos envolvendo mais de duas variáveis [...] Resolve[m] situações-problema relativas a tarefas de contextos diversos".

Já a Pesquisa Nacional por Amostra de Domicílios Contínua (Pnad Contínua), que divulgou resultados do ano de 2017, mostra que o Brasil ainda possui 11,8 milhões de analfabetos, contingente que representa 7,2% da população de quinze anos ou mais. A maior concentração encontra-se na população com mais de sessenta anos e que vive na Região Nordeste. Tal resultado ilumina outro problema crônico: a correlação negativa entre educação no meio rural e concentração de renda. No Nordeste, a taxa de analfabetismo chega a 14,8%, correspondendo ao dobro da média nacional: dos 11,8 milhões, 6,5 milhões vivem nessa região. O analfabetismo cresce, também, quando aumenta a faixa etária da população e quando se destacam marcadores sociais de raça: dentro desse segmento, dos pretos ou pardos, 9,2% são analfabetos e 20,4% têm sessenta anos ou mais.

Houve, porém, avanços consideráveis nos últimos anos, quando os gastos públicos com educação relativamente ao PIB nacional foram bastante superiores às nossas médias históricas e mais semelhantes às médias de nações desenvolvidas. Mesmo assim, é forçoso reconhecer que, após uma longa história de negligência com a educação, ainda sofremos com o analfabetismo, a evasão escolar, e com a grande distorção idade-série que muitas vezes distancia as escolas da realidade dos jovens.

Uma parte significativa da explicação para tal quadro, ou ao menos para o não cumprimento das metas traçadas, pode ser atribuída não só ao passado como à recessão experimentada pela economia brasileira nestes últimos anos. Ela atinge os brasileiros de uma maneira geral, mas prejudica, ainda mais, as populações mais vulneráveis. Jovens pobres e negros, e que não tiveram uma trajetória escolar regular, acabam alocados em serviços temporários, recebendo uma remuneração precária. Dessa forma, apenas respondem às demandas mais imediatas, sem conseguir romper com o ciclo da pobreza em que se veem incluídos.

Esses jovens têm sido definidos como "nem-nem": que não estudam, pouco trabalham e tampouco são contemplados por políticas públicas cujo objetivo consiste em fazer pontes entre projetos educacionais e de emprego. Como as escolas se mantêm distantes do universo deles, os adolescentes perdem a motivação, abandonando mais facilmente os estudos. Por outro lado, aqueles que permanecem nas instituições de ensino, por conta do recorrente atraso escolar e da consequente distorção idade-série, acabam convivendo com turmas afastadas da realidade deles, isso sem contar a dificuldade que sentem em acompanhar o conteúdo ministrado, carregando para os anos subsequentes problemas apresentados já no ensino fundamental.

De toda maneira, existem também conquistas consistentes nessa área. No que se refere à Educação de Jovens e Adultos (EJA) e, comparando com o ano de 2016, houve um crescimento de 3,4% na frequência de alunos no ensino fundamental e de 10,6% no ensino médio. Outro dado positivo é que a proporção de pessoas com mais de 25 anos que conseguiram concluir a educação básica obrigatória aumentou de 45% em 2016 para 46,1% em 2017. Por fim, a média de anos de estudo foi maior em todas as regiões do Brasil, chegando a 9,1 anos em 2017.

É possível afirmar, portanto, que o perfil da educação brasileira apresentou mudanças significativas nas duas décadas passadas, com uma substancial queda nas taxas de analfabetismo, um aumento expressivo no número de matrículas em todos os níveis de ensino e o crescimento das taxas de escolaridade média. Nos últimos anos, e depois de uma longa história de desmazelo com o setor, alcançou-se um expressivo avanço do gasto público com educação. Segundo dados divulgados pela União, entre 2008 e

2017 a proporção de investimentos federais na área de educação em relação à arrecadação do governo central quase dobrou. Em relação ao PIB, no entanto, o crescimento foi apenas equivalente: 1,8% em 2017 contra 1,1% em 2008. Além do mais, o gasto total do Estado com educação (que corresponde aos investimentos da União + municípios + estados) não acompanhou a tendência estável de crescimento dos gastos federais.

De toda forma, seja tomado individualmente, seja comparado com outros países de passado colonial e posição geográfica semelhantes, o panorama educacional brasileiro mostra-se ainda insatisfatório, tanto em termos quantitativos como qualitativos; as populações mais vulneráveis (em termos de região, geração, gênero e raça) sofrendo mais com o analfabetismo e com uma educação mais precária.

São muitos os fatores que explicam a nossa desigualdade social, mas, entre eles, as políticas educacionais continuam a funcionar como um importante gatilho de reprodução das desigualdades. Atualmente, três em cada dez crianças abandonam a escola e, dessas, quase a totalidade provém de áreas economicamente desfavorecidas. Isso sem contar que mais da metade dos alunos do terceiro ano do ensino fundamental apresenta nível insuficiente em leitura e matemática, e que as taxas de evasão escolar, no ensino médio, são da ordem de 11,2%.

Essa forma de desigualdade social, expressa a partir da formação escolar irregular, se aguça quando interseccionada com a dependência de renda de uma pessoa adulta com baixo nível de escolarização. Segundo especialistas, cada ano de escolaridade implica um aumento de renda da ordem de 10% a 20%. Também a qualidade da educação, medida, por exemplo, com base no nível dos docentes, tem a capacidade de contribuir com cerca de 50% na renda das pessoas que possuem o mesmo nível de formação escolar.

Ao escolarizar mal as crianças e jovens menos favorecidos, ao não efetivar uma política mais agressiva de diminuição do analfabetismo, temos colaborado para preservar e até acirrar desigualdades econômicas, sociais e culturais. O déficit educacional é histórico e estrutural por aqui, e continua sendo um dos elementos que mais reproduzem e fazem crescer os gaps sociais no país.

Apenas o combate intenso e efetivo às desigualdades estruturais do Brasil terá a capacidade de criar uma sociedade mais justa e uma democracia mais estável. E esse tipo de desigualdade acaba por deteriorar a malha social e vilipendia nossas instituições republicanas.

Quando se trata de enfrentar a desigualdade, não há saída fácil ou receita de bolo macio. Desigualdade não é uma contingência ou um acidente qualquer. Tampouco é uma decorrência "natural" e "imutável" de um processo que não nos diz respeito. Ao contrário, ela é consequência de nossas escolhas — sociais, educacionais, políticas, culturais e institucionais —, que têm resultado numa clara e recorrente concentração dos benefícios públicos para uma camada diminuta da população.

Nestes tempos em que discursos mais autoritários têm ganhado muito espaço numa série de países, e muito particularmente no Brasil, onde a escola tem sido motivo privilegiado de litígio, uma educação mais autônoma, que procure criar estudantes críticos mas conectados às suas realidades, é boa ação que opera na direção oposta das novas vogas de grande impacto na política e muito pouco alcance no que se refere aos problemas estruturais que afetam nossa sociedade.

O país precisa, mesmo, é de mais programas de capacitação de docentes, da compra de livros para os docentes e para os discentes, que assim formarão suas próprias bibliotecas e entrarão no mundo maravilhoso da leitura, de muito mais verba para a educação e de recursos para uma formação digna nas mais diferentes áreas do conhecimento. Diante deste nosso Brasil tão desigual, é hora de escolhermos as batalhas certas. A minha é por um ensino de qualidade, independente, responsável, ético e laico. Na hora da crise, muitos se deixam levar pela polarização e apontam um bode expiatório. Prefiro apostar na cidadania plena, a qual só existe com um projeto nacional de educação que acredita na ampliação de horizontes, nas escolas democráticas; não em retóricas de coação e ameaça.

Carlos Drummond de Andrade, no texto "A escola perfeita", que faz parte do livro *Contos plausíveis*, de 1985, descreveu o que seria para ele uma escola ideal:

> Era uma escola festiva, em que os macacos, as borboletas, os seixos de estrada não só faziam parte do material escolar como davam palpites sobre a matéria, por esse ou aquele modo peculiar a cada um deles. O entusiasmo foi tamanho que pais e filhos chegaram à conclusão que melhor fora transformar o estabelecimento, já então sem sede fixa nem necessidades de tê-la, numa escola natural de coisas, em que tudo fosse objeto de curiosidade, sem currículo, e sem diploma, onde todos aprendem de todos, na maior alegria e falta de cerimônia, até que o Incra ou outro organismo civilizador qualquer se lembre de dividir as terras de Sambaíba em fatias burocráticas e legais. Será a escola perfeita?

Resposta para o poeta não há, o que sobra é a boa utopia de um país leitor e que veja na escola um lugar "festivo" e "natural de coisas", onde "todos aprendem de todos", e (aliás) na "maior alegria", e sem tantas travas e formas de censura como as que temos visto crescer nestes últimos tempos no Brasil.

6. Violência

O número diário de homicídios no Brasil equivale ao de mortos na queda de um Boeing 737-800 totalmente lotado. Essa é uma das conclusões do *Atlas da Violência 2018*, produzido pelo Instituto de Pesquisa Econômica Aplicada (Ipea) e pelo Fórum Brasileiro de Segurança Pública (FBSP).

Tal quadro nos coloca dentro de um grupo de países considerados violentos, com índices de mortalidade trinta vezes maiores do que aqueles observados, por exemplo, no continente europeu. Registram-se aqui cerca de 171 mortes por dia e, levando-se em conta os dados de 2016, 62,5 mil anuais, sendo que, apenas na última década, houve 553 mil mortes por homicídio doloso.

O mesmo relatório atesta que no Brasil, pela primeira vez, o número de mortes violentas superou a casa dos 60 mil em um ano. Aliás, segundo o *Atlas da Violência 2018*, também pela primeira vez o país atingiu a taxa de trinta assassinatos para cada 100 mil habitantes. Contabilizando-se 62 517 homicídios, a taxa atingiu 30,3.

O Brasil apresenta índices que se comparam aos da Colômbia, e só perdemos para Belize, Honduras, para a própria Colômbia e El Salvador. É fato que a Organização Mundial da Saúde (OMS) possui dados confiáveis apenas para alguns países. A maioria das nações africanas, por exemplo, está fora da lista de registros de alta qualidade. Mesmo assim, com os números que efetivamente conhecemos, é possível ter certeza de que as taxas de mortes violentas são muito mais altas na América Latina do que no restante do mundo.

A despeito de contarmos com índices muito elevados, de uma maneira geral existem também discrepâncias significativas entre as unidades da federação. Sergipe e Alagoas, com taxas respectivas de 64,7 e 53,4 por 100 mil habitantes, apresentam índices superiores à média nacional de trinta assassinatos por 100 mil habitantes. Se há estados com taxas menores — como São Paulo, 10,9; Santa Catarina, 14,2; e Piauí, 21,8 —, há, porém, unidades da nação cujos registros cresceram mais nos últimos dez anos: o Rio Grande do Norte, por exemplo, apresentou a maior alta, chegando a 256,9%.

Notam-se, ainda, discrepâncias consideráveis no que se refere ao quesito geração. A taxa de homicídios de jovens por 100 mil habitantes é pior do que aquela que mencionamos acima: os 33 590 jovens assassinados em 2016 representam um aumento de 7,4% em relação ao ano anterior. Se levarmos em conta os "homens jovens", de quinze a 29 anos, a taxa nacional chega a 122,6 por 100 mil habitantes. Segundo dados do *Atlas da Violência*, os homicídios respondem por 56,5% da causa de óbito de homens entre quinze e dezenove anos. Em números absolutos, de 2006 a 2016, ou seja, no espaço de dez anos, 324 967 jovens foram assassinados no Brasil.

O *Atlas* mostra, além disso, que entre 1980 e 2016 cerca de 910 mil pessoas morreram por causa do uso de arma de fogo no país. No ano de 2016, por exemplo, 71,1% dos homicídios foram praticados com esse tipo de instrumento. De acordo com o estudo, uma verdadeira corrida armamentista, que vinha acontecendo desde meados dos anos 1980, só se interrompeu em 2003, quando foi sancionado o Estatuto do Desarmamento. Na década de 1980, a proporção de homicídios já girava em torno de 40%, e o índice cresceu ininterruptamente até 2003, quando atingiu o patamar de 71,1%, ficando estável até 2016.

Em que pesem os limites impostos pelo Estatuto, segundo dados do Exército, obtidos via Lei de Acesso à Informação pelo Instituto Sou da Paz, cerca de seis armas são vendidas por hora no mercado civil nacional. Apenas de janeiro a agosto de 2018, já haviam sido comercializadas 34 731 armas. O número de novas licenças para pessoas físicas também cresceu enormemente, passando de 3029 em 2004 para 33 031 no ano de 2017. Seguindo a mesma tendência, o registro para colecionadores, caçadores e atiradores desportivos praticamente dobrou. Em 2012, foram 27 549 e, em 2017, 57 886. Assim, há mais de meio milhão de armas nas mãos de civis, chegando-se a um total de 619 604.

Na contramão de tendências expressas pelo atual governo, que tem defendido a facilitação da venda de armamentos, os resultados do *Atlas da Violência* revelam que, se uma série de fatores precisam ser atacados conjuntamente para garantir que o Brasil seja um país menos violento, o controle das armas de fogo continua sendo uma estratégia central. Afirmam seus autores que, na última década, os estados onde se observou maior crescimento da violência letal são também aqueles em que houve, concomitantemente, maior crescimento de vítimas por arma de fogo.

O Estatuto do Desarmamento, que entrou em vigor no dia 22 de dezembro de 2003 por meio da lei n. 10826, proíbe o porte de armas, abrindo exceção apenas para os casos de necessidade comprovada, os quais, mesmo assim, terão uma duração determinada previamente. Todavia, a licença pode ser cassada a qualquer momento, sobretudo se o portador for abordado em estado de embriaguez, ou sob efeito de drogas ou medicamentos que provoquem alteração na capacidade intelectual ou motora.

Tomando a data da promulgação da lei, e transformando em números as afirmações dos autores do *Atlas*, é possível sustentar que, no período que vai de 2003 a 2012, cerca de 120 mil mortes por arma de fogo foram evitadas no país. Essa quantidade corresponde a um Maracanã antigo lotado e a quase uma Hiroshima ou duas Nagasakis; tudo no espaço de uma década.

O impacto positivo do Estatuto do Desarmamento sobre os indicadores da violência no Brasil é, portanto, inegável. Visto por outro ângulo, e tomando-se os anos que antecederam a entrada em vigor da lei — de 1980 a 2003 —, o aumento médio do número de homicídios por arma de fogo chegou a 8,36% ao ano, o percentual caindo para 0,53% com o começo do cumprimento do Estatuto.

Mesmo assim, e de acordo com a Organização Mundial da Saúde, 123 pessoas morrem vítimas de homicídio por arma de fogo todos os dias no nosso país. Conforme a Faculdade Latino-Americana de Ciências Sociais, que elabora os estudos para o *Mapa da Violência*, somente no ano de 2014 ocorreram cinco mortes por hora, registrando-se um total de 44 861 vítimas. O Brasil mata 207 vezes mais que Alemanha, Áustria, Dinamarca e Polônia, quando as mortes violentas são causadas pelo uso de arma de fogo. Além do mais, segundo o Ministério da Saúde, entre 2015 e 2018 houve 518 internações na faixa etária de até catorze anos, motivadas pela existência de arma em casa.

Na contramão desses dados, apenas em 2014 mais de 24 mil novas armas foram registradas por cidadãos no país, revelando-se não uma eventualidade, mas antes uma tendência. O certo é que existem provas de que os brasileiros voltaram a se armar privadamente, apesar da blindagem do Estatuto. O fenômeno é preocupante porque demonstra não só o desrespeito ao espírito dessa lei, que buscou incentivar a pacificação no território nacional com a redução dos indicadores de criminalidade, como uma predisposição apoiada por vários setores do Estado.

Não são poucos os motivos que depõem contra o armamento. Um deles é o dado de que armas compradas no mercado legal acabam por reforçar o arsenal das quadrilhas de bandidos. Só em 2014, mais de 10 mil armas com registro legal foram roubadas ou furtadas, o que equivale a 30% das licenças concedidas pela Polícia Federal. Mas há outro efeito deletério da proliferação de armamento: a CPI do Tráfico de Armas estimou, apenas no ano de 2006, que, para um aumento de 1% do número de armas nas mãos da população, há um crescimento de 2% nos índices de homicídio.

O tema se mantém polêmico, pois tais argumentos não têm impacto em certos setores da sociedade, representados por um grupo de parlamentares que atuam no Congresso, a assim chamada "bancada da bala", os quais continuam atacando o Estatuto do Desarmamento e defendendo uma maior "flexibilização da lei". Entre as propostas do setor estão o aumento do número de armas, de seis para nove, por civil; a redução da idade mínima para o porte de arma; e o fim da necessidade de revalidação da licença a cada três anos. Parte dessas demandas foram atendidas pelo novo governo, e já no princípio da gestão, em 2019.

O que esse tipo de argumento *não* avalia, porém, é que a escalada das armas, embora possa resolver problemas internos, pode provocar ainda mais violência. Conforme explica Óscar Martinez, jornalista do site El Faro, de El Salvador, "quem promete balas, oferece demagogia". Isto é, alega-se que as armas garantiriam a segurança e acabariam com a violência quando elas têm a capacidade de a exponenciar.

Até mesmo o armamento de equipes policiais, quando mal treinadas e mal preparadas, pode ter consequências desastrosas. Segundo dados da Organização das Nações Unidas, a polícia brasileira é considerada uma das mais violentas do mundo. Já a Anistia Internacional revela que, apenas no estado de São Paulo, ao menos mil mortes por ano foram cometidas pela Polícia Militar.

Por outro lado, uma pesquisa conduzida pelo Fórum Brasileiro de Segurança Pública no ano de 2018 mostra que 62% dos moradores das cidades com mais de 100 mil habitantes têm medo de sofrer agressão da parte da polícia. Foram entrevistadas 1307 pessoas, distribuídas por todas as regiões do país, e suas respostas ecoam e atualizam uma certa representação consagrada na época da ditadura militar, e no ambiente pesado da repressão dos anos 1970, quando Chico Buarque de Hollanda, nas notas da canção, desabafava com um sonoro "chame o ladrão". A polícia, nos casos em que age com violência, perde seu lugar como força de proteção dos cidadãos, deturpando-se os princípios que deveriam nortear sua atuação. E, se policiais matam muito no Brasil, também morrem bastante. Foram 385 indivíduos em 2017, 437 em 2016, e 372 em 2015. Também nesse caso, as estatísticas do ano de 2017 são lideradas por vítimas negras (56%), contra 43% de brancos.

Fatores de ordem histórica podem ajudar a explicar os índices de violência existentes no Brasil. Um disseminado sistema escravocrata como o nosso só foi sustentado a partir da manutenção de uma verdadeira maquinaria repressora, administrada pelos próprios senhores de terra e contando com a conivência do Estado. Dessa maneira, se a história não dá conta de responder pelos dados do presente, denuncia, porém, padrões de continuidade. E, a despeito de a violência epidêmica praticada no país não ser um problema recente, ela também não pode ser explicada com base numa única circunstância. Uma reversão de expectativas na área da saúde, bem como a escalada da violência que criou um ambiente de ceticismo com relação à segurança pública, formou o terreno propício para que se semeassem saídas urgentes e mais radicais. Não obstante, questões profundas como essas não se produzem de repente, e muito menos por obra da força da história. Por isso mesmo, apesar de a violência e a demanda por segurança terem se definido como os temas que mais impactaram as eleições de 2018, e revelarem reclamos legítimos por parte da população, a saída para o problema encontra-se distante das receitas mais imediatas, como apenas recrudescer o policiamento e armar a população. Em períodos de crise é fácil oferecer propostas imediatistas embrulhadas em formatos autoritários. Como define Conrado Hübner Mendes, "o placebo político é [...] um estratagema ilusionista. Deixa a patologia social intocada, mas aplaca por um momento os sintomas e gera a sensação efêmera da cura".

As questões que assolam os brasileiros são bem mais complexas e estão ligadas à nossa renhida desigualdade social. A tolerância da brutalidade policial, a redução da maioridade penal e o incentivo ao armamento dos cidadãos representam grandes doses de um xarope sem prescrição médica e que atende pelo nome de autoengano.

VIOLÊNCIA URBANA E INSEGURANÇA

De tão espraiada, a violência apresenta várias faces e ângulos no Brasil. Roubos e furtos ocupam lugar privilegiado entre as contravenções que mais incomodam os cidadãos. Segundo o Sistema Nacional de Informações de Segurança Pública, Prisionais e sobre Drogas (Sinesp), a média anual de mortes em assaltos com uso de arma de fogo chega a 1,7 mil. Já conforme o *11º Anuário do Fórum Brasileiro de Segurança Pública*, o crime subiu 57,8% desde 2010. São em média 2,5 mil registros ou sete casos por dia, resultando em 13,8 mil assassinatos praticados durante roubos. A mesma pesquisa mostrou que, entre 2015 e 2017, os latrocínios aumentaram em dezenove estados da União. Em 2014 um carro foi roubado a cada dois minutos e meio no país, resultando num total de 213,4 mil carros roubados no ano.

Por sinal, o Brasil é um dos países que contam com a maior frota de carros particulares, tendo feito essa opção nas décadas de 1950 e 1960, quando o transporte ferroviário foi praticamente interrompido. O número de carros cresce a cada ano. Em pesquisa realizada em 2017, apontou-se que existe um automóvel para cada 4,8 habitantes, num total de 43,4 milhões de veículos circulando no território nacional. Por isso não é de estranhar que por aqui os acidentes de trânsito sejam considerados, pela OMS, uma das formas mais frequentes a envolver violência e perecimento. Segundo o Ministério da Saúde, registramos uma média de 42 mil mortes desse tipo todo ano.

Assassinatos também fazem parte da conta pesada da violência no país. De janeiro a maio de 2018, foram mortas 21305 pessoas. Tal número contabiliza homicídios dolosos, latrocínios e lesões corporais seguidas de morte, os quais constituem os assim chamados crimes violentos letais e intencionais.

Outro grande disparador das taxas de violência urbana é o narcotráfico. Como mostra Sergio Fausto em artigo na revista *piauí* de janeiro de 2019, a taxa de homicídios praticamente triplicou desde que começou a ser medida, no ano de 1979. Em 1980 a média era de onze mortes por 100 mil habitantes, tendo superado os trinta casos por 100 mil habitantes em 2017. E boa parte desses registros, assim como a consequente deterioração da segurança pública, é decorrência do crescimento do narcotráfico e de seu controle por facções criminosas e milícias, as duas contando com a conivência da banda podre da polícia. O Brasil converteu-se no principal corredor de passagem de drogas para a América do Norte e Europa Central, segundo o Escritório das Nações Unidas sobre Drogas e Crime (Unodc). Internamente o consumo é também elevado; o país é o segundo maior consumidor de cocaína do mundo.

As atividades ligadas ao narcotráfico representam 70% das prisões. Facções do crime organizado controlam 11 milhões de pessoas residentes em favelas, e criaram um poder paralelo e uma economia ilegal, além de gerar muita violência com sua presença nas ruas das grandes e pequenas cidades. Não é muito distinta a atuação das milícias, as quais, como veremos, se comportam como grupos criminosos, pressionando as populações das periferias em troca de proteção.

Dentre os vários registros de crimes por uso indevido do poder, destacam-se as taxas elevadas de abuso infantil. Segundo estimativa da Secretaria de Direitos Humanos da Presidência da República, em 2017 foram 84 049 casos envolvendo crianças e adolescentes. Os principais criminosos são membros da família, o que explica também a elevada subnotificação, que chega ao patamar de 74%. Num país de claros déficits educacionais, não parece mero acaso a alta incidência de crimes praticados contra crianças, muitas delas destituídas do acompanhamento que o ambiente escolar pode garantir.

Enfim, o crescimento da criminalidade, letal ou não, tem gerado o aumento da sensação de impunidade entre os brasileiros que vivem nas cidades. Também explica, em parte, a guinada autoritária que o país vem conhecendo nestes últimos anos. Para acabar com a violência, os eleitores exigem medidas igualmente violentas.

No entanto, e como vimos, se as saídas mais imediatistas e performáticas têm a capacidade de acalmar momentaneamente a população, elas não dão conta de enfrentar os desafios, de fato sistêmicos e estruturais, que envolvem a cotidiana realidade da violência: a desigualdade social, a formação educacional deficiente, a crise econômica, a recessão, a corrupção, o desemprego e também a ineficiência policial, bem como os problemas apresentados em programas estaduais de redução de criminalidade, que vêm perdendo em números absolutos de investimento.

Segundo a OMS, o Brasil vive hoje uma "epidemia de violência", que se transforma num grande obstáculo para o seu desenvolvimento econômico. Por sinal, a OMS passou a caracterizar esse tipo de violência como uma patologia específica, que inclusive consta na Classificação Internacional de Doenças (CID).

O aumento do latrocínio e de crimes associados à violência letal produz um sentimento disseminado de vulnerabilidade, que inibe a livre circulação nas cidades e gera muito medo. Medo e insegurança são sensações reais, as quais aparecem refletidas nos dados das pesquisas nacionais e internacionais que registram o Brasil como um dos países campeões de violência urbana. Tais sensações também aparecem expressas no número de eleitores que em 2018 associaram o tema da segurança a candidatos que prometeram respostas instantâneas e que implicam o uso de mais coerção por parte do Estado.

Se é preciso encontrar saídas urgentes, e que atendam as demandas legítimas da população, o certo é que só se combatem problemas infraestruturais com medidas de curto, médio mas também de longo curso. Sem elas, essa continuará a ser uma história distante do "viveram felizes para sempre". Soluções autoritárias que prometem tempestade entregam, na maioria das vezes, apenas ventania.

VIOLÊNCIA NO CAMPO

A disputa pela posse de terras no campo é das maiores causas de morte no Brasil, e vitima especialmente as populações indígenas, cujos direitos constitucionais, os quais lhes facultam a posse de terras que pertenceram a seus ancestrais, são constantemente desrespeitados. Essa não é, entretanto, uma história dos tempos de agora. Os registros da prática remontam ao período colonial, quando se chamou de "descoberta" o que foi, na verdade, invasão de um território densamente povoado.

A existência de documentos atestando a utilização de mão de obra indígena escravizada data dos primórdios da colonização portuguesa, quando as várias nações nativas cumpriram o papel de trabalhadores alternativos e paralelos ao braço africano. Isto é, a despeito de serem considerados "súditos da Coroa", os índios podiam ser legalmente escravizados. No início do século XVI, os povos da costa foram explorados na extração do pau-brasil e compensados pelo "escambo" de alguns objetos, como facões, espelhos e até aguardente. Já no final dos Quinhentos, povos residentes no território do atual estado do Amazonas eram capturados e empregados nas "lavouras de drogas do sertão", como era conhecido o comércio de especiarias.

Foi somente a partir do século XVII que impedimentos legais passaram a restringir a utilização de mão de obra indígena. No entanto, nunca faltaram recursos para justificar a escravização desses povos. Índios poderiam conhecer o cativeiro por "guerra justa" — quando se mostravam "hostis" aos colonizadores — ou ser comprados como prisioneiros de guerras internas, atividade designada pela expressão "compra à corda". Os nativos também costumavam perder na "batalha biológica" com os europeus que aqui chegaram. Podiam perecer devido a um simples resfriado, ou devido a gripe, sarampo e varíola; doenças contra as quais o corpo deles não tinha defesas. O certo é que, ao longo da história nacional, os povos indígenas foram dizimados pela violência dos colonizadores brancos, expulsos de suas terras e mortos por moléstias que lhes eram estranhas, além de serem expostos a práticas que pretendiam impor a sua invisibilidade.

É falsa, todavia, a imagem criada pelos colonizadores europeus que representa os indígenas como passivos e fracos; entregues aos ditames daqueles. Habituados ao território em que nasceram, eles formavam, nas palavras da antropóloga Nádia Farage, verdadeiras "muralhas dos sertões", rebelando-se, fugindo, realizando emboscadas e assassinando. Por vezes, indígenas e africanos lutaram juntos, noutras ocasiões os "naturais da terra" eram utilizados pelos capitães do mato nas razias ou na captura de escravizados africanos fugidos.

Não existiu, portanto, nada de idílico no (des)encontro entre indígenas e colonos. Segundo a antropóloga Manuela Carneiro da Cunha, estima-se que de 1 milhão a 8,5 milhões de nativos habitavam as terras baixas da América do Sul na época da chegada dos europeus. Se assim tiver sido, é possível considerar que um punhado de colonos teria logrado a triste façanha de despovoar um continente densamente povoado. Os historiadores não diferem ao avaliar a magnitude da catástrofe; variam, porém, nas proporções de perdas. Para alguns, de 1492 a 1650 a América perdeu um quarto de sua população; para outros a queda foi da ordem de 95% a 96%. Em ambos os casos, a certeza é que ocorreu um genocídio.

No entanto, em que pesem o elevado número de perdas humanas e o arbítrio praticado contra tais populações, tanto na época da colonização como nos dias de hoje, uma atitude geral parece prevalecer com relação aos indígenas: procura-se tornar sua presença basicamente invisível no Brasil, tirando-se deles o direito à propriedade e à autoafirmação. Por vezes tratados como "crianças" que não alcançaram a maioridade, por vezes entendidos como sujeitos políticos predispostos à "extinção natural", o efeito comum é o de buscar negar a essas pessoas sua própria história, a prática de seus costumes e a riqueza de suas cosmologias.

Uma marca forte do autoritarismo que imperou na relação com essas populações pode ser simbolizada na figura dos bandeirantes, que, durante muito tempo, foram compreendidos apenas como heróis nacionais, não só porque desbravaram matas e florestas selvagens, ampliando as fronteiras do país, como porque teriam "domado" indígenas "bravios e avessos à civilização".

Dentro de uma narrativa que primou por negar a vigência de outras histórias e obliterar o que não fosse o fio da navalha da colonização, não havia espaço para incluir as experiências e sofrimentos alheios. Todavia, mais recentemente, uma série de pesquisas vêm revelando a atuação fundamental dos bandeirantes como escravizadores de indígenas, majoritariamente entregues por eles aos grandes proprietários mas também aos pequenos e médios lavradores ou moradores das cidades para que os utilizassem como mão de obra barata.

Construíam-se, pois, imagens contrapostas e "excessivas": ou a passividade extrema ou a agressividade, igualmente extrema. Nos dois casos, porém, o caminho era o extermínio, como se os índios fossem grupos derradeiramente presos ao passado e que não teriam direito ao presente e muito menos ao futuro.

No decorrer do Segundo Reinado o modelo dominante não seria muito distinto do adotado durante o período colonial, por mais que o governo alardeasse uma política que apregoava a inclusão e o estudo dos povos nativos. O imperador d. Pedro II financiou, pessoalmente, nas artes plásticas, na literatura, na ficção e na historiografia a formação de um "indianismo romântico", que idealizou a imagem de um país composto de raças diferentes mas cujo desígnio era serem todas dominadas ou desaparecerem, como no caso dos nativos, e do mito criado pelo naturalista Von Martius, diante da superioridade europeia.

Romances como *Iracema* (1865), de José de Alencar, ou o poema épico *A Confederação dos Tamoios* (1856), de Gonçalves de Magalhães, representam o ápice desse modelo, o qual, no limite, determinava que o destino indígena era perecer para que a civilização vingasse. *Iracema* não demorou a se transformar num romance de formação, trazendo no próprio título o anagrama de "América". Num livro repleto de simbolismos, o nome da heroína, que na língua tupi — povo eleito pelo romantismo para figurar como "os bons selvagens" — queria dizer "saída do mel", foi traduzido como "lábios de mel", numa referência à "docilidade" e "torpor" das nativas e das "virgens" do Brasil. Na trama, o personagem se enamora de um guerreiro europeu, Martim, perde a virgindade e dá à luz um menino — Moacir —, cujo nome significa "filho do sofrimento". Como num jogo de metáforas, é a indígena quem morre para que seu filho sobreviva e, com ele, se inaugure uma nova nação, mestiça conquanto que dominada pelo europeu colonizador.

Numa boa releitura da fábula de Von Martius, aqui "mestiçagem" também não é apenas sinônimo de "mistura". No romance, que propositadamente não destaca marcas temporais ou uma geografia precisa, ocorre uma interdição básica, sendo a morte de Iracema aquela que anuncia o destino "civilizado" da nação que irá se impor "naturalmente" nas Américas. A violência e o massacre dos índios são escamoteados a partir dessa visão de fundo eurocêntrico, que procura fazer da história política um mero exercício de idílio. A imagem da indígena é também estereotipada a partir da representação da "entrega" das mulheres nativas aos colonos, como se a hierarquia entre gêneros não fosse, igualmente, uma forma de arbítrio e de poder nas mãos do colonizador.

A Confederação dos Tamoios foi totalmente financiada pelo imperador para se converter num épico nacional. Esse é, ainda, o nome que se dá à última revolta dos tupinambás (1554-67), povo que ocupou o litoral do Brasil entre Bertioga e Cabo Frio, e resistiu bravamente. Já na obra de Magalhães a conquista é relatada como uma derrota; ou melhor, como o momento simbólico que marca a convicção dos indígenas de que a conversão era a melhor e única saída para eles. Mais uma vez, a violência praticada pelos homens é transformada em destino, ocorrendo uma clara inversão: o extermínio vira desejo, contando com o Estado e a Igreja a justificá-lo.

Na tela de Rodolfo Amoedo chamada *O último tamoio* (1883), e também realizada por mecenato de d. Pedro II, vemos o chefe indígena praticamente sem vida, sendo velado por um jesuíta, o próprio José de Anchieta (inexplicavelmente trajado como franciscano), que acompanha sua morte lenta e tranquila. A morte representa a derradeira submissão do bravo guerreiro. Os trópicos ambientam a cena, devidamente edenizada, e não há traços de violência ou arbítrio. Ao contrário, a América parece se curvar diante da Europa e assim fundar uma nova nação, a partir do "sacrifício voluntário" e dadivoso de seus naturais.

Rodolfo Amoedo, O último tamoio, *1883, Museu Nacional de Belas Artes.*

O certo é que o Império, que tanto se orgulhava de estimular o estudo das línguas nativas, não deixou de massacrar essa população, assim como criou uma espécie de hierarquia entre os "bons" e os "maus" indígenas. Os tupis seriam os "nativos do romantismo" e aqueles que "colaboravam", com sua submissão, para o bom desenlace nacional. Já os caingangues, que lutavam pela manutenção de suas terras no Oeste Paulista, passaram para a história como "selvagens", quando não como "degenerados".

Dessa maneira sub-reptícia, difundia-se a mensagem de que aqueles que se acomodavam ao domínio branco correspondiam aos "bons selvagens", enquanto os que se revoltavam pareciam estar presos a uma curva errada da estrada que conduzia à civilização. Trata-se, pois, de uma visão específica e seletiva de história, que valoriza aqueles que não lutam por seus direitos, e discrimina os povos que se revoltam e não se conformam com a invasão de suas terras, de suas propriedades e culturas.

O problema é que tal perspectiva, tão romântica quanto violenta, tendeu a se eternizar no Brasil. Tanto que os indígenas fizeram parte, sistematicamente, dos grupos excluídos da Primeira República de 1889. Se mesmo durante o Império o interesse foi mais retórico que pragmático, e se os nativos figuraram antes no romanceiro romântico e na pintura histórica do que em políticas de efetiva aplicação, com a República o apagamento seria ainda mais evidente. Caso exemplar foi o massacre dos caingangues em 1905, para que a Estrada de Ferro Noroeste do Brasil pudesse ser construída. Na época, o cientista Hermann von Ihering, então diretor do Museu Paulista, foi aos jornais defender o extermínio desse grupo. Os trilhos da civilização precisam passar, esbravejava ele, expondo publicamente sua visão de que os indígenas, que nunca foram entendidos como proprietários ou bons vizinhos, eram uma sorte de impedimento humano.

O processo de demarcação das terras guaranis, xavantes e caingangues começou ainda no Segundo Reinado, mais precisamente em 1880. E se as duas primeiras nações foram "integradas", mesmo que ao preço de serem quase dizimadas, ao menos naquele contexto, a última lutou bravamente contra a invasão de suas terras. A situação só foi controlada em 1911, graças à intervenção do Serviço de Proteção ao Índio (SPI), mas apenas depois de o grupo ter sido praticamente abatido. Na condução dessa instituição estava Cândido Mariano Rondon, militar e sertanista, que a partir de 1890 instalou linhas telegráficas no Centro-Oeste, integrando a região até a Amazônia. Já nessa época, o governo republicano andava atento à área, que se mantinha isolada dos grandes centros e situava-se em zona estratégica de fronteira. A saída foi buscar a "integração" dos povos, mapeando-se o local, desbravando suas terras e procurando estabelecer contato com eles.

Mas em cada região a política de terras foi distinta, ainda mais se lembrarmos que existiam áreas consideradas "novas" — como a Amazônia, "redescoberta" por conta da expansão da borracha — e outras de colonização antiga. De toda forma, em inícios do século XX a questão indígena ia aos poucos se desvinculando do tema da mão de obra, para se configurar como um problema de posse da terra. Nas regiões de povoamento antigo, a ordem era controlar as terras dos aldeamentos. Já nas frentes de expansão ou rotas fluviais, a despeito de ainda se fazer extenso uso de mão de obra indígena, agora o objetivo primordial era a conquista territorial, justificada a partir da noção da "segurança dos colonos".

As diretrizes eram, ou o extermínio dos índios "bravos", ou a "civilização", o que implicava incluí-los mas também subjugá-los. Ademais, nesse momento dado à voga do positivismo e das teorias deterministas raciais, a certeza do progresso e da evolução única levava a justificar uma política de extermínio, como se tais populações estivessem previamente condenadas ao desaparecimento. Apesar dos termos expressos na Constituição republicana, tardaria para que uma política mais sistemática de proteção e inclusão fosse implementada, e mesmo essa, nos tempos atuais, precisa de muita retificação para que as terras indígenas não estejam sujeitas a constante risco e sob litígio e disputa de responsabilidade.

O tema anda particularmente presente nestes últimos anos, em que políticos e setores do agronegócio põem em questão o direito dos indígenas a suas reservas e atualizam argumentos do passado. Também tem se procurado desautorizar instituições como a Fundação Nacional do Índio (Funai), órgão criado em 1967 cuja missão, entre outras, é executar as políticas indigenistas do governo federal, protegendo direitos desses povos, identificando, delimitando e demarcando suas terras. Num dos primeiros atos do governo eleito em 2018, a demarcação de terras indígenas passou para a alçada do Ministério da Agricultura, numa tentativa de esvaziar as funções da Funai (transferida para a pasta de Direitos Humanos), abrindo incontestável conflito de interesses. É difícil entender como se desloca a competência de demarcação de terras indígenas a grupos que visam à supressão das mesmas. Alguns meses depois, a Funai voltou para o Ministério da Justiça e readquiriu a competência de demarcar terras, mas logo houve nova investida do governo para reverter a decisão. O fim desse processo segue incerto.

De toda maneira, essas são políticas antigas que objetivam deslegitimar direitos e justificar a invasão de reservas. A despeito de as terras indígenas serem garantidas pelo capítulo VIII do título VIII da Constituição de 1988, segundo o Conselho Indigenista Missionário (Cimi) pelo menos 68 indígenas são assassinados todo ano no país e sempre em conflitos vinculados à posse de terra. Só em 2015 eliminaram-se 137 pessoas. Em 2017, 110 índios foram mortos, dezessete deles em Mato Grosso do Sul. A principal causa é o conflito no campo, afirmou o coordenador do Cimi, Roberto Liebgott. "Onde há resistência indígena, geralmente pessoas são marcadas como líderes e aí passam a sofrer todo tipo de repressão, ameaças e inclusive assassinatos."

A invasão de terras indígenas é outro problema grave. Essas áreas são cada vez mais cobiçadas por causa das riquezas naturais nelas contidas. O número de invasões aumentou de forma expressiva, de 59 registros em 2016 para 96 em 2018, sendo cinco deles no estado de Mato Grosso do Sul. Para o Cimi, trata-se de reflexo da falta de demarcação das terras e de proteção às comunidades.

A ONG britânica Global Witness concluiu que em 2017 o Brasil foi o país mais letal também para ativistas e defensores da Terra e do meio ambiente. Em seu terceiro relatório anual sobre as lutas por direitos humanos ligados aos recursos naturais, e que abrange 22 países, o texto intitulado "A que preço?" destaca o agronegócio como o setor mais violento, responsável por 46 mortes no período estudado. Claro que não se pode generalizar e dizer que todo agronegócio é violento, mas chama atenção como o setor desbancou a mineração, que aparecia em primeiro lugar em anos anteriores.

Em razão do elevado número de mortes de índios, resultado de disputas históricas em todo o território, no primeiro semestre de 2016 a ONU emitiu um alerta para o governo brasileiro, o qual, no entanto, não surtiu grande efeito. Os vários governos da, assim chamada, Terceira República têm falhado, continuamente, em demarcar e proteger as terras indígenas, atitude que vai ocasionando conflitos intermitentes entre agricultores, povos nativos e ativistas. Por conta da tensão, verifica-se também um aumento dos casos de suicídio entre os índios, sem contar a taxa de mortalidade infantil nesses grupos, quase duas vezes mais alta do que a média nacional, que é de 13,8: em 2016, foram 26,3 mortes para cada mil nascimentos. O relatório do Cimi destaca que tais mortes são causadas por diarreia, desnutrição e outros problemas que poderiam ser evitados com melhor assistência de saúde. Em 2017, 702 crianças de até cinco anos de idade morreram no país. Delas, 107 viviam em terras indígenas de Mato Grosso do Sul.

Áreas indígenas estão sempre em mudança, já que seu processo de demarcação é lento; muitas delas se acham judicializadas ou ainda em fase de identificação e delimitação. Na Amazônia há 419, sendo que outras 279 encontram-se dispersas pelo resto do país. De acordo com a Funai, em 2010 havia 688 terras indígenas e algumas aldeias urbanas. Segundo dados do Censo do mesmo ano, os mais de 240 povos nativos espalhados pelo Brasil somavam 896 917 pessoas. Dessas, 324 834 viviam em cidades e 572 083 em áreas rurais, o que corresponderia a 0,47% da população total. Hoje existem apenas treze terras homologadas com 1,5 milhão de hectares. As demais continuam classificadas com status de "sem providência", o que sinaliza a provisoriedade das políticas sociais.

Desde a aprovação do Estatuto do Índio, em 1973, esse reconhecimento formal passou a obedecer a um procedimento administrativo previsto no artigo 19 daquela lei. De maneira complementar, a Constituição de 1988 dedicou um capítulo específico — nos artigos 231 e 232 — aos direitos dos índios. Não estamos, portanto, diante de uma questão "ideológica", para ficarmos com os termos do debate atual, que tem usado e abusado do conceito. Na realidade, trata-se de direitos conquistados, e a bem da verdade reassegurados, uma vez que a inalienabilidade das terras indígenas já estava prevista nas cartas constitucionais de 1934, 1937, 1946 e 1967.

Essas terras são, em primeiro lugar, fundamentais para a reprodução física e sociocultural dos povos indígenas. A atividade desses grupos é também essencial para a preservação e cultivo sustentado das nossas florestas, que vêm sendo mantidas, durante séculos a fio, com um manejo equilibrado. Por fim, a autodeterminação, a igualdade e o direito à preservação das terras são reconhecidos internacionalmente na Declaração das Nações Unidas sobre os Direitos dos Povos Indígenas, da qual o Brasil é signatário.

Como mostra Manuela Carneiro da Cunha, em artigo na revista *piauí* n. 148, as velhas práticas não mudam. O Estado tem se preocupado em "trazer" as sociedades indígenas para a civilização, mas buscando descaracterizá-las. Nos termos da antropóloga, porém, "integrar não é mais tentar eliminar diferenças, e sim articular com justiça as diferenças que existem". Derrubar as matas não é, e nunca foi, ato exclusivo de benfeitoria à nação. Os melhores conhecedores da floresta são as populações tradicionais, verdadeiras experts na diversidade socioambiental brasileira. Apenas 10% dos supostos 2 milhões de espécies de fauna, flora e micro-organismo da nossa biodiversidade são conhecidos. E é essa diversidade humana — são 305 etnias e 274 línguas diferentes — e biológica que precisa ser tomada como ativo nacional. Vale a pena lembrar, ainda, que desde a era pré-colombiana e até os dias de hoje tais povos contribuem para o enriquecimento do solo e da cobertura da floresta, cultivando batata-doce, cará, amendoim, cacau, mandioca, abóbora e uma imensa variedade de espécies agrícolas.

Mesmo assim, e a despeito de tantos argumentos e proteções legais, a demarcação das terras indígenas continua sendo uma questão crônica no Brasil, particularmente aguda neste nosso momento de afetos e ódios polarizados. Num contexto em que uma série de pessoas se sentem espoliadas, nada melhor do que simplesmente desqualificar sujeitos sociais de seus direitos mais fundamentais. Problemas bastante semelhantes enfrentam os territórios de remanescentes de quilombos, que remontam ao período colonial mas permanecem ainda muito distantes das políticas públicas, tornando-se alvo para todo tipo de conflito.

Embora desde 1988 a Constituição Federal já conceituasse como patrimônio cultural brasileiro os bens materiais e imateriais dos diferentes grupos formadores de nossa sociedade, apenas com o Ato das Disposições Constitucionais Transitórias foi reconhecido o direito de os remanescentes das comunidades dos quilombos que estivessem ocupando suas terras terem a propriedade definitiva destas, sendo obrigação do Estado emitir os títulos respectivos. Não obstante, somente em 2003 foi regulamentado o reconhecimento, demarcação e titulação dessas terras. Atualmente são mais de 3,2 mil comunidades quilombolas espalhadas pelo país, e mais de 250 processos em análise técnica; muitos grupos lutando pelo direito às suas propriedades, garantido pela Constituição Cidadã. Segundo a Agência Brasil, desde 1988 o Estado brasileiro reconheceu oficialmente cerca de 3,2 mil comunidades quilombolas. Quase 80% delas foram identificadas a partir de 2003, quando se editou o decreto 4887. Entre 2003 e 2018, 206 áreas quilombolas, com cerca de 13 mil famílias, foram tituladas pelo Incra. Apesar disso, até o ano de 2018 menos de 7% dessas terras eram reconhecidas como pertencentes a remanescentes de quilombos ou se encontravam regularizadas.

Política é a arte de construir consensos. No entanto, quanto mais conservadores são os regimes políticos, maior é a tendência que têm de desconhecer as histórias das minorias nacionais, transformando-as em "estrangeiros em sua própria terra" e assim anulando, sistematicamente, seus direitos. Só se constrói uma democracia republicana quando, de fato, se incluem diferentes povos a partir de seus conhecimentos acumulados.

O reconhecimento desses atores políticos, até há pouco tempo apartados da cidadania plena, faz parte de contextos de expansão e distribuição dos direitos democráticos. Já a regressão aos interesses privados e setorializados — como madeireiras, o agronegócio, mineradoras —, aos discursos de natureza moralista e normativa daqueles que só reconhecem uma comunidade de origem (seja ela social, cultural, religiosa ou étnica), é movimento marcadamente autoritário, por mais que assuma uma forma política que admite respeitar a democracia. E mais uma vez uma certa mitologia, que não se sustenta perante a história, procura tornar invisíveis sujeitos sociais que estavam no Brasil antes mesmo de ele ser Brasil. Essas, sim, são histórias de equilíbrio diante da floresta, de um manejo responsável, que correm o risco de cair no véu da invisibilidade social.

7. Raça e gênero

Toda sociedade elabora seus próprios marcadores de diferença. Ou seja, transforma diferenças físicas em estereótipos sociais, em geral de inferioridade, e assim produz preconceito, discriminação e violência. Se o conceito de "diferença" implica reconhecer, como explica o filósofo Michel de Montaigne (1533--92), que "o homem é um assunto espantosamente vão, variado e inconstante", no sentido de ser rica e plural a experiência humana, o termo, na prática, tem sido mais utilizado para desqualificar. No mundo contemporâneo, ele também é aplicado para justificar um tipo de comportamento que privilegia a formação de grupos isolados em suas mídias digitais, separados por seus interesses e polarizados nas suas identidades; cada qual ficando prisioneiro cativo e afetivo da sua própria bolha.

De outra parte, o aumento da percepção social da igualdade, com a inclusão de novos sujeitos políticos, muitas vezes acaba por gerar insatisfação em setores da sociedade que tendem a considerar o "outro" como menos legítimo e dessa maneira lhe negam o direito a uma cidadania plena, condicionada pela "diferença" que ostentam.

Marcadores sociais da diferença são, portanto, e como define o Núcleo de Estudos sobre Marcadores Sociais da Diferença da USP (Numas), "categorias classificatórias compreendidas como construções sociais, locais, históricas e culturais, que tanto pertencem à ordem das representações sociais — a exemplo das fantasias, dos mitos, das ideologias que criamos —, quanto exercem uma influência real no mundo, por meio da produção e reprodução de identidades coletivas e de hierarquias sociais".

Mas essas categorias não produzem sentido apenas isoladamente; elas agem, sobretudo, por meio da íntima conexão que estabelecem entre si — o que não quer dizer que possam ser reduzidas umas às outras. Na lista de marcadores sociais, com impacto na realidade em que vivemos, estão incluídas categorias como raça, geração, local de origem, gênero e sexo, e outros elementos que têm a capacidade de produzir diversas formas de hierarquia e subordinação. Em nossa sociedade, o uso perverso de tais categorias tem gerado todo tipo de manifestação de racismo, levado ao feminicídio, produzido muita misoginia e homofobia, bem como justificado uma disseminada "cultura do estupro", cujos números continuam alarmantes mas são, ao mesmo tempo, majoritariamente silenciados no país, como veremos mais à frente neste livro.

Uma profusão de estatísticas oficiais demonstram como as populações afro-brasileiras são objeto dileto da "intersecção" de uma série de marcadores sociais da diferença que acabam condicionando, negativamente, sua inclusão na sociedade, com um acesso mais precário à saúde, ao emprego, à educação, ao transporte e à habitação. Por exemplo, negros e negras sofrem com enormes disparidades salariais no mercado de trabalho. Dados divulgados pelo IBGE para o ano de 2016 revelam que eles ganham 59% dos rendimentos de brancos. O tempo de vida desses grupos é também desigual: em 1993, o total de mulheres brancas com mais de sessenta anos de idade representava 9,4%, e o de mulheres negras, 7,3%. Em 2007, os percentuais alcançaram 13,2% e 9,5%, respectivamente. Isso sem contar que são elas as maiores vítimas das práticas violentas que se expressam nas relações de sexo e gênero. Marcadores funcionam, pois, ainda mais traiçoeiramente, quando interseccionados.

A mesma pesquisa indica como jovens negros costumam morrer antes dos demais, por causa do menor acesso que têm aos serviços médicos. Vivem menos, também, porque possuem menos condições — por conta da pobreza, da falta de estrutura familiar, da exposição ao comércio de drogas, das regiões em que habitam — de terminar a escola e assim buscar outras formas de inserção no mercado de trabalho. São, portanto, vários marcadores sociais da diferença, que, colocados em relação, mostram a produção de uma realidade particularmente segregada: geração (jovens), região (periferias do país), raça (negra) e sexo (masculino).

Não são poucos os relatos de mães de rapazes negros que confessam rezar toda vez que os filhos saem de casa, com medo de que não voltem com vida. Outras chegam a pagar por um "carnê-enterro", procurando se antecipar por receio de não ter condições de arcar com o sepultamento dos rapazes jovens de sua família nuclear. E as estatísticas, infelizmente, têm lhes dado razão. Segundo o relatório do Ipea, os indicadores que cobrem o período de 1993 a 2007 mostram que, a despeito do aumento geral da expectativa de vida no país, a população branca continua a viver bem mais do que a negra. Em 2007, se houve um aumento geral da expectativa de vida dos brasileiros, já os negros ficaram dois dígitos abaixo da média.

Na década que vai de 2006 a 2016, o Brasil assistiu a um crescimento de 23,3% no número de mortes dos seus jovens. Assassinato e morte violenta correspondem a 49,1% dos óbitos de rapazes entre quinze e dezenove anos e a 46% dos óbitos daqueles entre vinte e 24 anos. Para entender o significado e a dimensão dessa porcentagem tão elevada, basta compará-la com a porcentagem de óbitos da geração de brasileiros na faixa dos 45 aos 49 anos, caso em que a taxa diminui para 5,5%. Em resumo, os números traduzem condições muito desiguais de acesso e manutenção de direitos, e dados de violência elevados mas que mantêm um alvo claro: rapazes jovens e moradores das periferias do país.

Segundo o Índice de Vulnerabilidade Juvenil à Violência (IVJ) de 2017, os índices apresentados "evidenciam a brutal desigualdade que atinge negros e negras até na hora da morte". A desigualdade se manifesta ao longo de toda a existência dessas pessoas e por meio de diversos indicadores socioeconômicos, numa combinação impiedosa de vulnerabilidade social e racismo que os acompanha pela vida inteira.

É preciso lembrar que essa política para com a população negra e jovem é mais antiga do que parece. Os contextos e os motivos podem ser distintos, mas os resultados, em termos de números absolutos e proporcionais de mortes, são bastante semelhantes. Na época em que ainda vigorava o sistema escravocrata, cativos a partir dos 35 anos já eram descritos por seus proprietários como prematuramente envelhecidos, quando não pereciam antes dessa idade. A população jovem e negra foi, portanto, historicamente a mais dizimada.

Enfim, assumir que a violência letal está fortemente endereçada à população negra e jovem, sobretudo masculina — mas também feminina —, e que esse é um componente que se associa a uma série de desigualdades socioeconômicas aglutinadas em torno de raça, gênero, geração e região, é o primeiro passo para o desenvolvimento de políticas públicas focadas e ações afirmativas que sejam capazes de dirimir iniquidades específicas.

Todos esses dados apenas provam a existência consentida de

práticas sociais de exclusão, as quais, aliás, têm se revelado particularmente perniciosas quando se valem de uma certa "naturalização" no cotidiano. A despeito de a estimativa de 2018 mostrar que pardos e negros correspondem a 55% da população, 130 anos após a abolição a inclusão social é ainda deficitária no Brasil. O longo período da pós-emancipação, o qual, de alguma maneira, não acabou até agora, levou à perpetuação da exclusão social herdada dos tempos da escravidão, pois não houve investimentos na formação dessas populações recém-libertas ou em sua capacitação para competir no mercado de empregos. O resultado, tantos anos depois, é um país que gosta de se definir a partir da mestiçagem e da inclusão cultural — presente nos ritmos, nos esportes ou na sua culinária misturada — mas desenvolve um racismo dissimulado, cuja prática inclui o ato de delegar à polícia o papel de performar a discriminação.

Seguimos, assim, combinando inclusão cultural com exclusão social e racial — mistura com separação, na velha fórmula de Von Martius —, e carregando grandes doses de interditos. Tais processos de silenciamento estão presentes nos dados quantitativos, os quais têm a capacidade de oferecer um quadro consistente acerca da proporção, tamanho e recorrência das ações violentas que atingem as populações negras. Não obstante, esses números frios das estatísticas, obviamente, não são capazes de qualificar ou reproduzir a experiência de dor e sofrimento, o trauma que mora por trás deles.

Por isso, tomando o ano de 2018 como marco, reproduzo alguns casos cujo conjunto deixa ainda mais evidente como a luta contra o racismo continua sendo um tema inadiável da nossa agenda republicana. Trata-se apenas de exemplos, os quais, porém, servem para iluminar determinadas circunstâncias e padrões reiterados.

No dia 5 de março, moradores da zona da mata próxima de

Acari, no Rio de Janeiro, acordaram com o som de disparos. Ao chegar ao local de onde viera o barulho, encontraram Eduardo Ferreira e Reginaldo Santos de bermudas e camisa rasgada, já sem vida, com o rosto enfiado na terra. A polícia só os recolheu às sete horas da noite, fazendo a seguinte anotação: "homens negros, fortes, de feições marcadas e cabelo raspado". Essas são descrições sumárias que procuram juntar um estereótipo a uma condenação. O roteiro foi o esperado: o caso acabou arquivado por insuficiência de dados (e de vontade política).

Também em março, no dia 9, um aluno da Fundação Getulio Vargas (FGV) de São Paulo enviou uma foto para seu grupo de WhatsApp com a mensagem: "Achei esse escravo no fumódromo! Quem for o dono avisa!". Como mostra o historiador Robert Darnton, o fermento da piada é feito do deslocamento de sentidos. Não se ri de nada, mas da inversão de pressupostos que permanecem submersos na velha e forte teoria do "senso comum". É difícil imaginar que alguém ache "engraçado" um comentário desse tipo. Porém, pelo jeito não se trata de caso isolado, e sim de um padrão. Resultado: o "engraçadinho" foi suspenso, processado pelo aluno ofendido, mas a continuação do processo, de fato, ainda não conhecemos.

Na cidade de Belém, no mesmo mês de março, uma garota escolheu como tema para sua festa de aniversário de quinze anos um retorno "nostálgico" aos tempos do Império. Caprichou, então, no seu figurino de sinhá, e contratou negros e negras que se vestiram como escravos domésticos. As fotos da festa viralizaram na internet e o mal-estar causado levou a mãe da aniversariante a tentar se justificar. Não se trata de culpabilizar ninguém, mas, antes, de mostrar a distância, o gap social, existente no país. Não entender a violência dessa cena é sinônimo de não sentir a dor alheia e a carga de discriminação inscrita nos atos pretensamente ingênuos.

Intolerância racial é, portanto, um dos principais fatores a explicar a desigualdade social no Brasil, além de ser causa de muita violência. Não existe sociedade democrática onde viceja o racismo.

Dois últimos casos, ambos ocorridos na cidade do Rio de Janeiro, também no ano de 2018. Um deles se esconde no anonimato, na vala comum que abriga os inúmeros personagens mortos que permanecerão desconhecidos se não dermos a eles o espaço que merecem. O outro comoveu o Brasil.

Na noite de 12 de março, Matheus Melo Castro, de 23 anos, foi morto depois de sair de uma reunião na Igreja Evangélica Missão da Fé, em Manguinhos. Matheus, que era auxiliar do pastor, subiu em sua moto, a qual pagara com o salário que recebia como agente de coleta seletiva, e por volta das 22 horas cruzou com uma patrulha da Polícia Militar. Os militares o atingiram com dois tiros: um no braço esquerdo e outro no tórax. Mas a polícia não o acudiu. Pessoas da vizinhança o levaram num carrinho de mão até a Unidade de Pronto Atendimento, onde ele chegou a ser socorrido. Matheus era membro da comunidade religiosa local, trabalhava regularmente, e nem assim conseguiu escapar das estatísticas que mostram como as mortes de jovens negros são "epidêmicas" no país, e continuam encobertas pelo véu perverso da invisibilidade social e racial.

Dois dias depois, Marielle Franco, quinta vereadora mais votada no Rio de Janeiro e primeira pelo PSOL, uma filha da comunidade da Maré — o maior complexo de favelas do estado do Rio —, negra, lésbica, mãe de uma menina a quem educou sozinha, defensora dos direitos humanos numa cidade sucateada, crítica da atuação da polícia em relação às populações carentes, foi executada com quatro tiros que penetraram no lado direito da sua cabeça. Junto com ela morreu Anderson Pedro Gomes, o motorista do carro em que viajavam. A essa altura, Marielle já não morava na Maré, mas era assídua no local e se definia como "favelada", invertendo valores e estereótipos em relação a essa população. No dia de aniversário do Rio de Janeiro, colocou uma foto numa laje do Complexo, com a seguinte mensagem: "Parabéns pra essa cidade do coração, que, infelizmente, tem sido maltratada historicamente, inclusive nos últimos anos. E que quanto mais parece estar abandonada, mais fica hostil às mulheres e à população negra".

Irônica, Marielle costumava dizer que havia bagunçado com a lógica das estatísticas ao entrar na universidade valendo-se das franjas curtas apresentadas pelo sistema público de educação. Ela aproveitou todas as brechas que encontrou, terminou a graduação, defendeu o mestrado numa universidade de elite e vislumbrou para si uma carreira na política, a qual vinha desenvolvendo com a coerência daqueles que jamais ganham as coisas de graça, ou em bandeja imperial. Nada disso impediu, porém, que Marielle fosse assassinada e que o crime se mantivesse, até o momento em que termino este livro, sem solução. Ou seja, se agora conhecemos os dois suspeitos do assassinato, possivelmente mercenários, ambos Policiais Militares da ativa, um se aposentou, isto é, está reformado, e outro foi expulso por fazer "bicos" de segurança ilegais, nada sabemos sobre o mandante ou os mandantes do crime. A polícia encontrou, inclusive, 117 fuzis M-16 na casa do amigo de um dos acusados, no Méier, na zona Norte do Rio, em mais uma prova de como armas em casa não são sinal de pacificação.

Dessa vez, entretanto, a execução não "passou em branco". O assassinato de Marielle Franco foi logo definido como "crime político" e a notícia se transformou numa bomba nas mãos da Polícia Federal. Teve imenso impacto nacional e alcançou o mundo, levando a ativista a driblar o anonimato que costuma encobrir casos de pessoas que têm a mesma cor, gênero e origem social que ela mas não obtiveram tal visibilidade política. Ela virou um símbolo da luta das minorias por um Brasil mais cidadão e inclusivo. Já seu lema, "a gente se encontra na luta", transformou-se em plataforma ampla, com o Brasil e o planeta assistindo a todo tipo de manifestação quando sua morte completou um ano.

A forma lenta como o processo ainda se desenvolve diz respeito, ao que tudo indica, ao fenômeno do crescimento das milícias no Rio de Janeiro; fenômeno que se avolumou a partir da década de 2000. As milícias brasileiras, diferentemente do que conta a história de outros países, como a Colômbia, não surgiram de dentro de uma guerra civil. Elas nasceram como grupos de autodefesa das comunidades e no contexto do controle das favelas pelo crime organizado. Logo evoluíram, porém, para o formato de bandos criminosos paramilitares que, sob a alegação de combater a criminalidade e o narcotráfico, exploram todo tipo de serviço ilegal sem deixar de manter laços estreitos com a polícia. São formadas em geral por policiais, vigilantes, agentes penitenciários, bombeiros e militares na ativa ou fora de serviço e que, normalmente, moram nas próprias comunidades. Manipular o medo e a falta de segurança dos habitantes locais faz parte das suas estratégias, e o conseguem, por exemplo, extorquindo-lhes dinheiro em troca de proteção.

Mas a engrenagem é ainda mais complexa. As milícias não são comandos somente regionais; funcionam com o respaldo de políticos e de lideranças comunitárias. Segundo o Núcleo de Pesquisas das Violências, da Universidade do Estado do Rio de Janeiro, até o final de 2009 elas dominavam 41,5% das 1006 favelas do Rio. O restante era controlado diretamente por traficantes, 55,9%, e por Unidades de Polícia Pacificadora. As milícias são, portanto, um exemplo forte de como a violência se instalou no país, ganhando os espaços aonde a lei não chega ou abre mão de chegar.

Essas são, até o momento, apenas suposições. A verdade é que Marielle "são muitas" e que a questão, de uma maneira ou de outra, pertence a todos nós e continua a clamar por solução.

O exemplo de Marielle Franco demonstra, paradoxalmente, como marcadores sociais de raça (negra), gênero (lésbica) e região ("comunidades") podem desenvolver a construção de estereótipos negativos por parte de setores da sociedade que se sentem lesados com sua presença e proeminência. Não parece coincidência que, um dia antes de ser assassinada, inconformada com a morte de Matheus Melo Castro, a vereadora tenha postado nas redes sociais: "Quantos mais vão precisar morrer?". Cabe a nós evitar que a pergunta caia no vazio, e cabe também a nós romper esse ciclo autoritário que a violência carrega, não permitindo que os tantos assassinatos (incluindo o de Marielle e o de Anderson Pedro Gomes) sigam para a vala comum do esquecimento. Marielle Franco representava a possibilidade de um país mais justo, inclusivo, democrático e plural; um país menos intolerante. Paradoxalmente, ela foi morta pela violência que tanto condenou. Por isso mesmo, quando a mataram, uma esperança de Brasil foi enterrada junto com ela.

VIOLÊNCIA E DESIGUALDADE DE GÊNERO E SEXO

O racismo estrutural e institucional vigente no país não atinge, como bem se sabe, apenas a população negra masculina; mulheres, e nomeadamente negras, têm sido objeto dileto da violência sexual no Brasil, que ganha contornos semelhantes aos que vimos até aqui descrevendo para os homens.

Sexo e gênero eram antes tomados como sinônimos. Já faz tempo, porém, que entendemos tais conceitos como basicamente distintos; essa distinção, aliás, tem a capacidade de condicionar a vida de muitos brasileiros. O conceito de "sexo" é regularmente utilizado para definir categorias inatas, dadas a partir da perspectiva da biologia: o feminino e o masculino. Já "gênero" diz respeito aos papéis e às construções sociais que homens e mulheres optam por performar durante a vida. Em suma, sexo é uma categoria mais fixa, o resultado visível de diferenças anatômicas, enquanto o gênero "traduz o sexo"; é uma distinção socialmente construída e que ultrapassa a evidência biológica operada a partir de categorias binárias. A categoria "gênero" tem sido muito revista ultimamente. Segundo Judith Butler, o gênero não é um atributo social ou cultural, mas uma categoria criada por uma série de performances normativas que são reasseguradas por uma cultura de base heterossexual. É por isso que "identidades de gênero" são concebidas e atuam de forma pragmática na realidade, sendo associadas a várias experiências sociais. Assim, em vez de repisar as tradicionais divisões que opõem homens a mulheres, o feminino ao masculino, passamos a conviver com sociedades mais plurais porque constituídas a partir de vários arranjos familiares e a partir da própria instabilidade das opções de gênero.

Não obstante, comportamentos heteronormativos, e que buscam estender o sexo a outros campos da sociedade — como o trabalho, o lazer, o poder —, produzem várias formas de assimetrias de gênero. E a violência social é uma das maneiras como essas assimetrias se manifestam. Por sinal, não são poucas as formas de violência que se escondem por trás desses pressupostos, os quais procuram, no limite, manter relações de gênero desiguais e não inclusivas. Nada como recorrer às estatísticas para comprovar a desigualdade de gênero existente entre nós, mas que se encontra tão dispersa como naturalizada no cotidiano.

Mulheres correspondem a 89% das vítimas de violência sexual no Brasil. Entre 2001 e 2011, 50 mil mulheres foram assassinadas, de acordo com dados do Instituto de Pesquisa Econômica Aplicada (Ipea). Mesmo assim, o termo "feminicídio" só foi formalmente reconhecido aqui a partir de março de 2015, tipificando a existência de crimes premeditadamente cometidos contra mulheres.

A lei n. 13 104 especifica o assassinato de mulheres (pela simples condição de serem mulheres) como crime hediondo e não admite atenuação da pena. Mas uma lei, somente, não tem a capacidade de controlar um fenômeno tão frequente no país. Várias pesquisas confirmam haver uma vergonhosa prevalência de violência contra mulheres, sendo que boa parte dos crimes ocorrem no ambiente doméstico e são amparados pela conivência familiar. O número de casos de feminicídio — assassinato em função do gênero — é alarmante: segundo dados do Relógios da Violência, órgão vinculado ao Instituto Maria da Penha, a cada 7,2 segundos uma mulher é vítima de violência física. O *Mapa da Violência 2015* destaca que, apenas em 2013, treze mulheres morreram a cada dia, vítimas de feminicídio, sendo que cerca de 30% dos assassinatos foram cometidos pelo parceiro, ex-marido ou ex-companheiro. Esse número representa um aumento de 21% em relação à década passada, o que indica que o problema tem crescido entre nós, ao contrário do que seria esperado.

A realidade tem mudado pouco, bem como o tratamento destinado aos agressores. Estes são muitas vezes classificados como "indivíduos antissociais" ou considerados "sujeitos alijados de suas capacidades mentais" — recebendo, assim, tratamento especial. No entanto, longe de corresponder a um desvio, o hábito de agredir mulheres é comum em sociedades que não enfrentam valores paternalistas, machistas e heteronormativos predominantes e intocados no decorrer da sua história. A "rotinização" do comportamento masculino machista e agressivo pode ser observada nos resultados de uma enquete recente, na qual 30% dos homens brasileiros consultados afirmaram acreditar que uma mulher que veste roupas curtas é culpada pelo assédio ou está pedindo para sofrer atos violentos. Velha saída, que culpabiliza a vítima pela prática do delito.

O panorama fica ainda mais agudo se recortamos as elevadas taxas de feminicídio a partir do marcador de raça. Segundo dados retirados do *Mapa da Violência 2015*, o assassinato de mulheres negras aumentou 54% nos anos de 2003 a 2013, enquanto o de brancas diminuiu na ordem de 9,8%. Mulheres negras com idade entre quinze e 29 anos têm 2,19 vezes mais chances de serem assassinadas no Brasil do que as brancas na mesma faixa etária, de acordo com o IVJ de 2017.

Há também diferenças regionais importantes. No topo da lista das taxas de homicídio feminino está o Rio Grande do Norte, onde as jovens negras morrem 8,11 vezes mais do que as jovens brancas, seguido pelo Amazonas, cujo risco relativo é de 6,97. Em terceiro lugar aparece a Paraíba, estado em que a chance de uma jovem negra ser assassinada é 5,65 vezes maior. Em quarto vem o Distrito Federal, com risco relativo de 4,72.

Mas existem outros "riscos femininos" no Brasil. A cada dia, cinco mulheres não resistem ao parto e quatro mulheres morrem por complicações causadas por aborto. Em uma década, o SUS gastou 486 milhões de reais em internações por essas complicações, sendo que 75% dos abortos são provocados.

Esses índices por demais elevados reforçam a ideia de que a única maneira de enfrentar a violência de gênero é atuar com políticas públicas estruturadas que envolvam diversas dimensões, como o trabalho, a família, a saúde, a renda, a igualdade racial e de oportunidades. A educação da população, nesse sentido, é também um passo importante, na medida em que a partir dela se podem evitar comportamentos "misóginos" — de ódio, desprezo ou preconceito contra mulheres, independentemente da faixa etária, raça ou região.

A misoginia se manifesta de muitas formas, que vão desde a exclusão social até a violência de gênero. Ela aparece retratada igualmente na antiga formação patriarcal de nossa sociedade, a qual carrega, até a atualidade, a certeza do privilégio masculino, a banalização da violência contra a mulher e a tentativa de sua objetificação sexual. Essas são raízes compactas de nosso autoritarismo, que sempre trouxe consigo uma notória correlação com a questão de gênero. As mulheres deveriam atuar como "princesas", obedecendo e se subordinando aos maridos, enquanto os homens são eternos "príncipes", cientes de seu domínio e autoridade (e, mais uma vez, não há apenas coincidência com os nossos tempos atuais).

Quanto mais as mulheres vão conseguindo impor sua independência e autonomia, tanto maior tem sido a reação masculina e as demonstrações de misoginia. Enquanto isso, o domínio dos homens na cena pública é indiscutível. Um bom exemplo é a escassa presença de mulheres na vida política. Terminadas as eleições de 2018, temos apenas 77 deputadas para 513 deputados federais, totalizando apenas 15% das cadeiras, a despeito de as mulheres, segundo o IBGE, corresponderem a 51,5% da população brasileira. Por sinal, numa pesquisa que incluiu 138 países, o Brasil ocupa a 115ª posição no que se refere à representatividade política feminina. A Arábia Saudita, que somente em 2013 aprovou uma lei para impedir a violência doméstica, está na nossa frente nessa investigação, bem como algumas nações de maioria muçulmana, entre as quais o Iraque e o Afeganistão.

Na prática, o mundo da política corrobora o que a realidade do dia a dia demonstra: ele é feito de uma atitude, antiga e consolidada entre nós, de buscar tornar inexpressiva, quando não quase inexistente, a presença de mulheres nas principais instituições do país. E, quando isso não ocorre, o sentimento de perda de privilégios pode dar vazão não só à violência física, mas também à violência simbólica e moral.

Desde o final dos anos 1970, as mulheres definitivamente deixaram o lugar social que lhes era predeterminado em nosso país — o da passividade ou do vitimismo — e, a partir de movimentos organizados, passaram a reivindicar direitos e oportunidades iguais no trabalho, no lazer, dentro de casa e no espaço público. Já no século XXI tomou força o feminismo negro, que tem chamado muita atenção para a peculiaridade da situação dessas mulheres, incluindo pautas que dizem respeito ao racismo praticado no Brasil. Como afirmou Lélia Gonzalez (1953-94), política, professora, antropóloga e feminista negra: "Além disso, o seguinte: sou negra e mulher. Isso não significa que eu sou a mulata gostosa, a doméstica escrava ou a mãe preta de bom coração. Escreve isso aí, esse é o meu recado pra mulher preta brasileira".

CULTURA DO ESTUPRO, OU QUANDO O PRÍNCIPE NÃO CASA COM A PRINCESA

Naquele que é considerado o primeiro documento oficial do Brasil — a bela carta que Pero Vaz de Caminha endereçou ao rei de Portugal entre 28 de abril e 1º de maio de 1500 —, o escrivão da nau de Pedro Álvares Cabral afirma que todos nesta terra andavam "nus, sem coisa alguma que lhes cobrisse suas vergonhas". Era

Theodor Galle, America, c. 1580, gravura baseada no desenho de Jan van der Straet (Stradamus), c. 1575. The Metropolitan Museum of Art, Nova York.

a beleza e a falta de roupa dos indígenas, e sobretudo das nativas, que logo atraíam os primeiros colonizadores.

Uma das primeiras gravuras conhecidas da América, datada de cerca de 1580, também tratou de imaginar um "amistoso" encontro entre o Velho e o Novo Mundo. Nela, o europeu é representado como um homem branco que domina uma série de símbolos ligados à civilização: o astrolábio, as caravelas, o estandarte, os sapatos e o excesso de roupas. América, por sua vez, surge no corpo de uma mulher, praticamente nua e deitada numa rede, mostrando que o Novo Mundo andava preguiçoso e lânguido, apenas aguardando a chegada do Velho. As associações com a barbárie são igualmente óbvias: a falta de vestimentas a cobrir o corpo de América, os pés descalços, os animais exóticos a rodeá-la e sobretudo as cenas de canibalismo ao fundo. Mas há outro detalhe significativo: ela estende um dos braços na direção do conquistador, como se desejasse a "invasão" e o convidasse para esta.

A antropóloga Anne McClintock, em seu livro *Couro imperial*, provoca dizendo que essa ilustração representaria o primeiro grande estupro simbólico da história americana. A nudez da "moça" e seu "oferecimento" justificariam a colonização violenta que estava para começar, e que mudaria para sempre a feição do continente.

Não é hora de construir apenas uma linha do tempo, uma única história contínua, que se desenvolve na base de causas e consequências imediatas e seleciona somente um ponto de vista: aquele do colonizador europeu. Melhor refletir sobre relatos que ficaram à míngua, não foram incorporados à nossa memória oficial, ou, dito de outra maneira, não foram considerados como algumas das tantas histórias que deram origem à "cultura do estupro" no Brasil.

Cultura funciona como uma segunda natureza; gruda tal qual tatuagem. Sua inclusão no cotidiano é tão "natural" que esquecemos que ela é feita de muita construção política, social e humana. O termo "cultura do estupro" foi utilizado pela primeira vez nos anos 1970, por ativistas da assim chamada segunda onda do feminismo. O objetivo era alertar acerca da regularidade desse tipo de violência e mostrar que se trata de crime hediondo, diante do qual a sociedade deve responder com tolerância zero.

Falta, porém, especificar as bases da banalização do estupro no Brasil. O início dessa história está vinculado ao projeto colonial, cujo funcionamento pautou-se no uso alargado de mão de obra escrava e compulsória: indígena e/ou africana. Com isso, e como temos visto neste livro, o poder concentrou-se nas mãos de poucos e a desigualdade tornou-se marca essencial: de raça, de etnia, de região e, também, de gênero e sexualidade. Em primeiro lugar, a colonização foi realizada basicamente por homens. Os europeus chegavam solteiros ou sem a família, com o propósito de domar esta imensa terra do "futuro" e da "promissão", tão desconhecida como perigosa. Em segundo, a população escravizada masculina sempre foi maior que a feminina — na ordem de 70% e 30% —, ocasionando um inequívoco desequilíbrio sexual.

Tal desproporção redundaria em consequências ainda mais violentas no ambiente colonial, em que as posições de mando acabavam por banalizar a diferença e as hierarquias internas. Escravizados podiam ser comprados, vendidos, leiloados, penhorados, seviciados. O corpo feminino, por sua vez, mais escasso nas sociedades afro-atlânticas, entrava logo na lógica interna desse "comércio de almas". Mulheres indígenas e negras, além de serem consideradas produtoras de riqueza — eram utilizadas na agricultura, na casa-grande, nas cidades e na mineração —, serviam a seus proprietários como instrumento de prazer e gozo. A violência do sistema como um todo encontrava um lócus especial na sexualidade exercida pelos senhores na intimidade da alcova escravista.

A sensação de medo, a realidade do assédio sexual e do estupro, não ficaram retidas, contudo, aos tempos do escravismo; elas permanecem frequentes no nosso momento presente. Segundo dados do Ipea, 88% das vítimas de assédio são do sexo feminino, 70% são crianças e adolescentes, 46% não têm ensino fundamental completo, e 51% são de cor parda ou preta. Além do mais, 24% das notificações apontam como agressores o próprio pai ou padrasto, 32% dos casos são praticados por amigos ou conhecidos da vítima, e muitos desses atos são cometidos por duas ou mais pessoas: 10,5% para vítimas crianças, 16,2% para adolescentes e 15,4% para adultas. Há também dia da semana e horário para a violência ocorrer: estupros acontecem mais às segundas, crianças são violentadas sobretudo do meio-dia à meia-noite, e adultos das dezoito horas às seis da manhã do dia seguinte.

O *Atlas da Violência 2018* apresenta números semelhantes. Relata que 68% dos registros de "violência sexual", no sistema de saúde, referem-se a estupros de menores de idade, quase um terço dos agressores das crianças (até treze anos) são amigos e conhecidos delas, e outros 30% são familiares próximos, como pais, mães, padrastos e irmãos. Em 54,9% dos casos em que o algoz é previamente conhecido, as pesquisas assinalam que os estupros já vinham ocorrendo fazia algum tempo, sendo que 78,5% deles se deram na própria residência da vítima.

É certo que se trata de um problema que não atinge só os brasileiros. Mas nesse quesito estamos atrás de países americanos como Costa Rica, Peru, Jamaica e EUA. Cada país guarda, porém, sua história, e a nossa apresenta escalas alarmantes até hoje, quando vigora a falta de confiança na polícia, o medo de represálias e a exígua proteção ao cidadão. A consequência imediata de nossa fragilidade institucional é a de que apenas 35% das vítimas dão queixa às autoridades competentes, o que nos leva a continuar presos a uma escandalosa subnotificação.

Mesmo assim, segundo o *Anuário Brasileiro de Segurança Pública*, registrou-se no Brasil, em 2015, uma média de um estupro a cada onze minutos. Já de acordo com o Ministério da Saúde, a cada quatro minutos uma mulher dá entrada no SUS vítima de violência sexual. As estimativas variam, mas em geral calcula-se que esses casos correspondam a apenas 10% do total. Dessa forma, se acumularmos e projetarmos tais dados, possivelmente chegaremos à elevada taxa de quase meio milhão de estupros a cada ano no país.

Em 2016, o Ministério da Saúde indicou uma média de dez estupros coletivos notificados diariamente no sistema de saúde, e vale tomar em conta que 30% dos municípios não fornecem esse tipo de dado ao ministério. O levantamento salientou, também, que na cidade de São Paulo ocorre um estupro em local público a cada onze horas. No estado do Rio de Janeiro, há um caso de estupro em escola a cada cinco dias, e 62% das vítimas contam menos de doze anos. No metrô paulistano, segundo o jornal *O Estado de S. Paulo*, somente no ano de 2016 foram registrados quatro casos de assédio sexual por semana. Em 2015, a Central de Atendimento à Mulher — Ligue 180 realizou 749 024 atendimentos, ou um a cada 42 segundos. Desde 2005, foram quase 5 milhões de ligações.

O passado nos legou, portanto, um contencioso corpulento que nada deve à mera circunstância. Por outro lado, de tão presente, a "cultura do estupro" — que envolve o ato criminoso mas também a negação e o silêncio, individual e coletivo, diante dele — pode até parecer incontornável. Pois não é, e será preciso transpor os dados frios das porcentagens para perceber como cada exemplo esconde suas tragédias, traumas e ressentimentos. A vida dessas vítimas é e será marcada pela vergonha e, muitas vezes, pela culpa de guardar o segredo de que o crime do estupro foi praticado por pessoas próximas, como amigos, parentes, políticos, líderes religiosos, famosos, colegas, conhecidos, vizinhos e cidadãos "comuns", com frequência acobertados pela disseminada aceitação social.

O resultado de tamanho descaso e omissão é não só a manutenção de uma "cultura do estupro" como o espraiamento de uma "cultura do medo": 65% da população total e 85% das mulheres

residentes nas grandes cidades afirmam ter receio de sair de casa e sofrer uma agressão sexual.
 É fácil condenar a sociedade patriarcal e o sistema escravocrata do passado. Mais difícil é enfrentar a atualidade do problema, que se manifesta no campo e nas nossas modernas cidades. Nesse caso, a princesa *não* casa com o príncipe.

FEMINICÍDIO

É considerado crime de "feminicídio" o "assassinato de uma mulher pela simples condição de a vítima ser mulher". As motivações para o ato estão em geral ligadas a sentimentos como ódio, desprezo ou à sensação de perda do controle. Essas são razões de fundo íntimo e afetivo mas que têm raízes comuns em sociedades patriarcais, autoritárias, machistas e definidas pela atribuição de papéis discriminados ao universo feminino. Elas representam, igualmente, a perversidade das relações de poder historicamente desiguais entre mulheres e homens.
 Nos tempos coloniais, o Brasil foi uma sociedade marcada pelo claro desequilíbrio sexual. Como vimos, não só os colonizadores homens chegavam em maior número, como aqui entravam muito mais escravizados homens. Tal desproporção produziu uma sociedade dada a formas violentas de relação sexual, e condicionadas por uma divisão desigual e rigorosa entre homens e mulheres. Mulheres brancas deveriam permanecer no "recato do lar" e servir a seus maridos, engravidando rápido e envelhecendo ainda mais precocemente. Já sobre as negras sempre pairou o preconceito expresso num dito popular corrente na época: "As brancas são para casar, as negras para trabalhar e as mulatas para fornicar". Outro provérbio delimitava locais sociais para as mulheres, ao mesmo tempo que investia numa hierarquia de gê-

nero, largamente praticada: "A negra no fogão, a mulata na cama, a branca no altar".

Para além da quantidade de estereótipos e visões preconceituosas que ambos os provérbios destilam, eles alimentam, de forma indireta, práticas da violência contra as mulheres, tão comuns numa sociedade de mando masculino concentrado. A noção de poder absoluto que o senhor acumulava em seus domínios rurais estendeu-se a outros territórios, como o controle feminino: da esposa, da escravizada ou da liberta, da namorada ou companheira. Se essa já era uma época permissiva, no sentido de que admitia tal tipo de conduta, no caso do proprietário rural brasileiro a permissividade era maior ainda, pois ele reunia muitos poderes em sua pessoa: o econômico, o político, o social e o sexual.

E esse modelo patriarcal perdurou até pouco tempo, perpetuando-se no país uma concepção costumeira de mando e a tentativa de guardar uma estrita subordinação de papéis de gênero. Toda sociedade determina diferentes lugares sociais aos homens e às mulheres. Aqui, a entrada da linguagem dos direitos civis no final dos anos 1970 fez com que as mulheres galgassem novos postos e posições, bem como lutassem contra aqueles que são verdadeiros padrões de assimetria de gênero.

O problema persiste, porém, quando a tais lugares sociais são atribuídos peso e importância diversos. No caso da experiência social brasileira, os papéis masculinos têm sido supervalorizados em detrimento dos femininos, o que provoca relações marcadas pela violência. Ademais, muitos homens passaram a se sentir prejudicados ou até inseguros diante da crescente autonomia e independência conquistada por esposas, namoradas, companheiras, conhecidas e colegas, cujo objetivo maior deixou de ser brilhar no espaço recluso da domesticidade. E a relação é proporcional: quanto mais elas alcançam postos elevados no trabalho e fora da casa, mais se avolumam os casos de feminicídio.

A violência de gênero representa, dessa maneira, não só uma relação de dominação e poder do homem como o esforço de submissão da mulher. Ela desvela, ainda, como os distintos papéis impostos para os espaços femininos e masculinos, e que foram se consolidando ao longo da nossa história, reforçados pelo patriarcado, acabaram por induzir o estabelecimento de modelos, muitas vezes, violentos de relacionamento entre os sexos.

Por outro lado, a busca do controle das mulheres, que se apresenta tanto nas situações íntimas como nas públicas, levou ao estabelecimento de papéis socialmente introjetados, a partir da disseminação de hábitos e modelos educacionais diferenciados. Criaram-se códigos de conduta e de mando que foram costumeiramente inculcados, padrões tradicionais que implicavam a manutenção de "rituais de entrega" mas também de "recato sexual", um cotidiano exclusivamente doméstico e uma espécie de devoção à maternidade, como se esse fosse o único lugar destinado às mulheres.

À medida que tais costumes foram se enraizando, menos se abriam frestas para a vigência de relações mais simétricas e de interdependência. Além disso, a legitimação desse quadro social levou os *pater familias* do passado e do presente a também se sentirem legitimados a fazer uso do arbítrio, aplicando-o no silêncio de seus lares e na calada do aceite socialmente compactuado.

A tomada de consciência de tal estado de violência demorou a se consolidar. A implementação integral da Lei Maria da Penha, em 2006, significou uma das primeiras medidas no sentido de reconhecer e criminalizar a violência doméstica e familiar. A lei também instituiu, pela primeira vez, mecanismos para prevenir, punir e erradicar esse tipo de prática abusiva, "independentemente de classe, raça, etnia, orientação sexual, renda, cultura, nível educacional, idade e religião". Seu objetivo é assegurar os "direitos à vida, à segurança, à saúde, à alimentação, à educação, à cultura, à moradia, ao acesso à Justiça, ao esporte, ao lazer, ao trabalho, à cidadania, à liberdade, à dignidade, ao respeito e à convivência familiar e comunitária".

Não obstante, a implantação da lei ainda não pode ser considerada completa, uma vez que carecemos de ações de prevenção contra esses crimes, como aquelas voltadas para a educação e a concretização de uma complexa rede de apoio às mulheres vitimadas pela violência. Se de um lado, e desde 2015, o feminicídio é tido como crime hediondo e passou a constar no Código Penal brasileiro, de outro, e apesar da importância da nova lei, sozinha ela não é capaz de acabar com tais delitos, dispersos pela sociedade. Continuam volumosas as subnotificações por parte das mulheres feridas e abusadas mas também por parte da família ou de amigos das vítimas, assim como muitos crimes permanecem encobertos e seu julgamento, postergado.

O número de feminicídios segue alto no país — 4,8 para 100 mil mulheres, conforme dados relativos a 2013 mas publicados em 2015 —, sendo a nossa taxa a quinta maior do mundo, segundo informações da Organização Mundial da Saúde (OMS). No que se refere ao corte de raça, o número de assassinatos de mulheres negras, de 2003 a 2013, cresceu 54%, passando de 1864 para 2875 casos. No mesmo período, a quantidade anual de homicídios de mulheres brancas caiu 9,8%: 1747 em 2003 para 1576 em 2013. O último relatório da OMS registra que ocorreram 4473 homicídios dolosos em 2017, sendo 946 deles crimes de feminicídio. Esse número representa um aumento de 6,5% em relação a 2016, quando foram anotados 4201 homicídios (sendo 812 os casos de feminicídio).

Tais índices revelam que, aqui, uma mulher é assassinada a cada duas horas e que o Brasil admite a vergonhosa taxa de 4,3 mortes, em 2017, para cada grupo de 100 mil pessoas do sexo feminino. Embora tenhamos avançado nas políticas públicas que coíbem o feminicídio, estamos longe de adotar uma postura de franco combate a esse tipo de crime. Afirmações misóginas fazem parte do nosso cotidiano e estão invadindo a esfera política, ainda dominada pelo universo masculino e por mulheres que não reconhecem nos feminismos, quaisquer que sejam eles e qualquer que seja o grupo que representem, uma bandeira de luta e de reivindicação justas.

Etimologicamente, a palavra "misoginia" vem do grego, *misogynía*, que une o substantivo *mísos*, "ódio", e *gyné*, "mulher". Essa aversão ao sexo feminino, que por vezes ganha formatos mórbidos e patológicos, está diretamente relacionada à violência praticada diuturnamente contra as mulheres. A misoginia é, aliás, a principal responsável por grande parte dos feminicídios no Brasil, os quais têm adquirido múltiplas formas — que vão da agressão física, moral e psicológica a mutilações, abuso sexual, tortura e perseguição —, mas continuam, muitas vezes, acobertados pelo véu da conivência dos consentimentos tácitos e muitas vezes não expressos.

O empenho da sociedade civil, cidadã, é o único que pode ajudar a romper um ciclo que herdamos dos tempos coloniais mas aprimoramos na contemporaneidade. Mais educação, a formação de redes de apoio e proteção às vítimas, a melhoria da conduta de profissionais envolvidos nos processos de investigação e julgamento, uma política de saúde voltada para o amparo das vítimas, a realização de campanhas públicas de orientação, são algumas das soluções indicadas por especialistas.

Novos governos autoritários têm se apresentado no Brasil a partir da nostalgia do retorno aos "bons tempos", aqueles dos valores da "família tradicional e patriarcal", mas, no fundo, apregoam apenas uma recente distopia: aquela que em vez dos afetos distribui ódios segregativos. Essa não é, porém, uma batalha a ser levada exclusivamente pelas mulheres. Se não combatermos coletivamente a misoginia e os feminicídios, eles continuarão a se manifestar como "crônicas de várias tragédias anunciadas"; daquelas que poderiam ser, também coletivamente, evitadas.

PESSOAS LGBTTQ: ALVOS DILETOS DA POLÍTICA AUTORITÁRIA

Somente no ano de 2015, foram assassinados 318 homossexuais no Brasil, segundo a ONG Grupo Gay da Bahia (GGB), que atua no mapeamento de homicídios contra essa população; deles, 52% eram gays, 37% travestis, 16% lésbicas e 10% bissexuais. Trata-se de mais uma das faces da violência que assola a nação.

Crimes contra pessoas Lésbicas, Gays, Bissexuais, Travestis, Transexuais e Queers (LGBTTQ) são recorrentes no país, marcado pela ojeriza a tais grupos, ainda que nos últimos anos tenham sucedido avanços significativos no que se refere à participação desses atores sociais na agenda pública, à criação de mecanismos para o combate de crimes de ódio, à formulação de políticas públicas e programas para o enfrentamento do preconceito.

Somos, porém, um país paradoxal quando se trata de pensar em tal questão. Ao mesmo tempo que realizamos anualmente na cidade de São Paulo a maior Parada do Orgulho LGBTTQ do mundo, 445 pessoas desse grupo foram assassinadas apenas em 2017. Conforme mostra o antropólogo Renan Quinalha, da mesma maneira que gostamos de nos apresentar como abertos à diversidade e às várias experiências sexuais, afetivas e identitárias, permitimos a disseminação de crimes contra aqueles que não compartilham o modelo da heteronormatividade. Por outro lado, se celebramos a existência de um dos mais antigos movimentos LGBTs, que completou quarenta anos em 2018 e teve a coragem de se criar e se manter ativo sob a vigência da ditadura civil-militar, assistimos à eleição de líderes no governo que abertamente, e sem peias, fazem uma associação direta entre política e conduta moral e sexual.

Para comprovar a existência e manutenção de tantos paradoxos, basta lembrar a escalada da violência física sofrida por essas populações por aqui. O GGB indicou que, em 2017, a cada dezenove horas uma pessoa LGBTTQ foi morta. Segundo o levantamento da ONG Transgender Europe, o Brasil admitiu, entre janeiro de 2008 e abril de 2013, 486 assassinatos de travestis e transexuais; número quatro vezes maior do que os verificados no México, o segundo país com mais registros de casos desse tipo.

Organizações como a Associação Internacional de Lésbicas, Gays, Bissexuais, Transexuais e Intersexuais para a América Latina e o Caribe (ILGA-LAC), bem como órgãos internacionais sediados nas Nações Unidas e na Comissão Interamericana de Direitos Humanos (CIDH), têm alertado regularmente a respeito da violência contra pessoas LGBTTQ praticada por segmentos à margem da lei, autoridades estatais, indivíduos ou grupos sociais cujos princípios vão contra a diversidade sexual e de gênero garantida constitucionalmente.

Outra maneira de aferir o preconceito e o processo de exclusivismos corrente é a inexistência de uma política pública específica para a verificação dessa forma de crime. Não divulgar e não mensurar é um modo de desconhecer ou desdenhar. São poucos os dados públicos, ou fontes confiáveis, tanto em âmbito nacional quanto estadual, sobre a violência homofóbica. Há somente mapeamentos desenvolvidos por organizações não governamentais ligadas à questão, que se baseiam, por sua vez, em matérias jornalísticas.

Apenas essa evidência já é um dado importante para a confirmação do silêncio que ronda a violência perpetrada contra esses grupos. Tais segmentos parecem representar uma ameaça para setores da sociedade brasileira que ainda se orgulham em divulgar o predomínio do machismo nas relações sociais, dizendo-se influenciados por religiões que têm na preservação de uma tradição patriarcal e num determinado modelo de família os parâmetros, alegadamente corretos, de ação e convivência. Não é de estranhar, portanto, a subnotificação desses episódios. Ela demonstra como várias vítimas preferem o silêncio à exposição e à humilhação por parte das autoridades.

Se não há como justificar um certo sentimento difuso de ojeriza a gays, lésbicas, bissexuais e transexuais, identificado em alguns setores de nossa sociedade, é ainda difícil definir os motivos que levam alguém a matar, violar ou torturar essas pessoas. Até porque, em boa parte, os registros da mídia e das autoridades governamentais acabam por considerar a orientação sexual ou a identidade de gênero da vítima como fatores aleatórios e não decisivos para explicar a ocorrência de crimes. Todavia, se tomarmos em conta apenas a quantidade e recorrência dos registros apontados pela imprensa e pelas ONGs vinculadas à causa, já teremos elementos suficientes para comprovar a vigência de uma prática violenta estabelecida no Brasil, que pode ser definida como "crime por preconceito de gênero". Qual seja, a prática de crimes ligados à população LGBTTQ de uma maneira muito precisa e focada.

No entanto, enquanto as vítimas desse tipo de agressão não contarem com mecanismos de denúncia efetivos e eficazes, e que garantam a proteção da identidade delas, tal realidade provavelmente se manterá ou aumentará, ainda mais num momento em que a polarização política, que tende a incidir sobre o cotidiano dos brasileiros, tomou a forma de uma espécie de histeria sexual e normativa; uma batalha moral.

O número de mortes de mulheres trans e travestis vítimas de violência de gênero é tão elevado, que alguns autores defendem a adoção de um conceito específico para explicar a frequência desses assassinatos: "transfeminicídios". Isso porque, na imensa maioria dos casos, não há processos criminais para investigá-los, as famílias não reclamam os corpos e os noticiários preferem registrar o nome civil da vítima, desrespeitando sua identidade de gênero até na hora da morte.

A despeito de as relações consentidas entre pessoas do mesmo sexo não serem consideradas crime no Brasil, e de a Constituição determinar a igualdade de gênero e normas protetivas à mulher, a legislação está apenas iniciando seu caminho no que tange à população transgênero. É preciso reconhecer, também, a existência de um importante gap entre as práticas sociais e as mudanças culturais, as quais, embora significativas, não produziram ainda legislações que tenham como alvo proteger, especificamente, essas populações.

Na contramão, diversas organizações da sociedade civil e órgãos internacionais têm chamado a atenção para a crueldade crescente que vem afetando as pessoas LGBTTQ no país. Os casos vão desde a hostilização até a violência nas ruas, como empalação, mutilação de membros, tortura, apedrejamento, esfaqueamento ou aplicação de golpes com objetos contundentes. De acordo com o Relatório de Violência Homofóbica no Brasil de 2013, em 2012 foram registrados pelo poder público 3084 denúncias de 9982 violações relacionadas à população LGBTTQ, sendo que uma única denúncia pode conter mais de um tipo de transgressão.

Entre janeiro de 2013 e 31 de março de 2014, a CIDH monitorou a onda de violência que tem atingido lésbicas, gays, bissexuais, trans e intersexuais (LGBTI) nas Américas e contabilizou ao menos 594 assassinatos de pessoas LGBT ou assim percebidas e, ainda, 176 ataques graves embora não letais. Desse total de ataques, 55 foram direcionados contra mulheres lésbicas, ou entendidas como tal. Num comunicado à imprensa, a Comissão se posicionou desta maneira: "O denominador comum dessa violência é a percepção do autor do delito de que a vítima transgrediu normas de gênero aceitas (em função de sua identidade/expressão de gênero ou orientação sexual)". Novamente, e dessa vez em nível continental, o relatório mostra-se incompleto, já que "a maioria dos Estados membros da OEA não coleta dados sobre a violência contra pessoas LGBT". Nesses casos, e diante de uma imensa subnotificação, a saída foi, mais uma vez, recorrer a documentos complementares, como reportagens jornalísticas, relatórios de organizações da sociedade civil e outras fontes de monitoramento.

A Comissão destacou ainda os altos índices de crueldade expressos nesses crimes e nos casos de abuso policial, que incluem tortura, tratamento desumano e degradante, bem como ataques verbais e físicos. Detalhando um pouco mais os dados coletados, o mesmo relatório aponta que o alvo da grande maioria dos assassinatos foram homens gays e mulheres trans, ou pessoas percebidas como tais. O relatório ressalta também a grande ausência de notificação, em todos os casos, e muitos exemplos de violência exercida por parceiros íntimos. Dos 594 assassinatos registrados no continente, 336 ocorreram no Brasil. O número pode significar que, aqui, essas pessoas encontram mais mecanismos de registro, mas não de efetiva proteção.

Mais dados produzidos no Brasil revelam o mesmo paradoxo: os índices elevados de violência não encontram respaldo em políticas nacionais e institucionalizadas de proteção. De acordo com a Liga Brasileira de Lésbicas (LBL), estima-se que cerca de 6% das vítimas de estupro que procuraram o Disque 100 do governo federal, durante o ano de 2012, eram mulheres lésbicas. E, dentro dessa estatística, havia um percentual considerável de denúncias de "estupro corretivo", justificado com base na tese de que a homossexualidade feminina derivaria de "orientações defeituosas" e poderia ser "resolvida" a partir de relações sexuais violentas e não consentidas com "homens de verdade". Entre 2012 e 2014, as mulheres lésbicas responderam por 9% de toda a procura pelo serviço.

Ademais, embora exista demanda do reconhecimento da homoafetividade expresso na Lei Maria da Penha, ela ainda é pouco aplicada para garantir os direitos de mulheres lésbicas, bi e transexuais. Os dados da Central de Atendimento à Mulher, o Ligue 180, mostram que em 2013, por exemplo, dentre todas as chamadas atendidas, aquelas referentes a relacionamentos homoafetivos não chegaram a 1%.

Como se pode perceber, a violência contra as pessoas LGBTTQ

é produto de um complexo emaranhado de práticas e crenças, do machismo ainda imperante em nossa sociedade, da carência de políticas educacionais voltadas para essa área, da falta de uma legislação específica. Há iniciativas localizadas, por parte de alguns estados, mas a competência exclusiva é do Poder Legislativo Federal — do Congresso Nacional.

O governo do estado de São Paulo, por exemplo, criou a lei n. 10 948/01, que pune todo cidadão — incluindo-se nessa lista os funcionários públicos, civis ou militares —, toda organização, empresas públicas e privadas instaladas no estado, com advertência, multa, suspensão e cassação da licença de funcionamento em caso de admoestação de pessoas LGBTTQ. Também, o decreto estadual n. 55 588/10 faculta aos transexuais e travestis a escolha do tratamento nominal que desejam receber junto aos órgãos públicos estaduais. Assim sendo, tornou-se obrigatório para o servidor público tratá-los pelo prenome indicado e, caso ocorra o descumprimento, o funcionário poderá responder processo administrativo disciplinar.

Em 31 de agosto de 2001 foi instituído, por meio da medida provisória 2216-37, o Conselho Nacional de Combate à Discriminação e Promoção dos Direitos de Lésbicas, Gays, Bissexuais, Travestis e Transexuais (CNCD/LGBT) como um órgão colegiado, integrante da estrutura básica da Secretaria de Direitos Humanos da Presidência da República (SDH/PR). Já em 2010 o governo federal instituiu uma nova competência e estrutura ao CNCD/LGBT, mediante o decreto n. 7388, de 9 de dezembro, uma vez que as políticas voltadas para a promoção da igualdade racial e para a população indígena estavam sendo executadas por outros órgãos. Para atender demandas históricas do movimento LGBTTQ brasileiro e com a finalidade de potencializar as políticas públicas para essa população, o CNCD/LGBT passou a ter como objetivo formular e propor diretrizes de ação governamental, em âmbito nacional, voltadas para o combate à discriminação e para a promoção e defesa dos direitos de lésbicas, gays, bissexuais, travestis e transexuais.

No entanto, enquanto escrevo este livro, os projetos políticos concernentes à população LGBTTQ têm se alterado para pior, sendo as políticas em favor dos direitos da comunidade LGBTTQ retiradas do Conselho Nacional de Combate à Discriminação, que englobava a Promoção dos Direitos de Lésbicas, Gays, Bissexuais, Travestis e Transexuais. Ou seja, se durante a gestão de Michel Temer o CNCD/LGBT continuava a fazer parte da estrutura básica da pasta do Ministério dos Direitos Humanos, já o novo governo, eleito em 2018, manifestou-se algumas vezes contra a inclusão de tais pautas na escola, nas políticas do Estado e na própria sociedade. Ao contrário, tem-se procurado solapar cursos, programas, professores e livros dedicados a esses temas, caluniados por meio da criação da expressão "ideologia de gênero", de claro caráter depreciativo.

O que parece imperar, portanto, é um grande desdém para com as lutas e reivindicações do grupo LGBTTQ, que no momento não possui um espaço institucional determinado no governo federal. Nesse sentido, é revelador que a atual medida provisória 870 não deixe explícito que tal população faz parte das políticas e diretrizes destinadas à promoção dos direitos humanos, como constava anteriormente. Na verdade, a MP determina que a promoção dos direitos de lésbicas, gays, bissexuais, travestis e transexuais ficará a cargo de uma diretoria subordinada à Secretaria Nacional de Proteção Global do Ministério da Mulher, da Família e dos Direitos Humanos, o que representa uma nítida perda de status dentro do sistema de proteção dos direitos humanos nacionais.

Pessoas lésbicas, gays, bissexuais, transexuais e intersexuais poderiam estar inseridas no item "minorias étnicas e sociais" do Ministério da Mulher, da Família e dos Direitos Humanos. No entanto, a MP sobre o que constitui a área de competência desse ministério criado pelo novo governo, não deixa claramente evidenciada a inserção desse grupo. Ao contrário, a estrutura básica da pasta ficou formada por algumas secretarias e conselhos (Secretaria Nacional de Políticas para as Mulheres; Secretaria Nacional da Família; Secretaria Nacional dos Direitos da Criança e do Adolescente; Secretaria Nacional da Juventude; Secretaria Nacional de Proteção Global; Secretaria Nacional de Políticas de Promoção da Igualdade Racial; Secretaria Nacional dos Direitos da Pessoa com Deficiência; Secretaria Nacional de Promoção e Defesa dos Direitos da Pessoa Idosa; Conselho Nacional de Promoção da Igualdade Racial; Conselho Nacional dos Direitos Humanos; Conselho Nacional de Combate à Discriminação; Conselho Nacional dos Direitos da Criança e do Adolescente; Conselho Nacional dos Direitos da Pessoa com Deficiência; Conselho Nacional dos Direitos da Pessoa Idosa; Comitê Nacional de Prevenção e Combate à Tortura; Mecanismo Nacional de Prevenção e Combate à Tortura; Conselho Nacional dos Povos e Comunidades Tradicionais; Conselho Nacional de Política Indigenista; Conselho Nacional dos Direitos da Mulher; e Conselho Nacional da Juventude), sem que esteja discriminado o lugar institucional em que serão desenvolvidas e implementadas as políticas para a população LGBTTQ.

Educação, proteção, inclusão e autonomia são as únicas diretrizes que podem garantir que essas parcelas da população, e esses novos atores políticos, deixem de ser alvo de ataques e se transformem em cidadãos com direitos plenos. Se todos sofrem as consequências da atual política nacional de descaso, os ainda mais prejudicados são aqueles que, além de se identificarem como parte do grupo, encontram-se em situação de vulnerabilidade por outros fatores, como a pobreza, a origem racial, a falta de acesso à educação ou as necessidades especiais.

Num contexto em que se avolumam práticas políticas de perfil notadamente conservador, em que se criam falácias e falsas bandeiras, como o assim chamado "kit gay" (que nunca existiu), são essas minorias sociais as mais prejudicadas, uma vez que definidas como aquelas que se encontram fora das "normas e padrões" da "família tradicional", tão mitificada nos últimos anos. Combater os discursos que transformam realidades de gênero em mera "ideologia" (tomada como falsa verdade), exigir que se cumpram e mantenham direitos conquistados, é obrigação de todos nós, ainda mais nos momentos em que a regra normativa e moral tem naturalizado e tornado invisíveis práticas e comportamentos violentos contra os grupos LGBTTQ, e que atentam contra a democracia no país e o direito à diferença. Portanto, vamos combinar que essa é uma questão que não diz respeito, exclusivamente, às pessoas LGBTTQ mas faz parte da agenda de todos os cidadãos brasileiros comprometidos com valores republicanos, inclusivos, e com os direitos humanos de uma forma mais geral.

Mostra a história que, quanto mais autoritários são os regimes políticos, maiores são as tendências para que se intensifiquem tentativas de controle das sexualidades, dos corpos e da própria diversidade. A violência e o clamor por segurança foram, como temos aqui comentado, os temas que mais se destacaram nas eleições de 2018 e ocuparam parte intrínseca dos discursos eleitorais dos políticos que se sagraram vencedores nesse pleito. Não obstante, a seletividade dos casos que merecem justiça, o silêncio público diante da criminalidade de grupos de identidade específicos, representam uma mostra de como a violência no Brasil e o combate a ela têm não só cor, geração e classe social mas também sexo e gênero.

8. Intolerância

Quem foi ao exterior e se definiu como brasileiro, ou quem conversou com estrangeiros em visita ao nosso país, com certeza já se deparou com uma série de versões alentadoras desta terra tropical. O suposto é que esta seria uma nação avessa a conflitos, pacífica na sua índole, democrática no que se refere à convivência de gêneros, raças e etnias, em suma: uma espécie de "paraíso da tolerância" em meio a um mundo inclemente.

Essas definições generalizantes não sobrevivem, porém, a um enfrentamento no campo, a uma batida da polícia nas cidades, a uma discussão entre políticos, a um assalto à mão armada, a uma briga no trânsito, a um censo étnico que revela a desigualdade estrutural que persiste por aqui.

Somos também, e como vimos, um país de passado violento, cujo lema nunca foi a "inclusão" dos diferentes povos, mas sobretudo a sua "submissão", mesmo que ao preço do apagamento de várias culturas. Tratados, cartas e outros documentos dos séculos XVI e XVII mostram a dureza da convivência colonial e de que maneira essa socialização condicionou o país: de um lado a tentativa de aniquilamento, de outro a justificativa do necessário domínio.

Foi Luís Vaz de Camões (1524-79/80) quem escreveu aquela que seria considerada a grande epopeia portuguesa: *Os Lusíadas*, obra provavelmente concluída em 1556 mas publicada pela primeira vez em 1572. Nessa "saga" do então poderoso Império português, que é "obrigado" a fazer a guerra contra seus inimigos confessos, todas as conquistas, desde as cruzadas contra os "mouros", o domínio do Norte da África e até mesmo o movimento dos descobrimentos, são justificadas. No canto I, estrofe 3, Camões descreve a epopeia no mar como uma sorte de virtude nacional: "Cesse tudo o que a Musa antiga canta,/ Que outro valor mais alto se alevanta". Era assim que se "cantavam" e explicavam as práticas violentas dos colonos lusitanos, a partir da noção moral de "missão", no sentido original do termo: "levar à frente uma incumbência, uma tarefa, a pedido de outrem". Essa seria a "verdadeira missão" destinada aos portugueses e a mais importante, a despeito das consequências que produzisse.

Por sua vez, Antônio Vieira (1608-97), que chegou ao Brasil em 1616, e em 1623 ingressou na Companhia de Jesus, dedicou sua vida à tarefa de catequizar os gentios da nova terra: uma América portuguesa. Num momento em que a Igreja passava por dificuldades na Europa, expandir a fé cristã entre os indígenas do Novo Mundo, e assim revitalizar o catolicismo, era um dos objetivos desse religioso, que teve contato direto com as populações nativas. Padre Vieira converteu-se, inclusive, num combatente da exploração e da escravização dos indígenas, e acabou, ademais, por duvidar da obra do colonizador europeu. No "Sermão do Espírito Santo" (1657), em vez de louvar o sucesso da colonização, o jesuíta reconhece o oposto: como era árdua e difícil a tarefa de trazer a "fé verdadeira" para estes dispersos "Brasis".

Há uma passagem especialmente significativa, quando o religioso se dedica a descrever as dissemelhanças existentes entre as estátuas de mármore e as estátuas de murta e, a partir delas, estabelecer paralelos entre o convívio e o choque de duas culturas diversas: os colonos e os indígenas. O sermão se inicia com a realização de uma diferenciação entre cristãos-novos e cristãos-velhos. Na sequência, ele explora outro regime de diferenças: entre a fé duradoura dos europeus e a maleabilidade dos povos nativos do Brasil. Evangelizar os pagãos na Europa era tarefa árdua, dolorosa e custosa; no entanto, o resultado permanecia para sempre, duro e rijo como o mármore branco. Já catequizar os "Brasis" era trabalho em tudo distinto. Significava domar uma murta, um arbusto de galhos maleáveis, que aceitava a poda, tomava imediatamente a forma que se queria mas, ao primeiro descuido, voltava ao desenho original.

Essa era, e ainda é, uma imagem forte para pensar e definir os povos indígenas, que pareciam à primeira vista fáceis de catequizar mas voltavam logo a seu "estado primitivo". O certo é que índios tupinambás resistiam, a sua maneira, à aprendizagem proporcionada pelos jesuítas e ao recrutamento ao trabalho que os "caraíbas" lhes impunham, dando um sentido particular à nova fé, "traduzindo" para seus próprios termos o que lhes era ensinado. Como mostra Eduardo Viveiros de Castro, a inconstância dos índios "obrigava" os religiosos a promover uma constante reevangelização. Todavia, e nas palavras do antropólogo, a "inconstância é uma constante na equação selvagem".

A diferença entre uma estátua de mármore e uma de murta é, de fato, metáfora potente no que se refere à colonização. De um lado, o suposto da superioridade do europeu representado pelo mármore; um material entendido como nobre, caro e eterno. De outro, a insubmissão dos povos nativos, que, apesar de não se oporem à catequização, adaptavam-na como podiam, sem se conformarem com a anulação de seus conhecimentos. No caso, "adaptar" é sinônimo de reagir e se rebelar, ou não consumir cegamente a fé alheia, o que já indica como não houve nada de pacífico no contato entre o europeu e o gentio.

Esses dois clássicos da época da colonização nos ajudam a refletir sobre um padrão de comportamento que pode se apresentar, com distintas formas renovadas, ainda nos tempos atuais. Qual seja, a negação da violência e da intolerância com o "outro", aquele que é diverso, a partir de um "verniz" que justifica a dominação, e até a elogia, ao mesmo tempo que a encobre e minimiza. Talvez por isso, durante tanto tempo existiu quem definisse a escravidão no Brasil como a "melhor", quando não é possível conceber um sistema como esse de maneira positiva ou "mais" positiva; o racismo por aqui vigente como "menos perverso", mesmo diante de índices que revelam o oposto; a convivência de gêneros como "idílica", a despeito da violência que a acompanha; a relação com os indígenas enquanto "amistosa", apesar de nossa história mostrar o contrário; e até a nossa ditadura militar como uma "ditabranda".

No entanto, na negação do atrito há um sintoma muito significativo. Trata-se de uma tentativa de definir o país a partir de suas ambiguidades, retirando delas ou suavizando toda a carga violenta. Um bom exemplo pode ser encontrado na expressão, já rotineira, "problema indígena". Segundo Anthony Seeger e Eduardo Viveiros de Castro, ela seria no mínimo "capciosa: pode sugerir que os índios 'criam' um problema para a sociedade nacional, quando é justamente o oposto. O 'problema', na verdade, é nacional".

A negativa é uma forma de intolerância, já que não permite, sequer, que a crítica e o atrito sejam percebidos. Pois, afinal, se não há problema, não há confronto. Essa maneira de silenciar as ambivalências e contradições se inscreveu numa sociedade que prefere deixar no invisível aquilo que se mantém presente na superfície. Sérgio Buarque de Holanda, em seu livro *Raízes do Brasil*, chamou de "cordialidade" a "lhaneza no trato, a hospitalidade, a generosidade, virtudes tão gabadas por estrangeiros que nos visitam" e que mais se parecem com um "traço definido do caráter brasileiro". Explica o historiador, porém, que seria engano imaginar que tais virtudes possam significar apenas "boas maneiras" ou "civilidade". Elas seriam, antes, a expressão de "um fundo emotivo extremamente rico e transbordante", resultado da "ativa e fecunda influência ancestral dos padrões de convívio humano, informados no meio rural e patriarcal". E ainda mais: nessa civilidade haveria algo de coercitivo, pois nossa forma de gentileza estaria longe da polidez. Segundo Holanda, ela só iludiria na aparência. "Equivale a um disfarce que permitirá a cada qual preservar intatas sua sensibilidade e suas emoções."

Não existe, portanto, elogio possível à "cordialidade" em *Raízes do Brasil*, uma vez que ela evita as hierarquias para, no silêncio, reafirmá-las. A sociedade deste país de longa convivência com a escravidão e com grandes domínios rurais privados preservaria, mesmo na contemporaneidade, uma espécie de ritual nacional de oposição às distâncias sociais, de gênero, de religião, de raça, quando na prática e no cotidiano as reitera.

E, se esse contencioso da nossa história não tem a capacidade de justificar totalmente o presente, ajuda, pelo menos, a iluminar a cena atual, quando preside a mesma lógica porém agora devidamente invertida. Em lugar do "ritual da tolerância", passamos a praticar o oposto; o confronto e a expressão aberta da polaridade que, como vimos mostrando, sempre existiu na nossa história mas andava silenciada. Talvez por isso, hoje em dia muitos brasileiros não se preocupem mais em se definir como pacíficos; preferem desfilar sua intolerância.

Aliás, nesse aspecto, temos feito coro com uma orquestra mais ampla. Muitos movimentos autoritários emergentes da atualidade apoiam-se na criação de verdadeiras mitologias de Estado, pautadas na lógica da polaridade: do "eles" e do "nós". Ou melhor, do "eles contra nós" e do "nós contra eles". Essas são posturas que apostam na dicotomia e na rotinização de diferenças fortuitas, produzindo novas realidades.

"Eles" seriam preguiçosos, corruptos, ladrões, ideólogos, pessoas sem escrúpulos, parasitas, enquanto um grande "nós" funciona apenas na base da contraposição, abraçando tudo que estaria do outro lado da polaridade. O suposto sigiloso é que basta determinar um "eles" para que se evidencie o que seria um "nós" apaziguador, pois correto, justo e exemplar.

Essa crença em códigos binários tem a capacidade de dividir o mundo a partir de ladainhas que só funcionam à custa do exercício contínuo de narrativas, igualmente, binárias: honestos ou corruptos, o bem versus o mal, grupos familiares opostos a indivíduos degenerados, aqueles que se identificam com a religião contra os agnósticos e destituídos de crenças, o novo que contradiz o velho. O funcionamento dessas polaridades produz, por seu turno, uma lógica de ódios e afetos que contamina não só a compreensão e a avaliação das instituições públicas mas também o dia a dia das relações pessoais.

A razão binária produz, ainda, um sentimento beligerante de contraposição, que gera desconfiança diante de tudo que não faça parte da própria comunidade moral: a imprensa, os intelectuais, a universidade, a ciência, as organizações não governamentais, as minorias e os novos agentes políticos. No seu lugar, vigoraria a simplicidade do homem comum, aquele que faz seu churrasco, frequenta a igreja aos domingos, conhece o barbeiro pelo nome, é próximo de sua família, que mais se parece com um clã unido, e tem um cotidiano assemelhado ao de seus eleitores. "É gente como a gente", conforme exalta um refrão muito utilizado na campanha eleitoral de 2018.

O uso das redes sociais, em vez dos veículos tradicionais de comunicação, também se comporta como elemento que aguça a comunicação bipartida. No vale-tudo da internet, não há tempo para a confirmação dos fatos, documentos e fontes, tampouco para a autoria intelectual, ou para a análise menos passional do que aquela feita no "calor da hora". Ao contrário, as mensagens tomam a forma de propagandas, que tencionam a formação ainda mais exacerbada de polarizações. O sucesso delas será garantido quanto mais retomarem palavras de ordem conhecidas e disseminadas como medo, ódio, insegurança, ou, melhor, quanto mais se arriscarem a introduzir teorias conspiratórias e assim gerarem esse tipo de sentimento.

Por isso, e para tornar-se popular nesses espaços, é suficiente fomentar narrativas políticas críveis, distopias funcionais, desde que empreguem uma linguagem simplificada, tão curta como direta. Também é de bom alvitre selecionar um bom inimigo, daqueles a quem é possível endereçar muita raiva e contraposição; desautorizar seu discurso para legitimar o próprio. É comum à estrutura de tais narrativas mostrar um verdadeiro desapego à realidade. Melhor criar uma, desde que ela se mantenha dividida entre o "nós" e o "eles", e apegada emocionalmente a falsas certezas.

Essas são, portanto, e como mostra o psicanalista e professor Christian Ingo Lenz Dunker, "retóricas da divisão", as quais tendem a transformar adversários políticos em inimigos que devem ser, basicamente, neutralizados ou, se possível, eliminados. Para tanto, vale qualquer exagero ou produzir todo tipo de teoria. "Eles" não seriam apenas corruptos, mas também assassinos, sujeitos sem escrúpulos morais. Abrem-se espaços, assim, para toda espécie de alegação e invenção, desde que estas ajudem a engrossar o caldo dessas "narrativas de batalha".

Se o uso da internet é de alguma maneira novo e ocorreu massivamente nas eleições de 2018, já a estratégia de contraposição não tem nada de original e muito menos resulta de uma invenção própria do nosso nacionalismo tupiniquim. Ela é parte constituinte dos discursos autoritários, que se valem da construção de teses cuja origem não precisa ser comprovada, conforme explica a filósofa Hannah Arendt em *Essays in Understanding*, um conjunto de ensaios escritos entre os anos 1930 e 1954:

> Para essa fabricação de uma realidade mentirosa, ninguém estava preparado. A característica essencial da propaganda fascista não esteve jamais em suas mentiras, pois essa prática é mais ou menos comum na propaganda de todo lugar e em todos os momentos. A parte essencial foi que eles exploraram o preconceito ocidental que permite confundir a realidade com verdade.

Esse tipo de plataforma política, que joga mais pela divisão do que pelo consenso, que "explora o preconceito" em vez de lutar contra ele, acaba por amplificar e assanhar a intolerância social, a qual se pode caracterizar como uma atitude definida pela falta de habilidade, ou mesmo de vontade de reconhecer e respeitar diferenças de opiniões, crenças, valores ou orientações sexuais.

Politicamente, a intolerância se apresenta como uma conduta que busca apagar ou que simplesmente não aceita pontos de vista diferentes daqueles do próprio indivíduo. E tal comportamento, não raro, se utiliza do preconceito e da disseminação de estereótipos para a sua afirmação. Racismos, sexismos, misoginia, antissemitismo, homofobia, pragmatismo religioso ou político, horror aos estrangeiros, são formas conhecidas de intolerância social.

Num momento em que achávamos que a democracia havia se consolidado como o melhor sistema político e como um valor fundamental — uma vez que ela tem como objetivo garantir a liberdade, a igualdade e um estado regular de direitos, a despeito de jamais consegui-lo plenamente —, temos assistido ao crescimento da intolerância social, no mundo e notadamente no Brasil. E a intolerância, seja lá qual for — racial, religiosa, social, de gênero —, fere o artigo 7º da Declaração Universal dos Direitos Humanos, o qual afirma que "todos são iguais perante a lei e têm direito, sem qualquer distinção, a igual proteção da lei. Todos têm direito a igual proteção contra qualquer discriminação que viole a presente declaração e contra qualquer incitamento a tal discriminação".

Fere também o artigo 5º da nossa Constituição de 1988, que garante: "Todos são iguais perante a lei, sem distinção de qualquer natureza, garantindo-se aos brasileiros e aos estrangeiros residentes no País a inviolabilidade do direito à vida, à liberdade, à igualdade, à segurança e à propriedade".

Se é possível dizer que intolerância não é um sentimento ou uma postura existencial que nasce do dia para a noite, e que, como tentamos mostrar, encontra raízes no nosso passado — de longo, médio e curto curso —, apesar de nossa contínua denegação do conflito, é também forçoso reconhecer que deixamos de esconder tal sentimento, para muitas vezes exaltá-lo publicamente. E essa talvez seja a maior novidade: o que eram antes manifestações recônditas e apenas furtivas, agora viraram ocasiões para o orgulho e a autocelebração.

Essa mudança de comportamento tende, em primeiro lugar, a se acelerar e tornar-se mais visível em momentos de aberta polarização política. Em segundo, a despeito do bom funcionamento formal das instituições da República brasileira, ainda nos faz falta uma cultura política verdadeiramente democrática, que pudesse amparar esse tipo de tensão e transformá-la em políticas públicas. Por fim, uma crise prolongada como a que vivemos, e que se anunciou em 2013 mas instalou-se em 2014, com direito a recessão, diminuição dos níveis de renda e aumento do desemprego, sublinhou um potencial político até então pouco explorado: o da aversão. Aversão à corrupção que se banalizava nos noticiários, aversão à insegurança presente nas ruas, aversão ao crescimento do crime organizado, aversão à desorganização do Estado, tomado por interesses privados, aversão aos políticos fisiológicos, aversão aos intelectuais e à imprensa, aversão aos novos atores políticos, enfim, aversão a tudo que não "nos" diz respeito ou não "nos" representa.

A aversão em si não é um sentimento obrigatoriamente ruim, como mostram alguns exemplos acima; seria bom se desenvolvêssemos outras aversões: aos racismos, aos feminicídios, aos crimes de gênero, ou à ditadura militar, que suprimiu os direitos dos brasileiros. O nó da questão vai continuar, porém, atado, se a insatisfação só conseguir provocar mais insatisfação, canalizada para um suposto "inimigo comum": necessariamente um "outro", muito distante de "nós".

Era esse, aliás, o formato das manifestações de 2013; pouca gente notou, mas existiam, já naquele contexto, dois lados da avenida que jamais convergiam. Se o espaço das ruas representou um domínio das esquerdas até então, de repente ele ampliou seu espectro, ao mesmo tempo que o reduziu. Ampliou, pois acomodou outros tipos de demanda. Reduziu, na medida em que dividiu totalmente o espaço público de maneira que os dois grupos jamais compartilhassem o mesmo local.

Democracia, desde os gregos, é definida como um processo inconcluso, e que precisa ser sempre refeito e ampliado. No nosso caso, a vigência salutar de uma democracia representativa no Brasil, durante trinta anos ininterruptos, não nos vacinou para lidar com uma sociedade dividida. Não só aquela mais progressista e atenta aos direitos humanos, como outra, que se cansou de viver em recessão e de assistir na televisão a tantos casos de corrupção no coração do Estado. Cansou-se do crescimento em escala e patamar da criminalidade nas periferias e da deterioração da segurança pública. O cansaço, por sua vez, deu vazão ao ressentimento e à manifestação direta de valores conservadores, no sentido de quem quer "conservar" mesmo, e que mudaram o que parecia ser uma utopia partilhada na forma de entender, preservar e ampliar direitos. Também atacou o mundo da política e a homogeneidade de nossos políticos, em geral homens, de classe média, heteronormativos e mais velhos.

Uma nova distopia ganhou forma no mundo e viajou para o Brasil, apresentando-se a partir da construção da certeza de que aqueles que detinham o poder até então, careciam de "credibilidade social" ou simplesmente se desgastaram na sua falta de protagonismo. Ou seja, com a fabricação dessa espécie de "descrença generalizada", passa-se a impressão de que tudo que existia era destituído de valor, mantinha-se "em falta", e que, portanto, caberia agora "cobrar" pelo que fora "retirado" ou "subtraído" dos cidadãos brasileiros. Assim se dissemina a figura do "cobrador" (como na obra de Rubem Fonseca de 1979); daquele que não tem muitas responsabilidades porém demanda direitos. As manifestações que tomaram as avenidas em 2013 tinham muitos lados e incluíam setores e reclamos diversos da sociedade. A diferença não é problema (ao contrário, faz parte do jogo), mas a intolerância, sim. O certo é que, desde o impeachment da presidente Dilma Rousseff, em 2016, destampou-se o caldeirão dos ressentimentos, que desaguou numa política deliberada de ódios e polarizações.

Desde então, alcançou a superfície um movimento que vivia no recato, e passou a distribuir intransigência, sem peias de declarar falta de respeito às diferenças expostas em termos de crenças, orientações sexuais e opiniões políticas. O outro lado também se enrijeceu; as esquerdas revelando igualmente seu grau de intolerância e adotando um discurso cada vez mais polarizado. E, se já houve um tempo em que acreditamos na ideia de que brasileiros eram um "povo pacífico e tolerante", conforme aqui mostramos, hoje poucos defenderiam tal bravata. São muitos os registros do aumento da violência contra a comunidade LGBTTQ, as reações à inclusão de deficientes na sociedade, as manifestações xenófobas contra imigrantes e estrangeiros, os casos de bullying em escolas e ambientes de trabalho, gerados por diferenças raciais, de gênero ou até mesmo divergências políticas, assim como têm se multiplicado os ataques a terreiros de candomblé.

Por sinal, segundo matéria da *Folha de S.Paulo* de 13 de janeiro de 2019, os registros de crimes relacionados à intolerância atingiram um pico durante as eleições de 2018. Nos meses de campanha — agosto, setembro e outubro — foram dezesseis casos por dia, mais que o triplo dos 4,7 registros diários no primeiro semestre. O ápice se deu em outubro, quando da votação de primeiro e segundo turnos, com 568 boletins de ocorrência, uma média de pouco mais de dezoito casos por dia. O total desse mês representa 67% do acumulado nos seis primeiros meses e é mais que o triplo do anotado em outubro de 2017. O certo é que as ocorrências de intolerância religiosa cresceram 171% em relação ao total dos três meses anteriores, as de homofobia 75% e as de intolerância por origem 83%. Já os registros relacionados a preconceito de cor e raça subiram 15%.

Os dados do Disque 100 — canal de denúncias do governo federal — indicam que as religiões mais atacadas foram as de matriz africana, que se converteram em alvo de quase 35% dos casos do primeiro semestre de 2018. Perseguição, invasão de terreiros, destruição de objetos votivos, fazem parte, infelizmente, da história dos candomblés no Brasil. No entanto, se a religião foi oficializada ainda nos tempos de Getúlio Vargas, tem sido particularmente agredida em nosso contexto.

A escalada da violência revela igualmente a ampliação da intolerância. A Secretaria de Direitos Humanos da Presidência da República tem mostrado que a cada três dias uma denúncia de intolerância religiosa é registrada. O relatório do Grupo Gay da Bahia (GGB) informa que no ano de 2017, somente, computou-se a morte de uma vítima a cada dezenove horas. E aumentou o número de casos de pessoas obrigadas a esconder o crachá que traz a bandeira LGBTTQ, por conta dos ataques que vêm recebendo: do insulto até a agressão física. Estrangeiros provenientes da América Latina, do Haiti ou da África também vêm amargando a nova atitude beligerante da população brasileira; apenas no ano de 2015, houve um aumento de 63% dos casos de xenofobia, sendo que só 1% resultou em processo judicial.

A intolerância alastrou-se, do mesmo modo, por meio das redes sociais. Segundo o Comitê Gestor da Internet do Brasil, em 2018, apenas, entre agosto e outubro, de cada três menores de idade com acesso virtual, pelo menos um havia tido conhecimento de alguém que padecera com a discriminação. Os entrevistados referiram casos de preconceito de cor ou raça (24%), aparência (16%) e homossexualidade (13%). Outra pesquisa conduzida, no mesmo período, pela SaferNet, ONG que defende os direitos humanos na internet brasileira, revela que 39 mil páginas com conteúdos racistas e incitação à violência foram denunciadas por violarem direitos humanos.

Esse conjunto de dados avaliza como pessoas que até então se sentiam de alguma maneira tolhidas para demonstrar sua intolerância, agora parecem estar à vontade; autorizadas. Mas é difícil explicar uma guinada do tipo. Quando é que abandonamos a imagem do país da cordialidade para cair na representação pública da intransigência e da aversão à diferença? Respostas não existem, até porque vimos como essa sorte de atitude foi sempre uma performance política e cultural, e não um retrato fiel da ausência de atritos e ambiguidades entre os brasileiros.

Mas um elemento crucial leva a entender o crescimento da intolerância no país: a deficiência na oferta de uma educação pública de base de qualidade. Índices do Fórum Brasileiro de Segurança Pública (FBSP) e do Datafolha para o ano de 2018 mostram que a sociedade brasileira, numa escala de zero a dez, atinge atualmente um índice de 8,1 na tendência a endossar posições mais autoritárias. De acordo com Renato Sérgio de Lima, diretor presidente do FBSP, estamos diante de uma maioria que advoga o uso da violência como forma de governo e, paradoxalmente, julga que essa seria a melhor maneira de "pacificar a sociedade, em uma espécie de vendeta moral e política".

Segundo o mesmo estudo, ainda, quanto menor o índice de escolaridade, maior a aposta em soluções autoritárias e pouco afeitas ao diálogo. Afinal, é na escola que os estudantes aprendem a conviver com a diferença e a respeitar aqueles que não compartilhem das mesmas experiências familiares e formas de sociabilidade.

A resposta para a crise política, econômica, social e cultural em que nos encontramos, e para combater o retorno de modelos autoritários de convivência, como também de política, só virá de um projeto de nação mais inclusivo e igualitário. Apenas o investimento numa formação educacional sólida, ampla e equânime pode abalar o ceticismo que tomou a sociedade brasileira e animar a boa utopia de uma sociedade mais informada, leitora, crítica e capaz de dialogar.

A intolerância fragiliza o nosso estado democrático de direito, que pede respeito entre ideias, experiências, práticas, opções e costumes diferentes. Democracias funcionam melhor, escrevem Steven Levitsky e Daniel Ziblatt, e sobrevivem por muito mais tempo quando constituições são reforçadas por normas democráticas e não escritas.

Por sua vez o autoritarismo representa o antônimo da democracia. Com o incentivo da Constituição de 1988, e trinta anos de exercício democrático, solidificamos nossos poderes, nossas instituições se tornaram mais robustas, e animamos a convivência social com a diversidade. Ainda assim, temos mostrado sinais de mau funcionamento das instituições e até mesmo da Constituição. Afinal, qualquer processo democrático, por definição, é incompleto, inconcluso, e pede sempre aperfeiçoamento.

De toda maneira, e enquanto não se inventarem fórmulas melhores, aprender com a diferença continua sendo uma regra de ouro da cidadania e faz parte do fortalecimento das bases democráticas da sociedade brasileira. Já apostar na polaridade, incentivar a intolerância a partir da proliferação de discursos de ódio e que reforçam o binarismo social, significa ir contra o bem comum e trabalhar pela divisão que nos fará menos, nunca mais.

Quando o fim é também o começo:
Nossos fantasmas do presente

O Brasil tem um enorme passado pela frente.

Millôr Fernandes

Toda história é remorso.

Carlos Drummond de Andrade

A história costuma ser definida como uma disciplina com grande capacidade de "lembrar". Poucos se "lembram", porém, do quanto ela é capaz de "esquecer". Há ainda quem caracterize a história como uma ciência da mudança no tempo. Quase ninguém destaca, no entanto, sua genuína potencialidade para reiterar e repetir. E a história brasileira não tem como escapar a essas ambiguidades fundamentais: se ela é feita do encadeamento de eventos que se acumulam e evocam alterações substanciais, também anda repleta de seleções e lacunas, realces e invisibilidades, persistências e esquecimentos. Além do mais, enquanto na sucessão cronológica do tempo destacam-se as alterações cumulativas, marcadas por fatos e eventos isolados — alterações de regime, golpes, mudanças econômicas, sociais e culturais —, não é difícil notar a presença de problemas e contradições estruturais que continuam basicamente inalterados, e assim se repetem, vergonhosamente: a concentração de renda e a desigualdade, o racismo estrutural, a violência das relações, o patrimonialismo.

"O passado nunca foi, o passado continua", afirmou o então deputado Gilberto Freyre no plenário da Constituinte de 1946, nesse caso fazendo um elogio nostálgico aos tempos de outrora. Mas é esse passado que vira e mexe vem nos assombrar, não como mérito e sim tal qual fantasma perdido, sem rumo certo. O nosso passado escravocrata, o espectro do colonialismo, as estruturas de mandonismo e patriarcalismo, a da corrupção renitente, a discriminação racial, as manifestações de intolerância de gênero, sexo e religião, todos esses elementos juntos tendem a reaparecer, de maneira ainda mais incisiva, sob a forma de novos governos autoritários, os quais, de tempos em tempos, compareçem na cena política brasileira.

Desde o início da nossa breve República, se foram vários os momentos de maior normalidade política, não foram poucas as ocasiões em que a regra democrática foi descumprida e o Estado funcionou na base da exceção. Foi assim na época da República militar de Deodoro da Fonseca (1889-91) e de Floriano Peixoto (1891-94), que governaram parte de seu período presidencial sob estado de sítio. Foi também assim nos anos 1920, quando, sob a presidência de Artur Bernardes, decretou-se um estado de sítio que perdurou por quase todo o seu governo. E ainda, na ditadura do Estado Novo, que durou de 1937 a 1945, com a centralização do poder nas mãos de Getúlio Vargas e a imposição de uma nova Constituição. Não se pode esquecer, por fim, o golpe civil-militar de 1964, o qual destituiu um governo legitimamente eleito e implantou a ditadura que, com a promulgação do AI-5, em 1968, suspendeu o direito de expressão e a liberdade dos brasileiros. E talvez estejamos vivendo mais um novo capítulo dessa nossa história autoritária, com uma convincente guinada conservadora e reacionária, que surgiu das urnas no pleito de 2018.

Todo governo procura usar a história a seu favor. No entanto, e não por coincidência, governos de tendência autoritária costumam criar a *sua* própria história — voltar ao passado buscando uma narrativa mítica, laudatória e sem preocupação com o cotejo de fatos e dados — como forma de elevação. Para tanto, reconstroem o passado nacional como se ele fosse uma idade de ouro (que ele não foi), ou os "tempos de antes", na bela expressão do escritor francês Frédéric Mistral, como espaços paradisíacos, dominados pela autoridade patriarcal, que se prolongava por um grande lote de terras, incluindo uma família estendida e as pessoas agregadas que moravam na vizinhança.

O "tempo de antes" transforma-se, facilmente, naquele da intimidade protetora de um grupo social fechado e estritamente hierarquizado; um léxico familiar de afetos, que une a figura do pai governante aos irmãos, filhos e amigos, numa comunidade de justos autoeleitos. Em suma, esse tipo de narrativa histórica representa a projeção simbólica de uma espécie de civilização, uma certa ordem, uma determinada harmonia social, capaz de assegurar a continuidade desse mundo que, na verdade, jamais existiu.

Essas são imagens de um passado que vira lenda. Esses são tempos apenas sonhados e que se apresentam na forma de inflexão da lembrança sem compromisso algum com o presente. Todavia, de tão seletivo, esse tempo deixa de pertencer à história, propriamente dita, para adentrar uma certa memória da história. Esse é um passado elevado e glorioso que nunca ocorreu; que evoca uma memória fora do tempo, ou cria um tempo da "exemplaridade".

No entanto, é bom relembrar, não há momento que deixe de forjar a sua própria leitura histórica. Para se constituírem, tais narrativas contam com muitas lembranças, mas também com várias rejeições, lacunas, seleções e determinadas crenças políticas que entram no lugar de outras. Esse é mais propriamente o "tempo da memória"; aquele que encontra num certo passado idealizado a plenitude perdida e vive da certeza. Por isso, a leitura gloriosa e elevada do "tempo de antes" abole contradições, qualquer tipo de violência ou sofrimento, e, assim, se converte em mito. Mito como sistema de explicação e forma de mobilização.

Esse é também um exercício de narrativa e de imaginação política bastante atual, uma vez que se pauta no exercício da nostalgia dos "velhos bons tempos" e projeta para o presente a imagem dos destroços. Longe de ser um paradigma utilizado apenas por governos hoje ultrapassados, tal modelo tem se convertido no fermento de uma série de políticas autoritárias, que vão ganhando forma e musculatura em diferentes partes do planeta. O que elas têm em comum é a base no ultranacionalismo religioso, cultural, étnico, e a característica de delegar o poder e a representação política para seu líder supremo, logo convertido em mito; aquele que fala no lugar de todos e por todos.

Para onde quer que se tente olhar — na Turquia sob a presidência de Recep Tayyip Erdogan, na Polônia com Andrzej Duda, na Hungria com Viktor Orbán, Donald Trump nos Estados Unidos, Matteo Salvini na Itália, Rodrigo Duterte nas Filipinas, Benjamin Netanyahu em Israel e Nicolás Maduro na Venezuela —, vem se tornando cada vez mais fácil encontrar diversos governos que, sem serem diretamente orquestrados entre si, acabam por dialogar através de seus modelos análogos: uma sorte de populismo autoritário, que vem testando a resiliência institucional das democracias em seus respectivos países.

Esses novos governos têm, igualmente, recorrido a uma profusão de estratégias comuns: a seleção de um passado mítico e glorioso; a criação de um anti-intelectualismo e um antijornalismo de base; um retorno à sociedade patriarcal de maneira a elevar conceitos como hierarquia e ordem; o uso da polícia do Estado ou, se necessário, de milícias para reprimir bandidos mas também desafetos políticos; uma verdadeira histeria sexual que acusa mulheres, gays, travestis e outras minorias de serem responsáveis pela degeneração moral de suas nações; um apelo à própria vitimização (a sua e de seus aliados), conclamando a população a reagir aos supostos algozes de outrora; o incentivo à polarização que divide a população entre "eles" e "nós", estabelecendo que "nós" somos os realizadores e "eles" os usurpadores; o uso extensivo da propaganda política que não preza a realidade pois prefere inventá-la; a naturalização de certos grupos nacionais e a consequente ojeriza aos imigrantes, logo transformados em estrangeiros; a manipulação do Estado, de suas instituições e leis, visando perpetuar o controle da máquina e garantir um retorno nostálgico aos valores da terra, da família e das tradições, como se esses fossem sentimentos puros, imutáveis e resguardados.

Se foi essa a argamassa dos governos nazifascistas dos anos 1930 e 1940, que inventaram para si um passado mítico como forma de justificar seu presente, ela tem funcionado também como paradigma de uma série de líderes políticos contemporâneos, para cuja definição ainda carecemos de nome preciso ou expressão específica. Alguns analistas arriscam a palavra "democradura" para explicar a vigência de governos que combinam de maneira perversa a regra democrática com a prática populista e autoritária. Não por acaso, têm sido chamados ainda de "novos populistas". Trata-se de seguir a norma jurídica até determinado momento, para depois escapar dela, a partir de justificativas que se desviam da lei.

Para o cientista político Juan Linz, as novas democracias não se parecem com aquelas em que a norma constitucional e as instituições funcionam regularmente; estariam entre a ditadura e a democracia. Esse tipo de argumento se embasa na convicção de que a democracia não depende somente das maiorias eleitorais, tampouco se resume a ganhar uma eleição dentro da ordem. Pauta-se também em regras que evitem a criação de hegemonias políticas, econômicas e sociais e animem o governo a atentar para as várias demandas sociais e para os novos agentes políticos. Ou seja, democracia implica não só maioria nos plebiscitos. É necessário garantir e reforçar igualmente a institucionalidade, para que as reeleições sucessivas, a perpetuação de partidos no governo ou a eleição de líderes populistas não levem apenas ao jogo da ascensão e permanência no poder, mas, antes, à institucionalização de uma verdadeira e ampla democracia. Democracia não é jogo de empate. Sua eficácia está sujeita a um processo contínuo de retomada crítica, de revisão de seus supostos a partir das demandas que os novos contextos trazem consigo.

Já a emergência dessa onda de governos conservadores, que inundaram a política contemporânea, não se limita a retornar ao passado, nem funciona como mera reencarnação dos fascismos e populismos perdidos na história da primeira metade do século XX. O certo é que se trata de fenômeno tão moderno como complexo. Os populismos de agora abusam das novas formas de comunicação virtual com a justificativa de que não precisam de intermediários para se dirigirem ao povo; não têm nenhum escrúpulo em manipular e explorar fake news como se fossem verdades comprovadas; vendem para si uma imagem de lisura e correção na gestão do governo, tratando de obliterar seus próprios maus exemplos; acusam os demais de corrupção, não estando eles distantes dessa prática; se autodenominam como "novos" quando estão faz tempo na política e vivem dela; abusam de mensagens moralistas apoiando-se fortemente em conceitos como religião, família e nação. Na opinião do filósofo político Ruy Fausto, estamos diante de um "novo regressivo", que garante opressão e exploração do presente, reativando formas que já pareciam ultrapassadas.

De toda maneira, enquanto novos estadistas selecionam um

passado "para chamar de seu" e fazem uso da história como instrumento de elevação, quem sabe não caiba aos analistas políticos, jornalistas e historiadores sociais assumir um papel mais crítico e comprometido com as fontes documentais; não com os regimes, que, aliás, são todos passageiros.

Eric Hobsbawm, em seu livro *Era dos extremos*, definiu os historiadores como "memorialistas profissionais do que seus colegas-cidadãos desejam esquecer". Já Peter Burke apelou para uma interpretação mais bem-humorada mas não menos contundente: "Houve outrora um funcionário chamado 'Lembrete'. O título na verdade era um eufemismo para cobrador de dívidas. A tarefa oficial era lembrar às pessoas o que elas gostariam de ter esquecido".

A função da história é, assim, "deixar um lembrete" sobre aquilo que se costuma fazer questão de esquecer. Pois bem, vale a pena deixar um bom "lembrete" acerca do nosso passado, cujas estruturas sociais e heranças pouco lembram uma rica arcádia tropical. Como vimos, muitos são os fatores que nos legaram um presente com instituições ainda frágeis. Essa fragilidade ajudou a fomentar práticas de corrupção que se entranharam no coração do sistema, contaminando esferas públicas e privadas de uso do Estado. A contravenção deixou de ser apenas um fenômeno frequente para encontrar-se arraigada na própria representação dos políticos e da política. Ao mesmo tempo, uma grande e persistente concentração de renda gerou acessos desiguais à terra, à educação, à moradia, à saúde, aos transportes e aos direitos. Por fim, não há como esquecer que diferentes momentos de intervenção autoritária no Brasil foram, com frequência, justificados em nome da segurança nacional. O problema é que, nessas horas de pico na temperatura política, os direitos dos brasileiros costumam ser vilipendiados, bem como a própria norma democrática.

Não podemos negar que o Brasil é hoje, sem sombra de dúvidas, um país menos desigual, a pobreza diminuiu, a educação e a saúde estão melhores do que já foram. O acesso a bens materiais também cresceu, como resultado da aplicação de políticas públicas, durante os últimos trinta anos, preocupadas, de forma crescente, com uma redistribuição mais equânime.

Não obstante, nossos indicadores sociais continuam alarmantes. A despeito de o Brasil ser o nono PIB mundial, 40% da sua população, até catorze anos de idade e nomeadamente negra, ainda se encontra em situação de pobreza. Admite-se a existência, aqui, da polícia mais violenta do mundo — aquela que mais mata, morre e prende —, contando com a terceira maior população carcerária do planeta. Os registros de morte guardam uma certa cor definida, sendo que 70% dos casos envolvem populações jovens e negras. As ocorrências de feminicídio, estupro, assassinato e assédio à população LGBTTQ ainda são por demais frequentes e acham-se refletidas na baixa representatividade de mulheres e trans no Congresso Nacional. O mesmo acontece com a população indígena, que segue mantida em grande invisibilidade social e representativa, e tem hoje seu direito à terra reiteradamente contestado.

Apesar de ter havido um aumento no acesso à educação infantil e de 90% das crianças de zero a três anos frequentarem agora a pré-escola, apenas 30% delas têm acesso a creches. Quase 55% dos estudantes que terminam o terceiro ano do ensino médio continuam apresentando problemas sérios de leitura, enquanto as melhores escolas privadas capacitam os alunos das elites para entrar nas melhores universidades, nesse caso, públicas. O desemprego subiu 12% em janeiro de 2019 e atinge 12,7 milhões de brasileiros. A área da cultura segue sucateada, não merecendo mais sequer um ministério em especial. Tais características, teimosas nesta nossa agenda brasileira de cinco séculos, tendem a se avolumar em contextos de recessão; notadamente quando falta vontade política e sobra jogo para a plateia.

Mas, se a crise iniciada em 2013 e que tomou forma definida segue castigando o cotidiano dos brasileiros, ela carrega consigo uma ponta de esperança. Aliás, a própria palavra "crise", de origem grega, traz o significado de "decisão", no sentido de buscar a recuperação de um momento de instabilidade e de desequilíbrio do sistema político. Por outro lado, nem toda crise é causada por contextos de recessão, injustiça e desemprego.

Conforme explicou Alexis de Tocqueville (1805-59), em seu clássico *A democracia na América*, e tempos depois Barrington Moore Jr. (1913-2015), no livro *Injustiça: As bases da obediência e da revolta*, insurreições sociais, muitas vezes, eclodem logo após períodos de melhoria nos padrões sociais da população, quando se procura garantir e ampliar direitos legitimamente conquistados. A história mostra que ninguém recua nos seus direitos e, nesses momentos, as populações beneficiadas costumam exigir os delas.

No Brasil, a experiência não foi distinta: a população lotou as avenidas das principais cidades, no ano de 2013, para pedir mais direitos no que se refere à saúde, à educação, à moradia e aos transportes, todas benesses previstas na Constituição. Criticou também políticos, partidos, as instituições. Nem mesmo o futebol, até então uma grande unanimidade nacional, a despeito dos valores exorbitantes que recebem alguns de seus jogadores, ficou de fora.

E não me parece coincidência que também nessa época tenha se iniciado um acentuado processo de radicalização social, em que os brasileiros mostraram crescente descaso e pouco compromisso com as instituições, os partidos, a política e os políticos. Tanto no campo da direita como no da esquerda, as demandas desaguaram em ressentimento. Por sua parte, o vazio social e o ceticismo adubaram um terreno já fértil para a ascensão de pretensos outsiders, políticos autoritários, oportunistas e populistas, que se dizem acima e além dos demais dirigentes, apesar de compartilharem do mesmo jogo político e viverem dele. Como não conseguem produzir consensos mais amplos na sociedade civil, apostam, seguindo as lições dos outros governos emergentes, no conflito e na divisão.

Com certeza, os protestos de 2013 e a crise política que se agravou com o impeachment da presidente Dilma, bem como os escândalos do Mensalão e da Lava Jato, impactaram negativamente a imagem dos políticos, de uma forma geral, e foram responsáveis por um ambiente generalizado de desconfiança. Não obstante, em países de tradição autoritária, a crise é capaz de fazer reviver e de renovar histórias de mais longo curso, de desrespeito às leis, descrença nas instituições e que sinalizam saídas dogmáticas e que se apresentam como as "salvadoras da pátria".

Nessas horas, sofrem as constituições, e também a capacidade que elas têm para coordenar conflitos e equilibrar diferentes agentes políticos. Mais que como um conjunto de normas, as constituições funcionam, conforme define o professor de direito Oscar Vilhena Vieira, como "dispositivos que aspiram habilitar a democracia, regular o exercício do poder e estabelecer parâmetros de justiça que devem pautar a relação entre as pessoas e entre os cidadãos e o Estado". Elas têm a capacidade, ainda, desde que sejam resilientes, de moderar conflitos internos de maneira democrática.

Toda constituição, assim como a democracia, é imperfeita, a seu modo inconclusa e certamente passível de aprimoramento. A nossa é muito extensa, e representa o resultado da Assembleia Constituinte que se instalou em 1º de fevereiro de 1987 e ficou reunida até 5 de outubro de 1988, com a missão não só de encerrar a ditadura como de consolidar as bases para a afirmação da democracia, com uma dupla preocupação: criar instituições sólidas o bastante para suportarem crises políticas e estabelecer garantias para o reconhecimento e o exercício dos direitos e das liberdades dos brasileiros. Batizada de Constituição Cidadã, ela é detalhista e ambiciosa, pretendendo dar conta de todas as faces deste imenso país.

Assim como o Brasil, a Constituição de 1988 deixou frestas

abertas. Ela conservou intocada a estrutura agrária, permitiu a autonomia das Forças Armadas para definir assuntos de seu interesse, manteve inelegíveis os analfabetos — embora tenha aprovado seu direito de voto. Preservou igualmente a centralização do Executivo, produzindo-se um Estado agigantado, que abriu, anos depois, espaço para uma espécie de "supremocracia", termo cunhado por Oscar Vilhena Vieira. Ou seja, diante de uma Constituição exaustiva e programática, vimos, nestes últimos anos, concretizar-se uma concentração de poderes na esfera judicial, desorganizando o equilíbrio que deve imperar entre os três poderes representativos da nação. Se não existe "usurpação de poderes" por parte do Judiciário, uma vez que não se rompeu o que está previsto na Constituição, a ampliação da esfera de autoridade dos tribunais quando comparada à dos governos, do Congresso e do Parlamento teve como consequência imediata o fato de seus ministros por vezes extrapolarem suas funções ou as exercerem de maneira abusiva, apesar de se manterem dentro da norma jurídica. Também levou juízes a se transformarem em heróis nacionais quando combateram a corrupção vigente no país, mas, igualmente, quando usaram de seu poder de forma muitas vezes subjetiva e ao sabor dos afetos políticos.

A despeito desses "poréns", a Constituição de 1988 continua sendo a melhor expressão de um Brasil que firmou um sólido compromisso democrático em vários níveis das relações sociais, bem como estabeleceu políticas maduras de defesa dos direitos humanos. Ela é atenta às minorias políticas, avançada nas questões ambientais, empenhada em prever meios e instrumentos constitucionais legais para a participação popular e direta. O conjunto de leis então criado reagia, como vimos, à ditadura militar, que retirara do Brasil, durante 21 anos, o exercício pleno da democracia e da cidadania, e apontava para um país diferente, aberto aos novos agentes e atores sociais, que também tomaram parte de sua elaboração.

A Constituição sublinhou, entre outros, a igualdade entre homens e mulheres, o fim da tortura, o direito de resposta e de indenização por dano material, moral ou à imagem, a autonomia intelectual, artística, científica e de comunicação. Tornou o racismo um crime inafiançável e imprescritível; determinou o caráter inviolável da intimidade, da vida privada e da honra; proibiu a violação do sigilo de correspondências; permitiu o acesso a informações, a criação de associações, o direito à propriedade; definiu o fim da censura de natureza política, ideológica e artística; e estabeleceu a liberdade de consciência, de pensamento, de crença, de convicção filosófica e política.

Liberdade, condição tão difícil de conseguir e de manter, neste país de longa vigência do escravismo, se converte, assim, em nosso texto constitucional, numa espécie de salvo-conduto de cidadania. E, se o artigo 5º era absolutamente necessário naquele contexto em que ainda se temia pelo retorno dos regimes autoritários, ele continua urgente no momento que experimentamos.

Desde a aprovação da Constituição Cidadã, vem se apostando num processo marcado por conquistas importantes: uma impressionante ampliação do catálogo de direitos e um projeto consistente de transformação da sociedade, a partir da inclusão social de milhões de brasileiros que passaram a desfrutar de novo patamar de renda e de consumo.

Por sinal, a própria complexidade e extensão da Constituição de 1988 não representam óbice para reformas e adaptações; aliás, nesse meio-tempo, contabilizam-se acima de cem emendas. Ainda mais: na vigência de uma democracia constitucional, os conflitos e diferenças fazem parte do processo democrático, assim como os mecanismos de correção. Talvez tenha sido por isso que o Brasil conheceu, desde então, um período tão consistente como duradouro de liberdades públicas e de solidez das instituições democráticas.

Muito foi feito e, como vimos neste pequeno livro, muito há por fazer. Não existe sistema ou modelo que não sofra a ação do tempo. Por isso mesmo, uma democracia funciona melhor, e sobrevive por mais tempo, quando sua constituição é reforçada por normas democráticas escritas e não escritas; partilhadas. Também contaremos com cidadãos mais aptos para participar ativamente de nosso corpo de leis se reforçarmos as bases de uma educação pública e de qualidade: inclusiva e atenta a nossas diversidades sociais, e responsável diante das populações mais vulneráveis como indígenas, pessoas despossuídas e com deficiência. Num país mais bem formado também se desenvolverão cidadãos mais comprometidos e republicanos, no sentido de não atravancarem o trânsito e a delimitação entre espaços públicos e privados.

Só assim criaremos um ambiente de tolerância — quando representantes de partidos diferentes são entendidos como rivais legítimos e dessa maneira reforçam o pacto republicano que precisam almejar. Já as polarizações, como temos procurado explicar, têm o poder de matar a democracia, gerar uma retórica da divisão e eleger apenas demagogos que não representam os desejos de justiça, segurança, ética, igualdade, os quais, suponho, são de todos nós, brasileiros.

A saída para a crise que experimentamos desde 2013 só pode vir de um pacto constitucional amplo e democrático, firmado com os múltiplos setores da sociedade, por meio da progressiva implementação de direitos num país tão desigual como o nosso, e do fortalecimento institucional. Aliás, as constituições, na verdade, atuam como dispositivos que procuram regular o exercício do poder, estabelecem parâmetros de justiça que pautam as relações entre as pessoas e os cidadãos do Estado, e têm como destino último robustecer e aperfeiçoar a democracia, que é, até por definição, imperfeita.

Até o instante em que termino este ensaio em forma de livro, a norma democrática não foi atingida, ao menos formalmente, já que as eleições foram vencidas nas urnas e as instituições mantêm sua rotina de trabalho. No entanto, democracia não se resume ao ato da eleição, ela vive do cotidiano que ajuda a instaurar, e este tem enfrentado momentos difíceis. Demonstrações de "namoro" com a nostalgia de uma ditadura presa a um passado mitificado; o caráter messiânico de certos representantes políticos; os ataques aos grupos minoritários, entre eles indígenas, negros e negras, homossexuais, queers ou transexuais; o desrespeito a formas de religião distintas das de matriz cristã-judaica; a ampliação de poderes de classificação do sigilo de documentos históricos; a repressão à liberdade pedagógica a partir da justificativa de doutrinação ideológica; a flexibilização do porte de armas de fogo; a celebração do exílio de adversários políticos, só têm feito soar o despertador do medo, para quem é adepto dos valores democráticos e dos direitos humanos. E o medo funciona, é bom que se diga, como o oposto lógico e prático da utopia.

Toda vez que a crise se avoluma, reaparece o nosso déficit republicano, localizado bem na raiz da comunidade política. Faz-nos falta, nessas horas, uma agenda ética que seja capaz de transformar o sistema político eleitoral e o comportamento partidário; atacar a corrupção dentro e fora do governo; combater a violência que segue assaltando a nossa liberdade de circular nas ruas. O problema é que, sendo assim frágil, nossa República continua vulnerável.

Vivemos um período de recessão democrática, de cisão social em torno de questões comportamentais, terreno fértil para que velhas feridas históricas sejam mobilizadas por políticos que, de forma oportunista, pretendem ter saudades de um tempo que não volta mais e que, em parte, jamais existiu.

O desafio brasileiro é imenso. E, sem pauta segura e agenda fixa, será difícil contornar alguns temas. Será necessário incentivar a diversidade cidadã; combater a desigualdade e a intolerância social, cultural e religiosa; ampliar os projetos educacionais e da área da saúde; firmar compromissos com o aperfeiçoamento das instituições; contestar atos administrativos que atentem contra a nossa democracia e a ameacem; e exigir garantias constitucionais.

A alternância no poder, que possibilita o revezamento de governos de esquerda e de direita, é saudável e faz parte do jogo da democracia. Esta também não é a primeira vez que o país conhece uma nova fase política com aqueles que eram da oposição virando situação, e vice-versa. Problema maior é cair no canto da sereia dos governos de verve autoritária, que fazem apelos morais e prometem saídas fáceis. Andamos precisados de menos líderes carismáticos e de mais cidadania consciente e ativa.

Direitos conquistados nunca foram direitos dados, e os novos tempos pedem, de todos nós, vigilância, atitude cidadã e muita esperança também. A sociedade civil brasileira tem dado mostras de que sabe se organizar e lutar por seus direitos. As mulheres não vão voltar para o fogão, os negros e negras que completaram o ensino superior e hoje se encontram em lugares de liderança não recuarão de suas posições, a população LGBTTQ vai continuar a andar de braço dado pelas ruas, os indígenas lutarão e farão valer seus direitos às terras hoje invadidas, líderes de religiões de matriz muçulmana e afro-brasileira cultuarão seus deuses abertamente.

Toda crise pode ser deletéria quando produz um déficit não só econômico como social, político e cultural. Mas toda crise é capaz de abrir uma fresta, pequena que seja, de esperança. Foi Guimarães Rosa, em *Grande sertão: veredas*, quem explicou que "O correr da vida embrulha tudo, a vida é assim: esquenta e esfria, aperta e daí afrouxa, sossega e depois desinquieta. O que ela quer da gente é coragem".

São Paulo, 1º de março de 2019

Agradecimentos

A autora agradece a Érico Melo, Luiz Schwarcz e Otávio Marques da Costa, e também a André Botelho, Heloisa Starling, Lucila Lombardi e Márcia Copola, que trabalharam em todas as posições: na defesa, no ataque, como centroavantes e técnicos de equipe.

Bibliografia utilizada

ABRANCHES, Sérgio. *Presidencialismo de coalizão: Raízes e evolução do modelo político brasileiro.* São Paulo: Companhia das Letras, 2018.

_____. "Polarização radicalizada e ruptura eleitoral". In: *Democracia em risco?: 22 ensaios sobre o Brasil hoje.* São Paulo: Companhia das Letras, 2019. pp. 11-34.

ADORNO, Sergio. "Violência e crime: Sob o domínio do medo na sociedade brasileira". In: BOTELHO, André; SCHWARCZ, Lilia Moritz (Orgs.). *Agenda brasileira: Temas de uma sociedade em mudança.* São Paulo: Companhia das Letras, 2011. pp. 554-65.

AGRANONIK, Marilyn. "Desigualdades no acesso à saúde". *Carta de Conjuntura FEE*, Porto Alegre, ano 25, n. 8, 2016, s. p. <http://carta.fee.tche.br/article/desigualdades-no-acesso-a-saude/>.

ALENCAR, José de. *Iracema.* São Paulo: Penguin Classics Companhia das Letras, 2016.

ALENCASTRO, Luiz Felipe. "L'Empire du Brésil". In: DUVERGER, Maurice (Org.). *Le Concept d'empire.* Paris: PUF, 1980. pp. 301-10.

_____. *Le Commerce des vivants: Traités d'esclaves et "pax lusitana" dans l'Atlantique Sud.* Paris: Université de Paris X, 1986. Tese (Doutorado em História).

_____. "As populações africanas no Brasil". Texto redigido para o capítulo relativo às populações africanas no Brasil que integrou o Plano Nacional de Cultura apresentado ao Congresso em 15 de dezembro de 2006 pelo ministro da Cultura, Gilberto Gil. <http://www.funag.gov. br/ii-conferen-

cia-nacional-de-politica-externa-e-politica-internacional/Luiz%20F%20 Alencastro%20 -%20As%20%20Populacoes%20Africanas%20no%20 Brasil. pdf/view>.

ALENCASTRO, Luiz Felipe. *História da vida privada no Brasil*. Org. de Fernando A. Novais. São Paulo: Companhia das Letras, 1997. v. 2: *Império: A corte e a modernidade nacional*.

ALMEIDA, Ronaldo de. "Deus acima de todos". In: *Democracia em risco?: 22 ensaios sobre o Brasil hoje*. São Paulo: Companhia das Letras, 2019. pp. 35-51.

ALMEIDA, Silvio. *O que é racismo estrutural?*. Belo Horizonte: Letramento, 2018.

ALONSO, Angela. "Protestos em São Paulo de Dilma a Temer". In: BOTELHO, André; STARLING, Heloisa Murgel (Orgs.). *República e democracia: Impasses no Brasil contemporâneo*. Belo Horizonte: Editora UFMG, 2017. pp. 413-24.

_____. "A comunidade moral bolsonarista". In: *Democracia em risco?: 22 ensaios sobre o Brasil hoje*. São Paulo: Companhia das Letras, 2019. pp. 52-70.

ANDERSON, Benedict. *Comunidades imaginadas: Reflexões sobre a origem e a difusão do nacionalismo*. São Paulo: Companhia das Letras, 2008.

ANDRADE, Carlos Drummond de. *Contos plausíveis* (1985). São Paulo: Companhia das Letras, 2012.

ANTONIL, André João. *Cultura e opulência do Brasil, por suas drogas e minas*. Belo Horizonte: Itatiaia; São Paulo: Edusp, 1982. Reconquista do Brasil; nova série; v. 70.

ARANHA, Maria Lucia de Arruda. *História da educação*. São Paulo: Moderna, 1989.

ARENDT, Hannah. "Verdade e política". In: _____. *Entre o passado e o futuro*. São Paulo: Perspectiva, 1979. pp. 282-325.

_____. "The Seeds of a Fascist International". In: _____. *Essays in Understanding, 1930-1954*. Nova York: Schocken, 1994. pp. 140-50.

_____. *Origens do totalitarismo*. São Paulo: Companhia das Letras, 2002.

ARIZA, Marília. *Mães infames, rebentos venturosos: Mulheres e crianças, trabalho e emancipação em São Paulo (século XIX)*. São Paulo: Universidade de São Paulo, 2018. Tese (Doutorado em História).

ARRUDA, Natália Martins; MAIA, Alexandre Gori; ALVES, Luciana Correia. "Desigualdade no acesso à saúde entre as áreas urbanas e rurais do Brasil: Uma decomposição de fatores entre 1988 e 2008". *Cadernos de Saúde Pública*, Rio de Janeiro, v. 34, n. 6, 2018. <http://www.scielo.br/pdf/csp/v34n6/1678-4464-csp-34-06-e00213816.pdf>.

ARRUTI, José Maurício. *Mocambo: Antropologia e história no processo de formação quilombola*. Bauru: Edusc, 2006.

AVRITZER, Leonardo (Org.). *Corrupção: Ensaios e críticas*. Belo Horizonte: Editora UFMG, 2008.

BACHA, Edmar L.; UNGER, Roberto M. *Participação, salário e voto: Um projeto de democracia para o Brasil*. Rio de Janeiro: Paz e Terra, 1978.

BARMAN, Roderick. *Citizen Emperor: Pedro II and the Making of Brazil, 1825-1891*. Stanford: Stanford University Press, 1999.

BARRETO, Lima. *Aventuras do dr. Bogóloff: Episódios da vida de um pseudo-revolucionário russo*. Rio de Janeiro: Edição de A. Reis & Cia., 1912.

_____. *Diário íntimo*. São Paulo: Brasiliense, 1956.

BORGES, Vavy Pacheco. *O que é história*. São Paulo: Brasiliense, 1987.

BOTELHO, André. *Aprendizado do Brasil: A nação em busca dos seus portadores sociais*. Campinas: Editora da Unicamp, 2002.

_____. "Público e privado no pensamento social brasileiro". In: BOTELHO, André; SCHWARCZ, Lilia Moritz (Orgs.). *Agenda brasileira: Temas de uma sociedade em mudança*. São Paulo: Companhia das Letras, 2011. pp. 418-29.

_____; SCHWARCZ, Lilia Moritz (Orgs.). *Agenda brasileira: Temas de uma sociedade em mudança*. São Paulo: Companhia das Letras, 2011.

_____. "Patrimonialismo brasileiro: Entre o Estado e a sociedade". In: SCHWARCZ, Lilia; STARLING, Heloisa. *Dicionário da República*. São Paulo: Companhia das Letras, 2019 [no prelo].

BURKE, Peter. *Variedades de história cultural*. Rio de Janeiro: Civilização Brasileira, 2006.

_____. *Testemunha ocular: O uso de imagens como evidência histórica*. São Paulo: Editora Unesp, 2017.

BUTLER, Judith. *Problemas de gênero: Feminismo e subversão da identidade*. Rio de Janeiro: Civilização Brasileira, 2007.

CANDIDO, Antonio. "A literatura durante o Império". In: HOLANDA, Sérgio Buarque de (Ed.). *História geral da civilização brasileira*. São Paulo: Difel, 1967. pp. 343-55.

_____. "Dialética da malandragem". In: _____. *O discurso e a cidade*. Rio de Janeiro: Ouro sobre Azul; São Paulo: Duas Cidades, 2004. pp. 17-46.

CARNEIRO DA CUNHA, Manuela. "Política indigenista no século XIX". In: _____. *História dos índios no Brasil*. São Paulo: Companhia das Letras, 1992. pp. 133-54.

_____. "Índios como tema do pensamento social no Brasil". In: BOTELHO, André; SCHWARCZ, Lilia Moritz (Orgs.). *Agenda brasileira: Temas de uma sociedade em mudança*. São Paulo: Companhia das Letras, 2011. pp. 278-91.

CARONE, Edgard. *O Estado Novo*. Rio de Janeiro: Bertrand Brasil, 1988.

CARVALHO, José Murilo de. *A construção da ordem: A elite política imperial*. Rio de Janeiro: Campus, 1980.

_____. *A construção da ordem: A elite política imperial; Teatro de sombras*. Rio de Janeiro: Editora UFRJ; Relume-Dumará, 1996.

CARVALHO, José Murilo de. *A formação das almas: O imaginário da República no Brasil*. São Paulo: Companhia das Letras, 1996.

_____. *Cidadania no Brasil: O longo caminho*. Rio de Janeiro: Civilização Brasileira, 2001.

_____. *D. Pedro II: Ser ou não ser*. São Paulo: Companhia das Letras, 2007.

_____. "Mandonismo, coronelismo, clientelismo, República". In: BOTELHO, André; SCHWARCZ, Lilia Moritz (Orgs.). *Agenda brasileira: Temas de uma sociedade em mudança*. São Paulo: Companhia das Letras, 2011. pp. 334-43.

_____. *O pecado original da República: Debates, personagens e eventos para compreender o Brasil*. Rio de Janeiro: Bazar do Tempo, 2017.

CAVALCANTI, Nireu Oliveira. *Rio de Janeiro: Centro histórico, 1808-1998: Marcos da colônia*. Rio de Janeiro: Dresdner Bank Brasil, 1998.

CHACON, Vamireh. *História dos partidos brasileiros*. Brasília: Editora UnB, 1981.

CORREA, Mariza. "Gênero, ou a pulseira de Joaquim Nabuco". In: BOTELHO, André; SCHWARCZ, Lilia Moritz (Orgs.). *Agenda brasileira: Temas de uma sociedade em mudança*. São Paulo: Companhia das Letras, 2011. pp. 224-33.

CORTESÃO, Jaime. *História da expansão portuguesa*. Lisboa: Bertrand, 1993.

COSTA E SILVA, Alberto da. *A Manilha e o Libambo: A África e a escravidão; de 1500 a 1700*. Rio de Janeiro: Nova Fronteira; Fundação Biblioteca Nacional, 2002.

_____. *Um rio chamado Atlântico: A África no Brasil e o Brasil na África*. Rio de Janeiro: Nova Fronteira, 2006.

DAIBERT, Bárbara Simões; DAIBERT JÚNIOR, Robert. "Extra! Roubaram as joias da imperatriz!". *Revista de História da Biblioteca Nacional*, Rio de Janeiro, n. 21, pp. 68-71, jun. 2007.

DAMATTA, Roberto. *Carnavais, malandros e heróis: Para uma sociologia do dilema brasileiro*. Rio de Janeiro: Rocco, 1998.

DARNTON, Robert. *O grande massacre de gatos, e outros episódios da história cultural francesa*. Rio de Janeiro: Paz e Terra, 1997.

DEBERT, Guita Grin; PERRONE, Tatiana Santos. "Questões de poder e as expectativas das vítimas: Dilemas da judicialização da violência de gênero". *Revista Brasileira de Ciências Criminais*, São Paulo, ano 26, v. 150, pp. 423-47, dez. 2018.

DOLHNIKOFF, Miriam. *O pacto imperial: Origens do federalismo no Brasil do século XIX*. Rio de Janeiro: Globo, 2005.

DOMINGUES, Petrônio. "Democracia e autoritarismo: Entre o racismo e o antirracismo". In: *Democracia em risco?: 22 ensaios sobre o Brasil hoje*. São Paulo: Companhia das Letras, 2019. pp. 98-115.

DROSDOFF, Daniel. *Linha dura no Brasil: O governo Medici (1969-1974)*. São Paulo: Global, 1986.

DUNKER, Christian Ingo Lenz. "Psicologia das massas digitais e análise do sujeito democrático". In: *Democracia em risco?: 22 ensaios sobre o Brasil hoje*. São Paulo: Companhia das Letras, 2019. pp. 116-35.

FAORO, Raymundo. "A aventura liberal numa ordem patrimonialista". *Revista USP*, São Paulo, n. 17, pp. 14-29, 1993.

_____. *Os donos do poder: Formação do patronato político brasileiro*. Rio de Janeiro: Biblioteca Azul, 2012.

FARAGE, Nadia. *As muralhas dos sertões: Os povos indígenas no rio Branco e a colonização*. Rio de Janeiro: Paz e Terra; Anpocs, 1991.

FAUSTO, Boris. "A queda do foguete". In: *Democracia em risco?: 22 ensaios sobre o Brasil hoje*. São Paulo: Companhia das Letras, 2019. pp. 136-46.

FAUSTO, Carlos. *Os índios antes do Brasil*. Rio de Janeiro: Zahar, 2012.

FAUSTO, Ruy. "Depois do temporal". In: *Democracia em risco?: 22 ensaios sobre o Brasil hoje*. São Paulo: Companhia das Letras, 2019. pp. 147-63.

FAUSTO, Sergio. "A que ponto chegamos: Da Constituição de 1988 à eleição de Jair Bolsonaro". *piauí*, Rio de Janeiro, n. 149, pp. 22-8, fev. 2019.

FERNANDES, Florestan. *A integração do negro na sociedade de classes*. São Paulo: Dominus; Edusp, 1965, v. 1.

_____. *A revolução burguesa no Brasil: Ensaio de interpretação sociológica*. Rio de Janeiro: Zahar, 1975.

FERRARO, Alceu Ravanello; KREIDLOW, Daniel. "Analfabetismo no Brasil: Configuração e gênese das desigualdades regionais". *Educação e Realidade*, Porto Alegre, v. 29, n. 2, pp. 179-200, jul.-dez. 2004.

FERREIRA, Jorge. *João Goulart: Uma biografia*. Rio de Janeiro: Civilização Brasileira, 2011.

FERREIRA, Naura; AGUIAR, Márcia. *Gestão da educação: Impasses, perspectivas e compromissos*. São Paulo: Cortez, 2000.

FICO, Carlos. *Além do golpe: Versões e controvérsias sobre 1964 e a ditadura militar*. Rio de Janeiro: Record, 2004.

FRANCO, Maria Sylvia de Carvalho. *Homens livres na ordem escravocrata*. São Paulo: Editora Unesp, 1997.

FREIRE, Américo; CASTRO, Celso. "As bases republicanas dos Estados Unidos do Brasil". In: GOMES, Angela de Castro; PANDOLFI, Dulce Chaves; ALBERTI, Verena (Orgs.). *A República no Brasil*. Rio de Janeiro: Nova Fronteira; CPDOC-FGV; Faperj, 2002. pp. 30-53.

FREYRE, Gilberto. *Discursos parlamentares*. Brasília: Câmara dos Deputados, 1994.

_____. *Casa-grande & senzala*. Rio de Janeiro: Record, 1998.

GASPARI, Elio. *A ditadura escancarada*. São Paulo: Companhia das Letras, 2002.

GHIRALDELLI JR., Paulo. *História da educação*. São Paulo: Cortez, 2000.

GIRARDET, Raoul. *Mitos e mitologias políticas*. São Paulo: Companhia das Letras, 1998.

GOMES, Angela de Castro. "A política brasileira em tempos de cólera". In: *Democracia em risco?: 22 ensaios sobre o Brasil hoje*. São Paulo: Companhia das Letras, 2019. pp. 175-94.

_____; PANDOLFI, Dulce Chaves; ALBERTI, Verena (Orgs.). *A República no Brasil*. Rio de Janeiro: Nova Fronteira; CPDOC-FGV; Faperj, 2002.

_____; ABREU, Martha (Orgs.). Dossiê "A nova 'Velha' República: Um pouco de história e historiografia". *Tempo*, Niterói, v. 13, n. 26, jan. 2009.

GOMES, Flávio; SCHWARCZ, Lilia Moritz (Orgs.). *Dicionário da escravidão e liberdade*. São Paulo: Companhia das Letras, 2018.

GREEN, James N. *Homossexualismo em São Paulo, e outros escritos*. São Paulo: Editora Unesp, 2005.

GUIMARÃES, Antonio Sérgio Alfredo. "A República de 1889: Utopia de branco, medo de preto". *Contemporânea: Revista de Sociologia da UFSCar*, São Carlos, v. 1, n. 2, pp. 17-36, 2011.

_____. "Desigualdade e diversidade: Os sentidos contrários da ação". In: BOTELHO, André; SCHWARCZ, Lilia Moritz (Orgs.). *Agenda brasileira: Temas de uma sociedade em mudança*. São Paulo: Companhia das Letras, 2011. pp. 166-75.

_____. "La République de 1889: Utopie de l'homme blanc, peur de l'homme noir". *Brésil(s): Sciences Humaines et Sociales*, Paris, v. 1, pp. 149-68, 2012.

HASENBALG, Carlos; VALLE E SILVA, Nelson. *Origens e destinos: Desigualdades sociais ao longo da vida*. Rio de Janeiro: Topbooks, 2003.

HOBSBAWM, Eric. *Era dos extremos*. São Paulo: Companhia das Letras, 1995.

HOLANDA, Sérgio Buarque de. *Raízes do Brasil* (1936). São Paulo: Companhia das Letras, 2002.

HOLLANDA, Heloisa Buarque de (Org.). *Explosão feminista: Arte, cultura, política e universidade*. São Paulo: Companhia das Letras, 2018.

HOLSTON, James. *A cidade modernista: Uma crítica de Brasília e sua utopia*. São Paulo: Companhia das Letras, 1993.

HUMBOLDT, Alexander von. *Views of Nature*. Charleston: Nabu, 2010.

KOSELLECK, Reinhart. *Futuro passado: Contribuição à semântica dos tempos históricos*. Rio de Janeiro: Contraponto; PUC-Rio, 2006.

LEAL, Victor Nunes. *Coronelismo, enxada e voto: O município e o regime representativo no Brasil*. São Paulo: Companhia das Letras, 2012.

LEMOS, Ronaldo. "Diante da realidade, seis ficções epistemológicas". In: *Democracia em risco?: 22 ensaios sobre o Brasil hoje*. São Paulo: Companhia das Letras, 2019. pp. 195-210.

LEOPOLDI, Maria Antonieta P. "Crescendo em meio à incerteza: A política econômica do governo JK (1956-60)". In: GOMES, Angela de Castro (Org.). *O Brasil de JK*. Rio de Janeiro: Editora FGV, 2008. pp. 71-99.

LESSA, Renato. *A invenção republicana: Campos Sales, as bases e a decadência da Primeira República brasileira*. Rio de Janeiro: Vértice; Iuperj, 1988.

LÉVI-STRAUSS, Claude. *Mito e significado*. Lisboa: Edições 70, 1978.

LEVITSKY, Steven; ZIBLATT, Daniel. *How Democracies Die*. Nova York: Crown, 2018.

LILLA, Mark. *O progressista de ontem e o do amanhã: Desafios da democracia liberal no mundo pós-políticas identitárias*. São Paulo: Companhia das Letras, 2018.

LIMA, Oliveira. *D. João VI no Brasil* (1908). 3. ed. Rio de Janeiro: Topbooks, 1996.

LINZ, Juan J.; STEPAN, Alfred. *The Breakdown of Democratic Regimes: Crisis, Breakdown and Reequilibration*. Baltimore: Johns Hopkins University Press, 1978.

LUNA, Francisco Vidal; KLEIN, Herbert S. *Escravismo no Brasil*. São Paulo: Edusp; Imprensa Oficial, 2010.

MACHADO, Maria Helena. *O plano e o pânico: Os movimentos sociais na década da abolição*. São Paulo: Edusp, 2010.

_____; SCHWARCZ, Lilia Moritz. *Emancipação, inclusão e exclusão: Desafios do passado e do presente*. São Paulo: Edusp, 2018.

MADURO JR., Paulo Rogerio. *Taxas de matrícula e gastos em educação no Brasil*. Rio de Janeiro: Fundação Getulio Vargas, 2007. Tese (Mestrado em Economia).

MAGALHÃES, Gonçalves de. *A Confederação dos Tamoios*. Rio de Janeiro: Tipografia de Paula Brito, 1856.

MAGNOLI, Demétrio. "A verdade em fluxo". *Folha de S.Paulo*, 5 jan. 2019.

MAIO, Marcos Chor. "From Bahia to Brazil: The Unesco Race Relations Project". In: SOUZA, Jessé; SINDER, Valter (Eds.). *Imagining Brazil*. Nova York: Lexington, 2005. pp. 141-74.

_____; SANTOS, Ricardo Ventura (Orgs.). *Raça, ciência e sociedade*. Rio de Janeiro: Editora Fiocruz, 1996.

MALERBA, Jurandir. *A corte no exílio: Civilização e poder no Brasil às vésperas da Independência (1808 a 1821)*. São Paulo: Companhia das Letras, 2000.

MARQUESE, Rafael Bivar. *Feitores do corpo, missionários da mente: Senhores, letrados e o controle dos escravos nas Américas, 1660-1860*. São Paulo: Companhia das Letras, 2004.

MARTIUS, Karl von. "Como se deve escrever a história do Brasil". *Revista do IHGB*, Rio de Janeiro, t. VI, pp. 389-411, 1845.

MCCLINTOCK, Anne. *Couro imperial: Raça, gênero e sexualidade no embate colonial*. Trad. de Plinio Dentzien. Campinas: Editora da Unicamp, 2010.

MEDEIROS, Mário. *Pedagogia do desafio*. São Paulo: Simpere, 2015.

MELLO, Evaldo Cabral. *Rubro veio: O imaginário da restauração pernambucana*. Rio de Janeiro: Nova Fronteira, 1986.

MELO, Carlos. "A marcha brasileira para a insensatez". In: *Democracia em risco?: 22 ensaios sobre o Brasil hoje*. São Paulo: Companhia das Letras, 2019. pp. 211-29.

MENDES, Conrado Hübner. "A política do pânico e circo". In: *Democracia em risco?: 22 ensaios sobre o Brasil hoje*. São Paulo: Companhia das Letras, 2019. pp. 230-46.

MILÁ, Marc Morgan. "Income Inequality, Growth and Elite Taxation in Brazil: New Evidence Combining Survey and Fiscal Data, 2001-2015". *Working Paper*, n. 165, International Policy Centre for Inclusive Growth (IPC-IG), Brasília, fev. 2018. <http://www.ipc-undp.org/pub/eng/WP165_Income_inequality_growth_and_elite_taxation_in_Brasil.pdf>.

MIQUILIN, Isabella de Oliveira Campos; MARÍN-LÉON, Letícia; MONTEIRO, Maria Inês; CORRÊA FILHO, Heleno Rodrigues. "Desigualdades no acesso e uso dos serviços de saúde entre trabalhadores informais e desempregados: Análise da Pnad, 2008, Brasil". *Cadernos de Saúde Pública*, Rio de Janeiro, v. 29, n. 7, pp. 1392-406, 2013. <https://www.scielosp.org/article/csp/2013.v29n7/1392-1406/>.

MONTAIGNE, Michel de. *Os ensaios*. São Paulo: Penguin Classics Companhia das Letras, 2010.

MONTEIRO, John Manuel. *Negros da terra: Índios e bandeirantes nas origens de São Paulo*. São Paulo: Companhia das Letras, 1999.

MONTEIRO, Pedro Meira; SCHWARCZ, Lilia Moritz (Orgs.). *Raízes do Brasil — Edição crítica 80 anos*. São Paulo: Companhia das Letras, 2016.

MOORE JR., Barrington. *Injustiça: As bases sociais da obediência e da revolta*. São Paulo: Brasiliense, 1987.

MOREL, Marco. *Corrupção mostra a sua cara*. Rio de Janeiro: Casa da Palavra, 2006.

MORRISON, Toni. *Amada*. São Paulo: Companhia das Letras, 2014.

NEIVA, Pedro; IZUMI, Maurício. "Perfil profissional e distribuição regional dos senadores brasileiros em dois séculos de história". *Revista Brasileira de Ciências Sociais*, São Paulo, v. 29, n. 84, pp. 165-88, fev. 2014.

NICOLAU, Jairo. *Eleições no Brasil: Do Império aos dias atuais*. Rio de Janeiro: Zahar, 2012.

NORA, Pierre (Dir.). *Les Lieux de mémoire*. Paris: Gallimard. 3 tomos: t. 1: *La République* (1 v., 1984), t. 2: *La Nation* (3 v., 1987), t. 3: *Les France* (3 v., 1992). Bibliothèque Illustrée des Histoires.

_____ (Dir.). *Essais d'Ego-histoire*. Paris: Gallimard, 1986. Bibliothèque des Histoires.

NORA, Pierre. "Entre memória e história: A problemática dos lugares". *Projeto História*. São Paulo, n. 10, pp. 7-28, dez. 1993.

_____; LE GOFF, Jacques (Dirs.). *Faire de l'Histoire*. Paris: Gallimard, 1974. 3 tomos: t. 1: *Nouveaux problèmes*, t. 2: *Nouvelles approches*, t. 3: *Nouveaux objets*. Bibliothèque des Histoires.

OLIVEIRA, Dalila Andrade. "Educação no Brasil". In: BOTELHO, André; SCHWARCZ, Lilia Moritz (Orgs.). *Agenda brasileira: Temas de uma sociedade em mudança*. São Paulo: Companhia das Letras, 2011.

PAIVA, Vanilda. "Um século de educação republicana". *Pro-Posições*, Campinas, v. 1, n. 2, pp. 7-21, jul. 1990.

PAULA, Liana de. *Punição e cidadania: Adolescentes e liberdade assistida na cidade de São Paulo*. São Paulo: Alameda, 2017.

PAULA, Sergio Goes de (Org.). *Um monarca da fuzarca: Três versões para um escândalo na corte*. Rio de Janeiro: Relume-Dumará, 1998.

PILETTI, Claudino; PILETTI, Nelson. *Filosofia e história da educação*. São Paulo: Ática, 1987.

PINTO, Célia Regina Jardim. *A banalidade da corrupção: Uma forma de governar o Brasil*. Belo Horizonte: Editora UFMG, 2011.

PRADO JÚNIOR, Caio. *Formação do Brasil contemporâneo*. São Paulo: Companhia das Letras, 2014.

QUEIROZ, Maria Isaura Pereira de. *O mandonismo local na vida política brasileira, e outros ensaios*. São Paulo: Alfa-Ômega, 1976.

QUINALHA, Renan. "Desafios para a comunidade e o movimento LGBT no governo Bolsonaro". In: *Democracia em risco?: 22 ensaios sobre o Brasil hoje*. São Paulo: Companhia das Letras, 2019. pp. 256-73.

RAMÍREZ G., María Teresa; TÉLLEZ C., Juana Patricia. *La educación primaria y secundaria en Colombia en el siglo XX*. Bogotá: Banco de la República de Colombia, 2006.

REGINALDO, Lucilene. "Racismo e naturalização das desigualdades: Uma perspectiva histórica". *Jornal da Unicamp edição web*, Campinas, Unicamp/Direitos Humanos, 21 nov. 2018.

REIS, Daniel Aarão. *Ditadura e democracia no Brasil: Do golpe de 1964 à Constituição de 1988*. Rio de Janeiro: Zahar, 2014.

_____. "As armadilhas da memória e a reconstrução democrática". In: *Democracia em risco?: 22 ensaios sobre o Brasil hoje*. São Paulo: Companhia das Letras, 2019. pp. 274-86.

REIS, João José. *Rebelião escrava no Brasil: A história do Levante dos Malês em 1835*. São Paulo: Companhia das Letras, 2012.

REIS, João José; GOMES, Flávio dos Santos. *Liberdade por um fio: História dos quilombos no Brasil*. São Paulo: Companhia das Letras, 1996.

RIBEIRO, Djamila. *Quem tem medo do feminismo negro?*. São Paulo: Companhia das Letras, 2018.

RIBEIRO, Maria Luisa Santos. *História da educação brasileira: A organização escolar*. São Paulo: Cortez; Campinas: Autores Associados, 1998.

ROMEIRO, Adriana. *Corrupção e poder no Brasil: Uma história, séculos XVI a XVIII*. Belo Horizonte: Autêntica, 2017.

RUNCIMAN, David. *Como a democracia chega ao fim*. São Paulo: Todavia, 2018.

SADEK, Maria Tereza Aina. "Justiça e direitos: A construção da igualdade". In: BOTELHO, André; SCHWARCZ, Lilia Moritz (Orgs.). *Agenda brasileira: Temas de uma sociedade em mudança*. São Paulo: Companhia das Letras, 2011. pp. 324-33.

SAGGESE, Gustavo Santa Rosa; MARINI, Marisol; LORENZO, Rocío Alonso; SIMÕES, Júlio Assis; CANCELA, Cristina Donza (Orgs.). *Marcadores sociais da diferença: Gênero, sexualidade, raça e classes em perspectiva antropológica*. São Paulo: Numas, 2018.

SALVADOR, Frei Vicente do. *História do Brazil*. Salvador: Odebrecht, 2008.

SANTOS, José Alcides Figueiredo. "Desigualdade racial de saúde e contexto de classe no Brasil". *Dados — Revista de Ciências Sociais*, v. 54, n. 1, Rio de Janeiro, pp. 5-40, 2011.

SCHUELER, Alessandra F. Martinez de. "Crianças e escolas na passagem do Império para a República". *Revista Brasileira de História*, São Paulo, v. 19, n. 37, pp. 59-84, 1999.

SCHWARCZ, Lilia Moritz. *Retrato em branco e negro: Jornais, escravos e cidadãos em São Paulo no final do século XIX*. São Paulo: Companhia das Letras, 1987.

_____. *O espetáculo das raças: Cientistas, instituições e questão racial no Brasil do século XIX*. São Paulo: Companhia das Letras, 1993.

_____. *As barbas do imperador: D. Pedro II, um monarca nos trópicos*. São Paulo: Companhia das Letras, 1998.

_____. *Lima Barreto: Triste visionário*. São Paulo: Companhia das Letras, 2018.

_____; AZEVEDO, Paulo Cesar de; MARQUES DA COSTA, Angela. *A longa viagem da biblioteca dos reis: Do terremoto de Lisboa à Independência do Brasil*. São Paulo: Companhia das Letras, 2008.

_____; STARLING, Heloisa Murgel. *Brasil: uma biografia*. São Paulo: Companhia das Letras, 2015.

SCHWARTZ, Stuart. *Segredos internos: Engenhos e escravos na sociedade colonial, 1550-1835*. São Paulo: Companhia das Letras, 1998.

SCHWARZ, Roberto. *Ao vencedor as batatas: Forma literária e processo social nos inícios do romance brasileiro. São Paulo: Duas Cidades, 1977. (5. ed. rev. São Paulo: Duas Cidades; Editora 34, 2000.)

SEEGER, Anthony; DAMATTA, Roberto; VIVEIROS DE CASTRO, Eduardo. "A construção da pessoa nas sociedades indígenas brasileiras". *Boletim do Museu Nacional*, Série Antropologia, Rio de Janeiro, n. 32, pp. 2-19, 1979.

SINGER, André; VENTURI, Gustavo. "Sismografia de um terremoto eleitoral". In: *Democracia em risco?: 22 ensaios sobre o Brasil hoje*. São Paulo: Companhia das Letras, 2019. pp. 355-71.

SKIDMORE, Thomas E. *Brasil: De Getúlio a Castello (1930-64)*. São Paulo: Companhia das Letras, 2010.

SNYDER, Timothy. *The Road to Unfreedom*. Nova York: Tim Duggan, 2018.

SOARES, Luiz Eduardo. "Segurança pública: Dimensão essencial do estado democrático de direito". In: BOTELHO, André; SCHWARCZ, Lilia Moritz (Orgs.). *Agenda brasileira: Temas de uma sociedade em mudança*. São Paulo: Companhia das Letras, 2011. pp. 492-503.

SOLANO, Esther. "A bolsonarização do Brasil". In: *Democracia em risco?: 22 ensaios sobre o Brasil hoje*. São Paulo: Companhia das Letras, 2019.

STANLEY, Jason. *How Fascism Works: The Politics of Us and Them*. Nova York: Random House, 2018.

STARLING, Heloisa Murgel. *Ser republicano no Brasil colônia: A história de uma tradição esquecida*. São Paulo: Companhia das Letras, 2018.

_____. "O passado que não passou". In: *Democracia em risco?: 22 ensaios sobre o Brasil hoje*. São Paulo: Companhia das Letras, 2019. pp. 337-54.

STEIN, Stanley J.; SCHWARTZ, Stuart. *Segredos internos: Engenhos e escravos na sociedade colonial, 1550-1835*. São Paulo: Companhia das Letras, 1988.

TELLES, Lorena Feres da Silva. *Teresa Benguela e Felipa Crioula estavam grávidas: Maternidade e escravidão no Rio de Janeiro (século XIX)*. São Paulo: Universidade de São Paulo, 2019. Tese (Doutorado em História).

TOCQUEVILLE, Alexis de. *A democracia na América*. Belo Horizonte: Itatiaia, 1962.

TOSTES, Vera Lucia Bottrel. *Títulos e brasões: Sinais da nobreza: Titulares brasonados do Império: Rio de Janeiro e São Paulo*. Rio de Janeiro: JC, 1996.

VAINFAS, Ronaldo. *Dicionário do Brasil imperial (1822-1889)*. Rio de Janeiro: Objetiva, 2002.

VASCONCELLOS, Barão Smith de. *Archivo nobiliarchico brasileiro*. Lausanne: La Concorde, 1918.

VEYNE, Paul. *Como se escreve a história*. Brasília: Editora UnB, 1988.

VIEIRA, Oscar Vilhena. *A batalha dos poderes: Da transição democrática ao mal-estar constitucional*. São Paulo: Companhia das Letras, 2018.

VIVEIROS DE CASTRO, Eduardo. *A inconstância da alma selvagem*. São Paulo: Cosac Naify, 2002.

WEBER, Max. *Metodologia das ciências sociais*. São Paulo: Cortez, 2017.

WEHLING, Arno; WEHLING, Maria José C. M. *Formação do Brasil colonial*. Rio de Janeiro: Nova Fronteira, 2012.

XAVIER, Giovana; FARIAS, Juliana Barreto; GOMES, Flávio. *Mulheres negras: No Brasil escravista e do pós-emancipação*. Rio de Janeiro: Selo Negro, 2012.

RELATÓRIOS E DEMAIS DOCUMENTOS MENCIONADOS

Agência Patrícia Galvão
Anais do Senado, v. 3, 1972
Anistia Internacional, 2010 e 2016
Anuário Estatístico do Brasil, 1900
Associação Internacional de Lésbicas, Gays, Bissexuais, Transexuais e Intersexuais para a América Latina e o Caribe (ILGA-LAC), 2017
Atlas da Violência, 2016, 2017, 2018
Atlas do Desenvolvimento Humano no Brasil, 2013
Censo Agrário, 2006
Central de Atendimento à Mulher — Ligue 180
Centro Internacional de Políticas para o Crescimento Inclusivo do Programa das Nações Unidas para o Desenvolvimento, 2018
Comissão Interamericana de Direitos Humanos (CIDH)
Comitê Gestor da Internet do Brasil, 2016
Confederação Nacional da Indústria (CNI), 2013
Conselho Indigenista Missionário (Cimi), 2015
CPI do Tráfico de Armas, 2016 e 2017
Datafolha, 2018
Departamento Intersindical de Assessoria Parlamentar, 2014 e 2018
Disque 100, 2018
Federação das Indústrias do Estado de São Paulo (Fiesp), 2010
Fórum Brasileiro de Segurança Pública (FBSP), 2017 e 2018
Fundação Getulio Vargas (FGV), 2009
Global Witness, 2017
Grupo Gay da Bahia (GGB), 2018
Incra, 2016
Índice de Vulnerabilidade Juvenil à Violência, 2017
Instituto Brasileiro de Geografia e Estatística (IBGE), 2018
Instituto de Pesquisa Econômica Aplicada (Ipea), 2014 e 2018

Instituto Maria da Penha, 2017
Instituto Paulo Montenegro — Indicador de Alfabetismo Funcional, 2018
Instituto Sou da Paz, 2018
Liga Brasileira de Lésbicas
Mapa da Violência, 2015 e 2016
Núcleo de Estudos da Violência (NEV), Universidade de São Paulo
Núcleo de Pesquisas das Violências, Universidade do Estado do Rio de Janeiro, 2010
Organização Mundial da Saúde, 2017
Oxfam, "A distância que nos une: Um retrato das desigualdades brasileiras", 2017 e "País estagnado: Um retrato das desigualdades brasileiras", 2018
Plano Nacional de Educação, 2014
Pesquisa Nacional por Amostra de Domicílios (Pnad), 2018
Programa Rede de Enfrentamento à Violência contra as Mulheres, 2016
Relatório de Violência Homofóbica no Brasil: Ano 2013
Relógios da Violência (órgão vinculado ao Instituto Maria da Penha), 2017
Repórter Brasil, 2010
Resposta Brasil, 2010
SaferNet, 2018
Sinesp, 2016
Transgender Europe, 2018
Transparência Internacional (Índice de Percepção de Corrupção), 2017 e 2018

JORNAIS, SITES E REVISTAS CITADOS

BOL
El País
Folha de S.Paulo
Nexo
O Estado de S. Paulo
O Globo
Revista *piauí*
Revista *Veja*
Site Slave Voyages
UOL

Índice remissivo

13ª Vara da Justiça Federal (Curitiba), 117

A.B.C. (jornal anarquista), 125
Abolição da escravatura (1888), 22, 30-1, 37, 39, 82, 132, 178
abolição gradual, modelo de, 29
Abreu, Irajá, 84
Abreu, Kátia, 84
abuso de autoridade, 90
abuso infantil, taxas de, 160, 191
Academia Real Militar (Rio de Janeiro), 12
Acari (Rio de Janeiro), 179
açoitamento de mulheres escravizadas, 48; *ver também* castigos físicos de escravos
Acre, 60
adolescentes infratores, 34
Afeganistão, 34, 187
África, 35, 91, 208, 219
África do Sul, 17

Agostini, Ângelo, *102*
Agricultura, curso de (Rio de Janeiro), 12
agronegócio, 57, 62, 169-70, 173
Aguiar, marquês de *ver* Portugal, Fernando José de
Alagoas, 58, 60-1, 153
Alemanha, 141, 155
Alencar, José de, 164
Alencar, Otto, 84
Alencastro, Luiz Felipe de, 74
alfabetização, 29, 133, 142
Almanaque Laemmert, 77
Almeida, Lourenço de, d., 92
Almeida, Manuel Antônio de, 67
"Almirante, O" (Porter), 124
alternância no poder, 237
Alves, família, 59
Amada (Morrison), 40
Amapá, 61
amas de leite, 53
Amazonas, 162, 186

255

Amazônia, 168, 171
Amazônia Celular (empresa), 115
ambientalistas, 170
America (gravura de Theodor Galle), *188*, 189
América do Norte, 159
América do Sul, 125, 163
América espanhola, 29
América Latina, 56, 125, 143-4, *145*, 153, 199, 219
América portuguesa, 208
Américas, 14, 22, 42, 47, 165, 201
Amoedo, Rodolfo, 166
Anadia, visconde de *ver* Sá e Meneses, João Rodrigues de (visconde de Anadia)
analfabetismo, 93, 133, 137, 144, *145*, 146-50, 233
analfabetos funcionais, 146
Anchieta, José de, padre, 166
Andersen, Hans Christian, 103
Anderson, Benedict, 142
Andrade Gutierrez (empresa), 117
Andrade, Mário de, 17
Angola, 74
Anistia Internacional, 33, 157
"anões do Orçamento" (1993), escândalos dos, 86
anti-intelectualismo e antijornalismo, 226
antissemitismo, 214
Antonil, André João, 46
Anuário Brasileiro de Segurança Pública, 191
Anuário Estatístico do Brasil, 137
"aparelhamento gramsciano", 118-9
apartheid, 17
Arábia Saudita, 120, 187
Arendt, Hannah, 214

Argentina, 143, 144
aristocracia, 42, 46, 67, 70
armas no Brasil, número de, 154
Arraes, Marília, 84
Arraes, Miguel, 84
ascensão social, espaços de, 137
Asilo dos Meninos Desvalidos (Rio de Janeiro), 134
assaltos com arma de fogo, 158
assassinatos *ver* homicídios; latrocínios
assédio sexual, 185, 191-2
Assembleia Constituinte (1823), 96, 98
Assembleia Constituinte (1946), 224
Assembleia Constituinte (1987-8), 232
Assembleia Legislativa (Rio de Janeiro), 119
Assunção (Paraguai), 12
ativismo negro, 18, 36
Atlas da Violência 2018 (Ipea), 152-4, 191
Atlas do Desenvolvimento Humano no Brasil (2013), 58
Ato Adicional (1834), 133
Ato das Disposições Constitucionais Transitórias, 172
Áustria, 155
autodefinição racial, 32-3
Avante (partido brasileiro), 83
Aventuras do dr. Bogóloff (Lima Barreto), 124-5
aversão, polarização e, 215-6; *ver também* polarização política
Azevedo, Artur, 102
Azevedo, Fernando de, 137
Azevedo, Joaquim José de (visconde do Rio Seco), 96
Azevedo, Militão Augusto de, *50*

Bacha, Edmar, 111
bacharéis em direito (no Império brasileiro), 78

Bahia, 42, 57-8, 61, 84, 112, 198, 218
"bancada da bala", 156
"bancada de parentes", 82-3
Banco do Brasil, 12, 107
Banco Opportunity, 115
bandeirantes, 163-4
Barbalho, família, 84
Barbalho, Jader, 84
Barreto, família, 58
Barreto, Lima, 7, 31, 124
Barroso, Liberato, 134
Barroso, Luís Roberto, 122
Batista, Joesley, 120
Belém (PA), 179
Bélgica, 111
Belize, 152
Benguela, 74
Bernardes, Artur, 106, 224
Bertioga (SP), 165
Biblioteca Pública (Portugal), 89
"bico de pena", eleição de, 81
biologia, 24, 30, 67, 183
bissexuais, 198, 200-1, 204
BNDE (Banco Nacional de Desenvolvimento Econômico), 113
Bogotá, 12
"Bolsinho do Imperador" (Segundo Reinado), 99
Bolsonaro, Eduardo, 83
Bolsonaro, Flávio, 83
Bolsonaro, Jair, 83
"bons selvagens", 167
"bônus" para escravizadas grávidas, 48
Botelho, André, 86
Bourbon, dinastia dos, 14
Bragança, dinastia dos, 14
Brasil Telecom, 115
Brasil: uma biografia (Schwarcz e Starling), 11*n*

Brasília, 37, 107-8, 112-3, 115, 117, 142
Buarque, Chico, 157
Bulhões, família, 59
Bulhões, Leopoldo de, 60
bullying, 217, 218
Burke, Peter, 229
Burkina Fasso, 120
burocracia, 12, 70, 74, 87, 96, 122-3
Butler, Judith, 184

Cabo Frio (RJ), 165
Cabral Filho, Sérgio, 119
Cabral, Pedro Álvares, 188
café, cultura do, 42, 46-7, 50-1, *52*, 77-8, 98
Caiado, Antônio José, 59-60
Caiado, família, 59
Caiado, Ronaldo, 59-60
Caiado, Totó, 60
caingangues, índios, 167
Calheiros, Renan, 60
Cals, César, 59
Câmara do Registro das Mercês (Rio de Janeiro), 73
Câmara dos Deputados, 79, 81-4, 86, 101, 108-9
câmaras municipais, 12, 68, 72
Camargo Corrêa (empresa), 117
Cameli, Gladson, 60
Cameli, Orleir, 60
Caminha, Pero Vaz de, 90, 188
Camões, Luís Vaz de, 208
Campo do Vasco (Rio de Janeiro), *140*
campos de concentração nazistas, 17
Campos, Eduardo, 84
Campos, João, 84
Canadá, 130
"candangos" da construção de Brasília, 108

Candido, Antonio, 67
candomblé(s), 218
Capanema, Gustavo, 137
Capemi (Caixa de Pecúlio dos Militares), 110
capitães do mato, 163
capitanias, 12, 72, 91, 93
Caracas, 12
"caras-pintadas", manifestações dos (1992), 113
Caribe, 47, 199
Carnavais, malandros e heróis (DaMatta), 67
carros particulares, frota brasileira de, 159
Carvalho, José Murilo de, 64, 88
Casa Civil, 115, 118
Casa da Suplicação (Lisboa), 12, 72
Casa-grande & senzala (Freyre), 17
casamento entre pares, 43, 45
"caso do roubo das joias da Coroa" (1882), 99-101, *102*, 103
castigos físicos de escravos, 29, 47-9
Castro, Domitila de (marquesa de Santos), 97
Castro, Matheus Melo, 180, 183
catequização de indígenas, 208-9; *ver também* indígenas
Ceará, 58, 61, 84
Censo Agropecuário (2006), 55
Central de Atendimento à Mulher (Ligue 180), 192, 202
Centro Internacional de Políticas para o Crescimento Inclusivo do Programa das Nações Unidas, 129
Chater, Carlos Habib, 118
Chile, 56, 143-4
CIA (Central Intelligence Agency), 109
Cidade do México, 12

Cirurgia e Anatomia, escolas de (Salvador/Rio de Janeiro), 12
civismo, 142
clãs políticos, 58-60, 83-4, 212
Classificação Internacional de Doenças (CID), 161
clientelismo, 60, 66, 82
CLT (Consolidação das Leis do Trabalho), 138
cocaína, 160
Código Penal, 112, 196
Coimbra, 12
Collins, David, 48
Collor de Mello, Fernando, 113
Colômbia, 56, 120, 143, 152-3, 182
Colônia, Brasil, 12, 23, 43, 68-9, 71-2, 90, 93-5, 193
colônias americanas, 43, 48
colônias espanholas, 12
Comissão de Verificação da Câmara dos Deputados, 81
Comissão Interamericana de Direitos Humanos (CIDH), 199, 201-2
Comitê Gestor da Internet do Brasil, 219
Companhia de Jesus, 208; *ver também* jesuítas
comunidades quilombolas *ver* quilombos, remanescentes de
comunismo, 109-10
concentração de renda, 56, 58, 61, 111, 128-9, 133, 147, 224, 229; *ver também* desigualdade
concertos orfeônicos (Estado Novo), 139, *140*
Confederação dos Tamoios, A (Magalhães), 164-5
Confederação Nacional da Indústria (CNI), 122, 139

Confederação Nacional do Comércio (CNC), 139
Congresso Nacional, 82, 85-6, 106, 109, 116, 119, 136, 156, 203, 230, 233
Conselho de Estado (Brasil Império), 78
Conselho Federal de Educação, 142
Conselho Indigenista Missionário (Cimi), 169-70
Conselho Nacional de Combate à Discriminação e Promoção dos Direitos de Lésbicas, Gays, Bissexuais, Travestis e Transexuais (CNCD/LGBT), 203-4
Conselho Nacional de Justiça, 117
conselhos e secretarias do Ministério da Mulher, da Família e dos Direitos Humanos, 205
conservadorismo, 14, 25, 29, 37, 40, 61, 79, 173, 205, 216, 225, 228
Constituição brasileira (1824), 13, 75, 133
Constituição brasileira (1891), 104, 136, 168
Constituição brasileira (1934), 82
Constituição brasileira (1937), 224
Constituição brasileira (1988), 24, 36, 68, 116, 132, 144, 169, 171-2, 200, 215, 220, 231-4
construção de Brasília, gastos com a, 107
Contos plausíveis (Drummond), 151
contrabando, 92, 94, 111
"cordialidade" brasileira, 66-7, 210-1, 219
Coroa portuguesa, 12, 68, 72-3, 78, 92-4, 162; *ver também* Portugal
coronelismo, 54, 81, 104
Coronelismo, enxada e voto (Leal), 80

Corporação de Armas (Rio de Janeiro), 73
Corrêa Filho, Heleno Rodrigues, 131
Correio da Manhã (jornal), 105
Correios, escândalo dos (2005), 114-6
Correntina (BA), 57
corrupção, 24, 60, 65, 88-125, 127, 160, 215-6, 224, 228-9, 233, 236
Costa e Silva, Alberto da, 38
Costa Rica, 144, 191
Costa, Paulo Roberto da, 118
cotas raciais, 37
Couro imperial (McClintock), 189
Coutinho, Rodrigo de Sousa, d., 71
crianças escravizadas, 49
"crime da rua Tonelero" (1954), 106
crime organizado, 160, 182, 215
"crime por preconceito de gênero", 200; *ver também* homofobia
criminalidade, 34, 156, 160-1, 182, 206, 216
crise econômica, 21, 129, 160
crise política, 23, 39, 106, 220, 232
cruzadas contra os "mouros", 208
Cuba, 22
cultura brasileira, 39
"cultura do estupro", 28, 175, 188-9, 192; *ver também* estupros; violência sexual
Cunha, Eduardo, 118
Cunha, Manuela Carneiro da, 163, 171
Curitiba (PR), 117
"curral eleitoral", 54, 81-2

DaMatta, Roberto, 67
Dantas, Daniel, 115
Daomé, 74
Darnton, Robert, 179
Datafolha, 219

Decam/ECT (Departamento de Contratação dos Correios), 114
Declaração das Nações Unidas sobre os Direitos dos Povos Indígenas, 171
Declaração Universal dos Direitos Humanos, 215
Decreto estadual n. 55 588/10 (tratamento nominal de transexuais e travestis, SP), 203
Decreto federal n. 7388 (sobre competência e estrutura ao CNCD/LGBT), 203
"degeneradas", populações mestiças como, 30
"degola" eleitoral, 81
delações premiadas, 118
DEM (Democratas, partido brasileiro), 59, 83
demagogia, 156
democracia, 22, 24, 39, 55, 62, 86, 124, 150, 173, 206, 214, 216, 220, 227, 232-7
"democracia racial", 17-8, 26, 36
Democracia na América, A (Tocqueville), 231
"democradura", 227
Desembargo do Paço (Lisboa), 13, 72
desemprego, 82, 129, 160, 215, 231
desenvolvimento sustentável, 129
desigualdade de gênero e sexo, 126, 183-4
desigualdade de renda, 128-9
desigualdade econômica, 90, 126
desigualdade racial, 35, 39, 126
desigualdade rural, 55-7
desigualdade social, 18, 21, 23, 36, 126-51, 158, 160, 180

determinismo social e racial, teorias do, 30, 168
Dia da Consciência Negra, 38
"Dialética da malandragem" (Candido), 67
Diap (Departamento Intersindical de Assessoria Parlamentar), 82-3
Dinamarca, 155
dinheiro público, fraudes com, 85, 88, 105, 107, 116, 122-3
Dirceu, José, 115, 118
direita política, 231, 237
direitos civis, 25, 32, 194
direitos humanos, 170, 180, 204, 206, 216, 219, 233, 236
direitos políticos, 115, 133
direitos sociais, 64-5
direitos trabalhistas, 82
discriminação racial, 17, 146, 224; *ver também* racismo
discursos autoritários, 61, 150, 214
Disque 100 (Disque Direitos Humanos), 202, 218
"Distância que nos une: Um retrato das desigualdades brasileiras, A" (relatório da Oxfam), 130
distribuição da riqueza, 132
Distrito Federal, 113, 186
ditadura civil-militar (1964-85), 23, 58-9, 110-2, 157, 198, 210, 216, 232-3, 236
DNA Propaganda, 115
doenças vitimando indígenas, 162; *ver também* indígenas
doleiros, 117-8
Domingues, Petrônio, 36
donatários, 68
Donos do poder: Formação do patronato político brasileiro, Os (Faoro), 67

"drogas do sertão", lavouras de, 162
drogas no Brasil, consumo de, 159-60; *ver também* narcotráfico
Drummond de Andrade, Carlos, 151
Duda, Andrzej, 226
"dupla morte" das pessoas negras, 31; *ver também* negros e negras
Duterte, Rodrigo, 226
"Economista e o rei da Belíndia: Uma fábula para tecnocratas, O" (Bacha), 111
educação, 32, 37, 40, 61, 65, 90, 119, 126-7, 132-4, 136-7, 139, 141-3, *144*, 147-50, 160, 175, 181, 186, 195-7, 205, 219, 229-31, 235; *ver também* ensino; escolaridade
EJA (Educação de Jovens e Adultos), 148
El Salvador, 153, 156
eleição direta, 80
eleitoral, reforma *ver* Reforma Saraiva (1881)
"eles" contra "nós", polarização, 26, 211-3, 216, 227; *ver também* polarização política
elites, 14, 25, 44, 58, 61-2, 76, 80, 90, 94, 105, 128, 135-8, 230
empregadas domésticas, 35
empreiteiras, 107, 117-9, 169
Engevix (empresa), 117
ensino primário, 133-5, 137-8, 142
ensino secundário, 133-4, 136-8, 142
ensino superior, 37-8, 136, 138, 142, 237
Equador, 110, 143
Era dos extremos (Hobsbawm), 229
Erdogan, Recep Tayyip, 226
"escambo", 162

Escola Nova, ideais da, 137
"Escola perfeita, A" (Drummond), 151
Escola Pública da Glória (Rio de Janeiro), 135
Escola Real de Ciências, Artes e Ofícios (Rio de Janeiro), 12
escolaridade, taxas de, *132*, *143*, 145, 148-9, 220
escolas particulares, 133, 230
escolas públicas, 133-5, 138, 143
"escravaria", 44, 48-9, *50*
escravidão, 17-8, 24, 27-40, 51, 93, 127, 132, 136, 157, 177-8, 193, 210-1
escravização indígena, 162, 164, 168, 190; *ver também* indígenas
escravizados e escravizadas, 11, 22-3, 28-30, 45, 47, 49, *50*, *52*, 53, 91, 133-4, 136, 163, 193
Espanha, 25
especiarias, comércio de, 162
esquerda política, 216-7, 231, 237
Essays in Understanding (Arendt), 214
Estado de S. Paulo (jornal), 113, 192
estado de sítio, 224
"Estado do direito entre os autóctones no Brasil, O" (Martius), 15
Estado Novo, 137, *140*, 141-2, 224
Estados Unidos, 22, 25, 28, 109, 128, 191, 226
estagnação econômica, 129
Estatuto da Igualdade Racial (2010), 37
Estatuto do Desarmamento, 154-6
Estatuto do Índio (1973), 171
Estônia, 131
Estrada de Ferro Central do Brasil, 105
Estrada de Ferro Noroeste do Brasil, 167
estupros, 40, 175, 189-92, 202, 230;

ver também "cultura do estupro"; violência sexual
Europa, 72, 159, 166, 208-09
evasão de divisas, 115, 119
Evolução política do Brasil e outros estudos (Prado Júnior), 68
exclusão racial, 33, 35-6; ver também racismo
Executivo, Poder, 59, 75, 115, 233
Exército brasileiro, 70, 98, 111-2, 154
expectativa de vida dos brasileiros, 33, 111, 176
expectativa de vida dos escravizados, 28

facções criminosas, 159-60
Faculdade Latino-Americana de Ciências Sociais, 155
família real, vinda da (1808), 12
"família tradicional", 197, 206
Faoro, Raymundo, 67, 78
Farage, Nádia, 163
Farias, Paulo César, 113
fascismo, 227-8
Fausto, Ruy, 228
Fausto, Sergio, 159
favelas, 108, 160, 180, 182
Federação das Indústrias do Estado de São Paulo (Fiesp), 122
feminicídio, 175, 184-5, 193-4, 196-7, 216, 230
feminismos, 36, 187, 190, 197
Fernandes, Florestan, 17-8
Fernandes, Millôr, 223
Ferreira Gomes, família, 58
Ferreira, Eduardo, 179
Ferrez, Marc, 51, *52*
fidalgos, 43, 70, 72-3, 77
Filipinas, 226

Fleury, Sérgio Fernandes Paranhos, 111-2
Folha de S.Paulo (jornal), 58, 218
folhetins, romances em, 102, 124
Fonseca, Borges da, 97
Fonseca, Deodoro da, 224
Fórum Brasileiro de Segurança Pública (FBSP), 34, 152, 157-8, 219-20
fotografias no Brasil (séc. XIX), 46, 49, *50*, 51, *52*, 53
França, 25, 95, 128
Franco, Itamar, 114
Franco, Marielle, 180-3
fraudes eleitorais, 106
Frente Negra Brasileira, 36
Freyre, Gilberto, 17, 224
Funai (Fundação Nacional do Índio), 169, 171
funcionários públicos, 27, 71, 96, 99, 103, 105, 110, 117, 203
Fundação Cultural Palmares, 37
Fundação Getulio Vargas (FGV), 122, 179
futebol, 141, 231

Galle, Theodor, *188*, 189
gastos públicos, 85, 97, 147-8
gays, 198, 200-2, 204, 227
Gazeta de Noticias (jornal), 101
Geisel, Ernesto, 107
General Electric, 110
genocídios, 17, 34, 163
gestão fraudulenta, 115
Gini, índice, 56, 128
Global Witness (ONG britânica), 170
Goiás, 59, 61, 108
golpe militar (1964), 107
Gomes, Anderson Pedro, 180, 183
Gomes, Cid, 58

Gomes, Ciro, 58-9
Gomes, José Euclides Ferreira, 58-9
Gomes, José Ferreira, 58
Gomes, Sonia, 5
Gomes, Vicente Antenor Ferreira, 58
Gomes, Vicente César Ferreira, 58
Gonzalez, Lélia, 187
Goulart, João, 107-9
governadores biônicos, escândalo dos (década de 1970), 112
Grã-Bretanha *ver* Inglaterra
grã-cruzes, títulos de, 73
Grande sertão: veredas (Guimarães Rosa), 237
Grupo Gay da Bahia (GGB), 198, 218
guaranis, índios, 167
Guarda Nacional, 54, 79
Guatemala, 12
Guerra Civil Espanhola (1936-39), 25
Guerra do Paraguai, 76, 98
Guerra Fria, 17
Guiné, 74

Habsburgo, dinastia dos, 14
Havana, 12
herança, imposto sobre, 130
heteronormatividade, 184-5, 198, 217
hierarquias, 28, 35, 45-6, 61, 63, 67, 77, 175, 190, 211
Hino Nacional do Brasil, 20, 142
"História do Brasil", modelos de, 13
História do Brazil (Frei Vicente do Salvador), 41
"História e Cultura Afro-Brasileira e Africana", ensino de, 38
Hitler, Adolf, 141
Hobsbawm, Eric, 229
Holanda, 34, 95
Holanda, Sérgio Buarque de, 46, 66, 70, 210
"homem cordial" *ver* "cordialidade" brasileira
homicídios, 33-4, 61, 152-3, 155-6, 158-9, 169, 183, 185-6, 196, 198-202
homofobia, 175, 199, 201, 214, 218
homossexuais, 198, 236; *ver também* gays; lésbicas; LGBTTQ
Honduras, 124, 152
Horizontes místicos do negro da Bahia, Os (Ramos), 16
Hospício Nacional, 105
Humboldt, Alexander von, 43
Hungria, 25, 226

IBGE (Instituto Brasileiro de Geografia e Estatística), 127, 129, 131, 175, 187
identidades de gênero, 184, 200-1
"ideologia" de gênero, 206
Iêmen, 34
Iglesias, José (Juca), 112
Igreja Católica, 43-5, 92, 166, 208
Igreja Evangélica Missão da Fé, 180
igualdade racial, 39, 186, 203
Ilustração (Século das Luzes), 30
imagem do Brasil, deterioração internacional da, 120
impeachment de Collor (1992), 113
impeachment de Dilma (2016), 217
Império do Brasil, 14-5, 19, 24, 31, 46, 53-5, 66, 74, 76-8, 80-1, 95-6, 98-9, 101-3, 134-5, 167, 179; *ver também* Primeiro Reinado; Segundo Reinado
Império português, 69-71, 74, 208
Imposto de Renda, 130
impostos, 70, 72, 92, 94, 96, 130
imprensa, 26, 63, 99-102, 105-6, 108, 200-1, 212, 216

Imprensa Régia (Rio de Janeiro), 12
Incra (Instituto Nacional de Colonização e Reforma Agrária), 57, 151, 173
indenização a senhores de escravos, 30, 135
Independência do Brasil (1822), 11, 13, 74
Índia, 111
"indianismo romântico", 164, 166-7
Indicador de Alfabetismo Funcional, 146
Índice de Vulnerabilidade Juvenil à Violência (IVJ), 177, 186
indígenas, 15-6, 23-4, 161-72, 188-190, 203, 208-10, 230, 235-7
industrialização, 127
inflação, 108, 111
"ingênuos", 134-5
Inglaterra, 95, 130
Injustiça: As bases da obediência e da revolta (Moore Jr.), 231
Instituto Brasileiro de Ação Democrática (IBAD), 109
Instituto Histórico e Geográfico Brasileiro (IHGB), 13, 19
Instituto Maria da Penha, 185
Instituto Paulo Montenegro, 146
Instituto Sou da Paz, 154
insurreições sociais, 231
"integração" dos povos indígenas, 168
interesses privados, 41, 54, 127, 173, 215
internet, 179, 213, 219
intersexuais, 201, 204
intolerância racial *ver* racismo
intolerância social, 26, 214, 236-7
Introdução à história da literatura brasileira (Romero), 16

IPC (Índice de Percepção de Corrupção), 120
Ipea (Instituto de Pesquisa Econômica Aplicada), 33, 129, 152, 176, 184, 191
Iracema (Alencar), 164-5
Iraque, 187
Isabel, princesa, 99
Israel, 25
Itália, 25, 226

Jamaica, 191
Jango *ver* Goulart, João
Japão, 130
Jardim Botânico (Rio de Janeiro), 12
Jefferson, Roberto, 114-5
"jeitinho brasileiro", 86, 91, 123
Jereissati, Tasso, 59
jesuítas, 46, 166, 208-9
João III, d., 91
João VI, d., 71, 73, 95-6
joias da família imperial *ver* "caso do roubo das joias da Coroa" (1882)
Jorge, Aílton Guimarães, 111
jornadas de trabalho escravo, 29
jovens negros, morte de, 33-4, 176, 180, 230
Judiciário, Poder, 233
Justiça Eleitoral, 80, 82

"kit gay", 206
Kodama, Nelma, 118
Kotscho, Ricardo, 113
Kubitschek, Juscelino, 107, 142

La Boétie, Étienne de, 103
Lacerda, Carlos, 106
latifúndios, 23, 41, 49, 54, 67, 127
latrocínios, 158-9, 161
Lava Jato *ver* Operação Lava Jato

lavagem de dinheiro, 115, 117-9
Leal, Victor Nunes, 80
Legislativo, Poder, 101, 203
Lei Áurea (1888), 30; *ver também* Abolição da escravatura (1888)
Lei de Acesso à Informação (2011), 154
Lei de Diretrizes e Bases da Educação Nacional (2003), 38
Lei do Ventre Livre (1871), 30, 134
Lei dos Sexagenários (1885), 30
Lei Maria da Penha (2006), 195, 202
Lei n. 10948/01 (contra discriminação por orientação sexual), 203
Lei Orgânica do Ensino (Estado Novo), 138
lésbicas, 198, 200-2, 204
Lévi-Strauss, Claude, 19
Levitsky, Steven, 220
LGBTTQ (Lésbicas, Gays, Bissexuais, Travestis, Transexuais e Queers), 23, 198-206, 217, 219, 230, 237; *ver também identidades individualmente*
liberalismo político, 30, 82
Liebgott, Roberto, 169
Life of Reason, The (Santayana), 7
Liga Brasileira de Lésbicas (LBL), 202
Lima (Peru), 12
Lima, Renato Sérgio de, 220
linhas telegráficas no Centro-Oeste, 168
Linz, Juan, 227
Lisboa, 12, 71-2
livre-arbítrio, 30
Lloyd Brasileiro, 105
Lobo, Francisco de Paula, 100
Lopes, Elias Antônio, 95
Lourenço Filho, 137
lucros e dividendos de empresas, 131
"lugares de memória", eliminação de, 25

Luís XVI, rei da França, 103
Lula da Silva, Luiz Inácio, 118
Lusíadas, Os (Camões), 208
lusotropicalismo, 17
Lutfalla (empresa têxtil), 113

machismo, 185, 193, 199, 203
Macunaíma (Mário de Andrade), 17
Maduro, Nicolás, 226
"máfia dos sanguessugas" (2006), escândalo da, 86
Magalhães, Antônio Carlos, 112
Magalhães, Gonçalves de, 164
Magnesita (empresa), 112
maioridade penal, redução da, 34, 158
"malandragem" brasileira, 67
Maluf, Paulo, 113
Maluf, Sylvia Lutfalla, 113
mandonismo, 24, 26, 41-63, 65-6, 68, 80, 224
Manguinhos (Rio de Janeiro), 180
manifestações de junho (2013), 39, 216, 217, 231-2
Manilha e o Libambo, A (Silva), 38
mansões/solares dos senhores de terras, 47
Manuel I, d., 91
mão de obra escrava, 28, 42, 74, 127, 162, 168, 190
Mapa da Violência (Faculdade Latino-Americana de Ciências Sociais), 155, 185
máquina pública, 66, 71-2, 78, 82, 85, 87, 122, 227
Maranhão, 57-8, 83
Maré, comunidade da (Rio de Janeiro), 180
Marielle *ver* Franco, Marielle
Marinho, Maurício, 114

Marín-León, Letícia, 131
Martinez, Óscar, 156
Martius, Karl von, 15, 18-21, 164-5, 178
Mato Grosso, 61
Mato Grosso do Sul, 169-70
"matrícula de ingênuos", 135
Mazzilli, Ranieri, 109
McClintock, Anne, 189
MDB (Movimento Democrático Brasileiro), 83-4, 118-9; *ver também* PMDB
Medalha do Pacificador, 111-2
Médici, Emílio Garrastazu, 110, 112
Mello, Evaldo Cabral de, 43
Memória (Sonia Gomes), 5
Memórias de um sargento de milícias (Almeida), 67
Mendes Júnior (empresa), 117
Mendes, Conrado Hübner, 158
Mensalão, escândalo do (2005-6), 115-6, 232
mercado de trabalho, 12, 129, 138, 175-6
mercadores de escravos, 74
"meritória", aristocracia/nobreza, 42, 76
Mesa da Consciência e Ordens (Lisboa), 13, 72
mestiçagem, 15, 17-8, 20, 30, 165, 178
México, 12, 199
mídias digitais, 174
Milá, Marc Morgan, 127
"Milagre" brasileiro (anos 1970), 111
milícias, 159, 160, 182, 227
Minas Gerais, 91-3, 108, 120
mineração, 92-3, 170, 190
Ministério da Agricultura, 169
Ministério da Agricultura, Indústria e Comércio, 137
Ministério da Cidadania, 37

Ministério da Cultura, 37
Ministério da Educação, 137
Ministério da Justiça, 169
Ministério da Mulher, da Família e dos Direitos Humanos, 204
Ministério da Saúde, 155, 159, 191-2
Ministério de Minas e Energia, 113
Ministério do Trabalho, 113
Ministério dos Direitos Humanos, 169, 204
Ministério Público, 112, 116-7
minorias sociais, 26, 40, 173, 181, 204, 206, 212, 227, 233
Miquilin, Isabella O. C., 131
misoginia, 175, 186-7, 197, 214
Mistral, Frédéric, 225
mitos nacionais, 18, 20, 22, 26, 67
Moçambique, 74
Moderador, Poder, 78, 97
modernização, 110, 127
monarquia, 11, 13-4, 16, 53, 69-71, 75-8, 92, 96-99, 101-4
monocultora, 42, 47
Montaigne, Michel de, 174
Monteiro, Maria Inês, 131
Moore Jr., Barrington, 231
Moro, Sérgio, 117
Morrison, Toni, 40
mortalidade infantil, 111, 128, 170
Movimento Negro Unificado, 36
movimentos LGBTS *ver* LGBTTQ (Lésbicas, Gays, Bissexuais, Travestis, Transexuais e Queers)
muçulmanos, 187, 237
"mulata", representação perversa da, 28, 188, 193-4
mulher, violência contra a *ver* estupros; feminicídio; misoginia; violência sexual

mulheres brancas, 53, 176, 186, 193-4, 196
mulheres negras, 53, 130, 176, 185-6, 188, 193-4, 196
Mundo que o português criou, O (Freyre), 17
Murici (AL), 60
Museu Paulista, 167
Museu Real (Rio de Janeiro), 12

nacionalismo, 25, 139, *140*, 141, 213, 226
Nações Unidas *ver* ONU (Organização das Nações Unidas)
Namíbia, 56
narcotráfico, 112, 159-60, 176, 182
nazismo, 17, 25, 141, 227
Negócios Estrangeiros e da Guerra, secretário dos, 71
negros e negras, 23, 32, 131, 175, 177, 179, 236-7
nepotismo, 67, 90
Neves, Aécio, 120
Nexo (jornal), 11*n*
Nigéria, 35
nobreza, títulos de, 69, 73-7, 95-6
Nogueira, Ciro, 84
Nora, Pierre, 25
Nordeste do Brasil, 17, 32-3, 42-4, 108, 110, 131, 147
Norte do Brasil, 131
"nós" contra "eles", polarização, 26, 211-3, 216, 227; *ver também* polarização política
nostalgia dos "velhos bons tempos", 226
"novos populistas", 227; *ver também* populismo
Núcleo de Pesquisas das Violências (UERJ), 182

Numa e a ninfa (Lima Barreto), 125
Numas (Núcleo de Estudos sobre Marcadores Sociais da Diferença da USP), 175

OAS (empresa), 117
OCDE (Organização para a Cooperação e Desenvolvimento Econômico), 130
Odebrecht, Marcelo, 118
ódios, disseminação de, 17, 22, 25, 172, 197, 212, 217
Oeste Paulista, 47, 167
oligarquias, 58-9, 61-2, 104-5
Olimpíadas do Rio de Janeiro (2016), 107
ONU (Organização das Nações Unidas), 129, 156, 159, 170-1, 199
Operação Calicute, 119
Operação Eficiência, 119
Operação Fatura Exposta, 119
Operação Lava Jato, 116-7, 119-20, 232
Operação Mascate, 119
"Operação República Velha" (2017), 106
Operação Unfair Play, 119
opinião pública, 102, 106, 113, 117-8
Orbán, Viktor, 226
Orçamento Federal, 85
Ordem da Rosa, 101
Ordenações Filipinas, 72
Organização Mundial da Saúde (OMS), 61, 153, 155, 159, 161, 196
"otimismo pedagógico" (anos 1920), 137
Oxfam Brasil, 55, 128-9

Paço (Lisboa), 12
Paço de São Cristóvão (Rio de Janeiro), 77, 99-100

"País estagnado: Um retrato das desigualdades brasileiras" (relatório da Oxfam Brasil), 128
países periféricos, 126-7
Paiva, Manuel, 101
Paiz, O (jornal), 105
Palácio do Planalto, 85
"palácios escolares" (Rio de Janeiro, séc. XIX), 135
Palocci, Antonio, 118
Panamá, 120
Pará, 58, 61, 84, 110
Parada do Orgulho LGBTTQ (São Paulo), 198
Paraguai, 56, 76, 98, 143
Paraíba, 58, 83-4, 186
Paraná, 60, 79, 112, 117-8
pardos e pardas, 33, 35, 128, 130-1, 145-7, 178
parlamentarismo, 108
Partido Comunista (URSS), 25
Partido Republicano (Brasil Império), 98
pater familias, 63, 195
Patri (partido Patriota), 83
patriarcado, 195
patriarcalismo, 20, 26, 43-4, 53, 70, 186, 193-4, 197, 199, 211, 224-6
patrimonialismo, 23-4, 64-88, 90, 127, 224
patriotismo, 76, 139, *140*, 141-2
Patrocínio, José do, 102
pau-brasil, extração do, 162
PCdoB (Partido Comunista do Brasil), 83
PDS (Partido Democrático Social), 59
PDT (Partido Democrático Trabalhista), 83-4
peculato, 115
Pedro I, d., 75, 97-8
Pedro II, d., 76, 98, 101-3, 164, 166
Peixoto, Floriano, 224
Peres, Haroldo Leon, 112
periferias, 34, 108, 160, 176-7, 216
Pernambuco, 42, 61, 83
personalismo, 42, 66, 82
Peru, 110, 143, 191
Petrobras, 117-8
Petrópolis (RJ), 100
Pezão, Luiz Fernando, 119
Piauí, 58, 84, 153
piauí (revista), 159, 171
PIB brasileiro, 107, 122, 142, *144*, 147
PIB mundial, 230
Pierson, Donald, 17
Piketty, Thomas, 127
Pinto, Célia Regina Jardim, 121
piratas (século XVII), 91
Plano de Metas, 108
plano de saúde, 131, *132*
Plano Nacional de Educação (PNE), 144-5
plantation, 42, 47
pluralismo político, 82
PMDB (Partido do Movimento Democrático Brasileiro), 59, 117; *ver também* MDB
Pnad (Pesquisa Nacional por Amostra de Domicílios), 127, 131, 147
Pode (partido Podemos), 83
poder público, 80, 201
polarização política, 21, 200, 215, 217
polícia brasileira, 156-7
Polícia Federal, 116-8, 156, 181
Polícia Militar, 157, 180-1
política brasileira, 57-60, 82-4, 87, 118, 224, 231
"Política dos Governadores" (Primeira República), 105

"Política republicana, A" (Lima Barreto), 124
Polônia, 25, 155, 226
Pompeia, Raul, 102
ponte Rio-Niterói, 110
população branca, 33, 129, 176
população brasileira, 32, 55, 128, 137
população carcerária brasileira, 230
população escravizada, 22-3
população negra, 32, 129, 177, 181, 183
populações afro-brasileiras, 175
populismo, 39-40, 63, 141, 226-8, 231
porte de armas, 154, 156, 236
Portella, Iracema, 84
Porter, William Sydney, 124
Porto Rico, 22
Portugal, 69, 71-4, 89, 95-6, 98, 188; *ver também* Coroa portuguesa
Portugal, Fernando José de (marquês de Aguiar), 71
positivismo, 168
posse de terras, disputa pela, 161-2, 169
PP (Partido Progressista), 60, 83-4, 117
PPL (Partido Pátria Livre), 83
PPS (Partido Popular Socialista), 58, 83
PR (Partido da República), 83
Prado, família, 58-9
Prado Júnior, Caio, 68
Prata, rio da, 91
Pravda (jornal soviético), 25
PRB (Partido Republicano Brasileiro), 83
presidencialismo, 109
Primeira República (República Velha), 23, 31, 54, 80-2, 103-6, 125, 167, 224
Primeiro Reinado, 74, 97-8
Proclamação da República (1889), 136
Produto Interno Bruto *ver* PIB

profissionais liberais (no Império brasileiro), 74, 78
profissionalizantes, cursos/instituições, 136-9
Programa de Redução da Violência Letal (PRVL), 61
Projeto de Lei sobre as Diretrizes e Bases da Educação Nacional (1948), 142
propinas, 89, 92, 107, 110, 117, 119-20
propriedades rurais, 57
proprietários de escravos *ver* senhores de escravos
PROS (Partido Republicano da Ordem Social), 83
PRP (Partido Republicano Progressista), 83
PSB (Partido Socialista Brasileiro), 83-4
PSC (Partido Social Cristão), 83
PSD (Partido Social Democrático), 83-4, 117
PSDB (Partido da Social Democracia Brasileira), 60, 83, 117, 120
PSL (Partido Social Liberal), 83
PSOL (Partido Socialismo e Liberdade), 83, 180
PT (Partido dos Trabalhadores), 60, 83-4, 115-9
PTB (Partido Trabalhista Brasileiro), 83, 114-5
PTC (Partido Trabalhista Cristão), 83
PV (Partido Verde), 58

quadrilha, formação de, 115
Quadros, Jânio, 108
Queiroz Galvão (empresa), 117
Queiroz, Maria Isaura de, 61
"questão do trabalho" (Brasil Império), 134

quilombos, remanescentes de, 36, 172-3
Quinalha, Renan, 198
Quinta da Boa Vista (Rio de Janeiro), 95
Quito (Equador), 12

Raça e assimilação (Viana), 16
"raça social", noção de, 32
raças humanas, "mito" das três, 15-6, 18-9
racismo, 17, 24, 27-40, 175, 177-80, 183, 187, 210, 214, 216, 219, 224, 234
"rações" dos escravizados, 48-9
radicalização social, processo de, 231
Raízes do Brasil (Sérgio Buarque de Holanda), 46, 66, 210-1
Ramos, Artur, 16-7
Real Academia de Pintura e Escultura (Rio de Janeiro), 12
Real Biblioteca (Rio de Janeiro), 12
rebeliões escravas, 23, 48-9, 133
recessão, 129, 147, 160, 215-6, 230-1, 236
Recife (PE), 17
recursos naturais, exploração de, 170
Rede Ferroviária Federal (RFFSA), 110
redemocratização brasileira, 32, 36, 39, 62, 68, 144
Reforma Capanema (1942-46), 137
Reforma Saraiva (1881), 80, 133
Regime Militar *ver* ditadura civil-militar (1964-85)
Rêgo, Veneziano Vital do, 84
Regulamento para a Reforma do Ensino Primário e Secundário do Município da Corte (1854), 133
Reino Unido, 72, 95, 130; *ver também* Inglaterra

Relatório de Violência Homofóbica no Brasil (2013), 201
religiões afro-brasileiras, 218, 237
religiões de matriz cristã-judaica, 199, 236
Relógios da Violência (Instituto Maria da Penha), 185
renda nacional, 127-9
"República das Bananas", uso do termo, 124
República Velha *ver* Primeira República
"República", significado de, 64
réus primários, 112
Revista Illustrada, 102
revolta dos tupinambás (1554-67), 165
Ribeiro, Aguinaldo, 84
Ribeiro, Daniella, 83-4
Richa, Beto, 60
Rio de Janeiro, 12-4, 31, 61, 71-4, 77, 91, 95, 104, 109, 111, 119, 135, *140*, 179-80, 182, 192
Rio Grande do Norte, 59, 61, 84, 153, 186
Rio Seco, visconde do *ver* Azevedo, Joaquim José de
Rodovia Transamazônica, 110
"romance real", conceito de, 21
Romeiro, Adriana, 92
Romero, Sílvio, 16
Rondon, Cândido Mariano, 168
Rosa, Guimarães, 237
"Roupa nova do rei, A" (Andersen), 103
Rousseff, Dilma, 217, 232
Ruanda, 120
Rússia, 25

Sá e Meneses, João Rodrigues de (visconde de Anadia), 71
Sá, Mem de, 91
SaferNet (ONG), 219

salário mínimo, 58, 130-1
Sales, Alberto, 104
Sales, Campos, 104
Salvador (BA), 12, 14
Salvini, Matteo, 226
saneamento, 132
Santa Catarina, 106, 153
Santana, freguesia de (Rio de Janeiro), 135
Santayana, George, 7
Santiago do Chile, 12
"santo do pau oco", uso da expressão, 92
Santos Filho, Joel, 114
Santos, José Alcides Figueiredo, 131
Santos, marquesa de *ver* Castro, Domitila de
Santos, Reginaldo, 179
São José, freguesia de (Rio de Janeiro), 135
São Lourenço, visconde de *ver* Targini, Francisco Bento Maria
São Paulo, 17, 47, 122, 130, 153, 157, 179, 192, 198, 203
Sarmanho, Valder, 108
Sarney, José, 57-8
Sarney Filho, José, 58
Sarney, Roseana, 57
saúde, serviços de, 85, 131, *132*, 191-2, 230-1
Schwarcz, Lilia, 11*n*
SD (Solidariedade), 83
Secretaria de Direitos Humanos da Presidência da República (SDH/PR), 160, 203, 218
Secretaria Especial da Cultura (Ministério da Cidadania), 37
Secretaria Especial de Políticas de Promoção da Igualdade Racial (SEPPIR), 37

Secretaria Nacional de Proteção Global (Ministério da Mulher, da Família e dos Direitos Humanos), 204-5
secretarias e conselhos do Ministério da Mulher, da Família e dos Direitos Humanos, 205
Século das Luzes (XVIII), 30
Seeger, Anthony, 210
Segunda Guerra Mundial, 17
Segunda República, 36
Segundo Reinado, 47, 74, 77-8, 98, 164, 167
segurança pública, 157, 159, 216
Senac (Serviço Nacional de Aprendizagem Comercial), 138-9
Senado, 59-60, 78, 80, 83-4, 101
Senai (Serviço Nacional de Aprendizagem Industrial), 138-9
senhores de engenho, 27, 46, 95
senhores de escravos, 29, 50-1, 135
senhores de terra, 19, 23, 46-7, 53, 67, 74, 81, 127, 157
Sergipe, 58, 61, 153
"Sermão do Espírito Santo" (Vieira), 208-9
Serviço de Proteção ao Índio (SPI), 168
sexualidades, autoritarismo e controle das, 206
Silva, Mário Augusto Medeiros da, 31
Sinesp, 158
Síria, 34
sistema educacional brasileiro, 139; *ver também* educação; ensino; escolaridade
sistema escravocrata *ver* escravidão
Slave Voyages (site), 23
SNI (Serviço Nacional de Informações), 111

Sobral (CE), 58
socialismo, 119
Sousa, Tomé de, 91
Stálin,Ióssif, 141
Starling, Heloisa, 11*n*
Straet (Stradamus), Jan van der, *188*, 189
Sudeste do Brasil, 46
Suécia, 34
sufrágio universal, 104, 112
Supremo Tribunal Federal (STF), 37, 115, 120-1
SUS (Sistema Único de Saúde), 122, 186, 192

Targini, Francisco Bento Maria (visconde de São Lourenço), 96
Teatro Experimental do Negro, 36
Teixeira, Anísio, 137
Teixeira, Miro, 115
Telemig Celular, 115
Temer, Michel, 204
"tempo da memória"/"tempo de antes", 226
teorias conspiratórias, 213
"teorias do senso comum", 22
teorias raciais, 32, 136
Terceira República, 113, 116, 170
Teresa Cristina, imperatriz, 99-100
terras indígenas, 169-72; *ver também* indígenas
Tesouro, 99
Timor Leste, 120
Tocantins, 84
Tocqueville, Alexis de, 231
Torres, Alberto, 104
tortura, 111-2, 197, 201-2, 234
Tráfico de Armas, CPI do, 156
tráfico de drogas *ver* narcotráfico

tráfico de escravos africanos, 38, 78, 91, 93, 95
tráfico de influências, 90, 97
Transamazônica *ver* Rodovia Transamazônica
"Transatlantismo" (Lima Barreto), 7
transexuais, 199-200, 202-4, 236
Transparência Internacional (TI), 120
travestis, 198-200, 203-4, 227
Tribunal da Relação (Brasil colônia), 12
Tribunal de Contas (Rio de Janeiro), 120
Trump, Donald, 226
"tucanos", oligarquia dos, 59; *ver também* PSDB
tupi, língua, 165
tupinambás, índios, 165, 209
tupis, índios, 167
Turquia, 226

Última Hora (jornal), 106
Último tamoio, O (tela de Amoedo), 166
ultranacionalismo, 226
Unesco (Organização das Nações Unidas para a Educação, a Ciência e a Cultura), 17
União dos Homens de Cor, 36
União Soviética (URSS), 25, 141
Unidades de Polícia Pacificadora, 182
Universidade de Brasília, 37
Universidade do Estado do Rio de Janeiro, 182
universidades, 12, 230
UNODC (Escritório das Nações Unidas sobre Drogas e Crime), 159
urbanização, 81
UTC Engenharia (empresa), 117

Vale do Paraíba, 47, 51, *52*, 76, 78

Valério, Marcos, 116
valores republicanos, 64, 206
Vargas, Getúlio, 36, 58, 106, 108, 139, *140*, 141, 218, 224
Veja (revista), 114
Venezuela, 56, 226
"verdadeira" história, batalhas pela, 25
Veyne, Paul, 21
Viana, família, 60
Viana, Oliveira, 16
Vicente do Salvador, Frei, 41
Vichy, regime de (França, 1940-44), 25
vida pública, 64
Vieira, Antônio, padre, 208-9
Vieira, Oscar Vilhena, 232-3
Villa-Lobos, Heitor, 139
violência doméstica, 187, 195
violência epidêmica no Brasil, 34, 61, 157, 161
violência no campo, 161-73
violência sexual, 183-4, 191-3; *ver também* "cultura do estupro"; estupros
violência urbana, 33, 158-9, 161
Viveiros de Castro, Eduardo, 209-10
von Ihering, Hermann, 167
voto censitário, 133
"voto de cabresto", 54, 81, 104
voto obrigatório, 82

Wagley, Charles, 17
Wainer, Samuel, 107
Wascheck Neto, Arthur, 114
Weber, Max, 65-6, 87

xavantes, índios, 167
xenofobia, 214, 217, 219

Youssef, Alberto, 118

Zâmbia, 120
Ziblatt, Daniel, 220
Zumbi dos Palmares, 38

1ª EDIÇÃO [2019] 12 reimpressões

ESTA OBRA FOI COMPOSTA PELA SPRESS EM MINION E
IMPRESSA EM OFSETE PELA LIS GRÁFICA SOBRE PAPEL PÓLEN DA
SUZANO S.A. PARA A EDITORA SCHWARCZ EM MARÇO 2024

A marca FSC® é a garantia de que a madeira utilizada na fabricação do papel deste livro provém de florestas que foram gerenciadas de maneira ambientalmente correta, socialmente justa e economicamente viável, além de outras fontes de origem controlada.